サンデージャーナルのデータで解析！

名古屋
愛知

サンデージャーナル
取材班 &
大竹敏之

まえがき

この本はテレビ愛知の報道バラエティ番組
『データで解析！・サンデージャーナル』の
放送内容を基に、書籍化したものです。

番組は２０１６年４月にスタートし、
２０２１年に６年目を迎える息の長いプログラムとなっています。
毎回、経済や文化など様々な分野に目を向け、
名古屋・愛知の実態をつまびらかにしていきます。
１つのテーマを多彩なデータで詳細に解析し、
豊かな知識を持つゲストが解説を加え、
３人のレギュラー陣が独自の視点や経験を交えながら
時に鋭く、時に親しみやすく、
難しくなりがちな調査分析結果を
分かりやすく紹介していきます。

この本では、200回以上を重ねるこれまでの放送回の中から
とりわけこの地域らしさが分かるテーマの40本をピックアップ。
放送時のデータを尊重しながらも
一部最新の情報を新たに加えて
名古屋・愛知の〝今〟が分かる、そんな1冊にまとめ上げました。

番組の視聴者の方も、
番組は観たことがないけれど
名古屋・愛知に関心があるという方も、
そしてこれからこの地域のことを知りたいという方も、
まずは自分の興味のある章からお楽しみください。
1冊を読み終えた時には、
名古屋・愛知のことがもっと好きになり、
もっと知りたいと思うようになっているはずです。

もくじ

「名古屋・愛知の食文化」をデータで解析！

第2章

「名古屋・愛知の県民」をデータで解析！

「名古屋・愛知の暮らし」をデータで解析！

「名古屋・愛知の町」をデータで解析！

「名古屋・愛知の産業」をデータで解析！

「名古屋・愛知のカルチャー」をデータで解析！

※本書に掲載した情報は番組放送当時、または2021年3月現在のものです。
これらの情報は変更される場合がありますのでご了承ください。
※出演者のコメントはすべて番組出演当時のものです。

「名古屋・愛知の食文化」をデータで解析！

モーニングになごやめしなど地域色豊かなご当地グルメはもちろん、お菓子やラーメン、おでんに鍋料理まで、名古屋・愛知はユニークな食文化が息づいたエリア。なぜこういう食べ物が好まれるのか？　どんな人がどんなふうに味わい、楽しんでいるのか？　データから探ると意外な、そして納得の人柄が見えてきた—!?

モーニングから純喫茶まで 名古屋・愛知の「喫茶店文化」

「喫茶店王国」と呼ばれる愛知県。単に店の数が多いだけでなく、独特の喫茶店文化が根づいていることが王国たるゆえん。モーニングサービスから、おつまみ、そして純喫茶まで、老若男女に愛されるその魅力と実態を探る！

愛知県内の喫茶店は7784店で全国2位 7割以上の客が「モーニングを食べる」

愛知県内の喫茶店は７７８４店で全国２位。１位は大阪で８６８０店。愛知以下、東京６７１０店、兵庫５０８２店、岐阜２７８４店と続く（総務省統計局経済センサス　２０１６年）。

東京、大阪との比較で違いが顕著に出るのは「喫茶店へ行く目的」。愛知では「モーニングを食べる」「ランチを食べる」という目的が際立って多く、逆に「時間つぶし」目的が少ない❶。

愛知では食事メニューが豊富でファミレスの機能も担っている喫茶店が多く、客も明確な目的意識を持って利用するケースが多い。

「モーニングを利用する人の割合」も東京、大阪と比べて愛知が特に高く、７割以上が利用。モーニングサービス目当てで喫茶店を利用する人が多い❷。

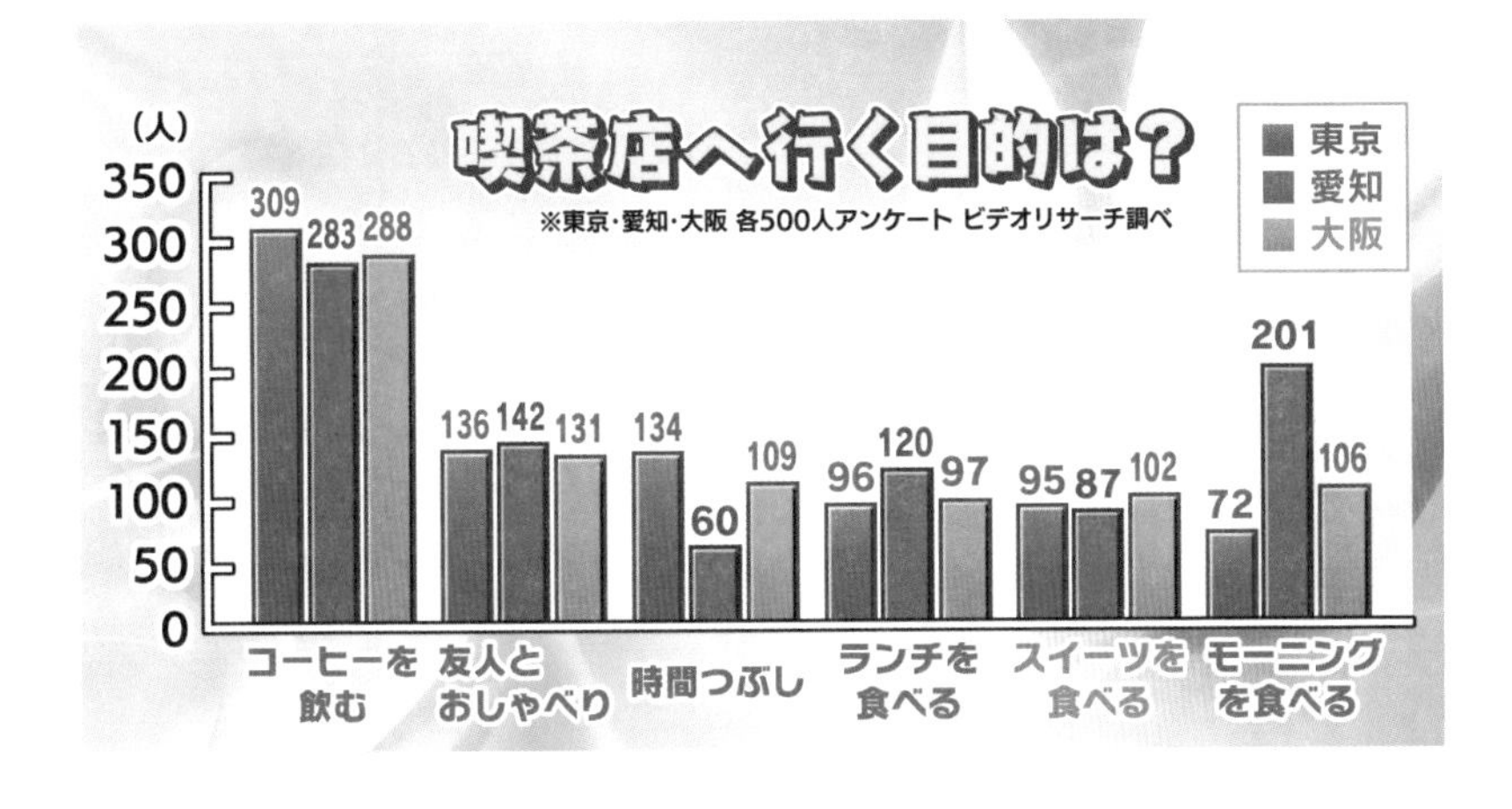

❶愛知は「モーニングを食べる」が特に多く、「時間つぶし」は極端に少ない。愛知県民は明確な目的をもって喫茶店を利用していることが分かる

モーニング発祥は一宮? 豊橋?
一宮では約570店がモーニングを提供

〝モーニングサービス発祥の地〟を主張する町が愛知県には2つある。一宮市と豊橋市だ。

一宮は繊維の街として栄え、高度成長期にはガチャマン景気(機織機がガチャンと鳴るごとに1万円儲かる)と称された。繊維業者は騒々しい工場内では商談ができないと喫茶店を頻繁に利用した。喫茶店主はひいきにしてくれるお返しにとコーヒーにゆで玉子やピーナッツなどをサービスとしてつけ、これがモーニングにつながったといわれる。1956年に「三楽」の喫茶室でモーニングを出していたことが確認されている。2009年には一宮モーニング協議会が発足して、モーニングマップを作成するなど街の活性化に活用。現在、市内では約570店の喫茶店がモーニングを提供している。

豊橋でもほぼ同時期の昭和30年代前半に「松

モーニングを利用する人の割合 東京・大阪・愛知 各500人

※ビデオリサーチ調べ

	必ず利用	あれば利用	内容によって	計
東京	3.4%	15.0%	22.8%	41.2%
大阪	7.0%	17.8%	22.4%	47.2%
愛知	15.8%	36.8%	18.4%	71.0%

❷東京、大阪は追加料金が必要な「モーニングセット」が主流のため利用する人が少ないと考えられる

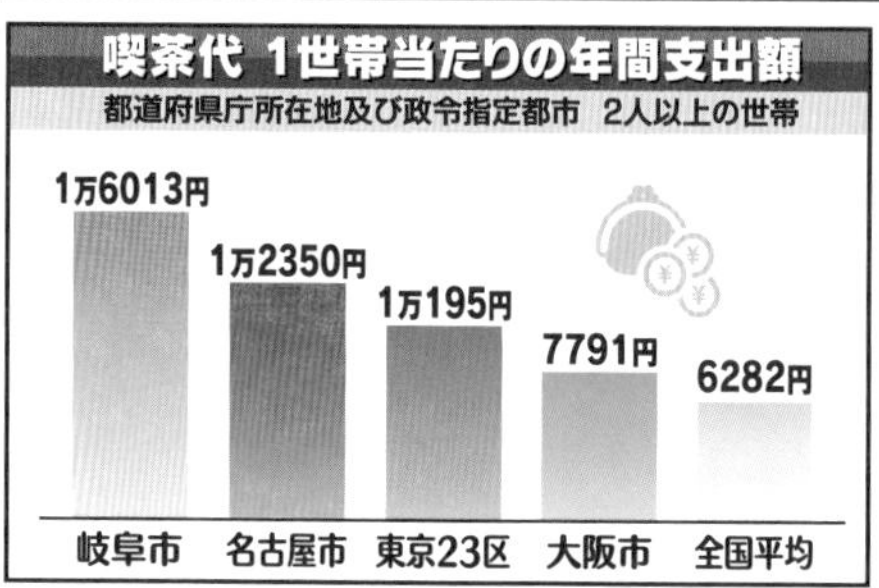

※総務省の統計を基に番組が作成

❹岐阜市と名古屋市は永遠のよきライバル

※総務省の統計を基に番組が作成

❸「東京ではコーヒーが500円もしてトーストもついて来ん！」と名古屋人の心の叫びが聞こえてきそう？

菓」「仔馬」でモーニングが開始されている。ピーク時には600店ほどで提供されていたが、過当競争が激化するあまり店の負担が大きくなり一度は衰退。しかし、2011年に東三河モーニング街道研究会が発足し、やはりモーニングによる町おこし策を図っている。

モーニングとともに愛知の喫茶店の常識となっているおつまみのサービス。ピーナッツや豆菓子がコーヒーなどのドリンクに無料でついてくる。きっかけは昭和30年代にピーナッツの薄皮をむく自動脱皮機が開発されたこと。大量生産が可能になった豆菓子メーカーが目をつけたのが、ちょうどこの頃出店ラッシュだった喫茶店。喫茶店もお得感をアピールできると、こぞって導入して定着した。愛知の喫茶店のコーヒーはコクと苦味が強く、ピーナッツの塩気との相性がよかったことも普及した要因だと考えられる。

コーヒーの値段は東京より100円安い「行きつけの店」にも都市ごとに特徴が

コーヒー1杯の値段は名古屋市が三大都市の中では最も安く、東京23区と比べるとおよそ100円も安い。しかもこれで無料のモーニングサービスもついてくるのだから、お値打ち度は段違いということになる❸。

コーヒーの単価は安い名古屋だが、喫茶店の年間支出額では全国2位。全国平均のほぼ2倍に達している（この調査では長年、岐阜市と名古屋市が1、2位を競い合い、名古屋市がトップの年も。いずれも3位以下を引き離している）❹。

「行きつけの喫茶店がある人」の割合にも三都市でそれぞれ特徴がある。愛知は1軒という人が最も多く17%、2軒＝10・4%、3軒以上を含めて何軒かの行きつけがあるという人は合わせて31・2%。東京は1軒＝11・8%、2軒＝9%、行きつけがある人＝25%、大阪は1軒＝15%、2軒＝6・8%、行きつけがある人＝25%。愛知は東京、大阪と比べて行きつけの喫茶店がある人が多く、しかも同じ店に通う傾向が強いことが分かる（各都市500人ずつ。ビデオリサーチ調べ）。

「モーニング」重視の愛知「禁煙」重視の東京、大阪

では、そんなお気に入りの喫茶店を選ぶ時のポイントは何か？　三大都市で比べてみると、理由の1～4位は「コーヒーのおいしさ」「立地」「長居しやすい」「値段の安さ」とそれぞれ同じ。違いが出るのは5位以下で、愛知だけが5位に「モーニング」のサービスがランクインする❺。

一方、東京、大阪では「喫煙席がある」「全席禁煙」とタバコについての項目が入っているが、

愛知では気にする人が少ない。２０２０年4月に施行された受動喫煙防止条例に対する賛成・反対でも三大都市で地域差が顕著で、飲食業界内のアンケートで東京、大阪では反対（＝禁煙にしないでほしい）がそれぞれ28・8％、28％だったのに対して、愛知は36・8％（クックビズ調べ）。三大都市の中で唯一反対派が賛成派を上回った。愛知では喫茶店＝タバコを吸う空間、という昔ながらの活用法やイメージがいまだに根強いことがうかがえる。

そして近年、若い世代にも人気が高まっているのが純喫茶。「純喫茶」の明確な定義はないが、コーヒー主体のメニュー構成でレトロな風合いのある喫茶店、というのが概ねのイメージだ。名古屋では町の中心部でもこうした雰囲気の喫茶店が残っていて、これもまた「喫茶店王国」たるゆえんといえるかもしれない。

人口１０００人あたり5・38人喫茶店従業者数は愛知が全国1位！

人口１０００人あたりの喫茶店従業者数は愛知が5・38人で全国1位！　ちなみに2位＝東京5・09人、3位＝岐阜4・94人、4位＝大阪4・33人（総務省統計局調べ・２０１４年）。これは大型店が多いことも反映されていて、愛知県では「コメダ珈琲店」のような郊外型大型喫茶店が浸透している証ともいえる。

ただしチェーン店の増加だけが要因ではなく、もともと愛知の喫茶店はおもてなし精神を大切にしていて、サービスも十分に提供するという意識もあるがゆえに従業者数も多いといえるのでは？　いずれにしても、愛知は喫茶店を利用する人も多ければ、働く人も多い。文化としても産業としても根づいているといえるだろう。

東京・大阪・愛知　各500人　ビデオリサーチ調べ

喫茶店選びのポイントは?

1位　コーヒーのおいしさ

東京	18.8%
大阪	20.8%
愛知	18.6%

2位　立地(家、職場から近いなど)

東京	17.2%
大阪	14.2%
愛知	15.0%

3位　長居しやすい

東京	8.8%
大阪	9.8%
愛知	10.2%

4位　値段の安さ

東京	7.2%
大阪	8.2%
愛知	9.0%

東京		大阪		愛知	
5位	店内の雰囲気 6.0%	5位	店内の雰囲気 7.2%	5位	モーニング 7.6%
5位	喫煙席がある 6.0%	6位	全席禁煙 4.8%	6位	店内の雰囲気 6.4%
7位	全席禁煙 5.4%	6位	食事 4.8%	7位	食事 6.4%
8位	食事 5.2%	8位	喫煙席がある 4.0%	8位	スイーツ 3.8%

2019年3月3日放送

❺「まずコーヒーの味」という意見は三都市共通。「モーニング」がランクに入っているのは愛知だけ。「喫煙」に寛容(?)なのも愛知の特色だ

ユニークな「ご当地グルメ」が続々名古屋発！〝洋食文化の謎〟

「なごやめし」に象徴される独自の食文化が発展している名古屋・愛知。実は洋食の分野でも他では見られない地域限定の特徴、ご当地グルメが数々ある。あなたの知らない名古屋の洋食文化の謎をひもとく！

年間2万円超。名古屋市民が洋食に使うお金は全国3位

名古屋人が一年間に使う洋食代は2万円超。これは全国主要52都市中3位。全国平均の約1万3000円よりも7割近く多い❶。

だが、名古屋に特に洋食店が多いイメージはない。ではどこで洋食を食べているのか？　この謎を解く鍵が名古屋の喫茶店支出額の高さだ。13ページの喫茶店の章でも紹介した通り、名古屋人の喫茶店に使う金額は常に全国1、2を争っている。にもかかわらずコーヒーの支出額は全国平均程度。つまり、名古屋人は喫茶店で食事をするため支出額も高い、という仮説が成り立つ。

そこで「喫茶店で洋食を注文する」人の割合を東京、大阪、愛知の三大都市で調査すると、東京、大阪がほぼ60％だったのに対して愛知は70％と1割高い❷。名古屋人の洋食好きを支えているのは喫茶店文化だとも考えられるのだ。

“洋食”の年間支出金額

1位	水戸市	2万5665円
2位	宇都宮市	2万4208円
3位	名古屋市	2万1461円
4位	横浜市	2万 714円
5位	さいたま市	2万 121円
10位	東京都区	1万7211円
22位	大阪市	1万3443円

※2017年～2019年 総務省 家計調査

※2017年～2019年 総務省の統計を基に番組で算出

❶名古屋人は全国屈指の“洋食好き”！「洋食は“こってり・ガッツリ・濃厚”が大好きな名古屋人の嗜好を満たしてくれるんです」と料理研究家・長田絢(おさだ)さん

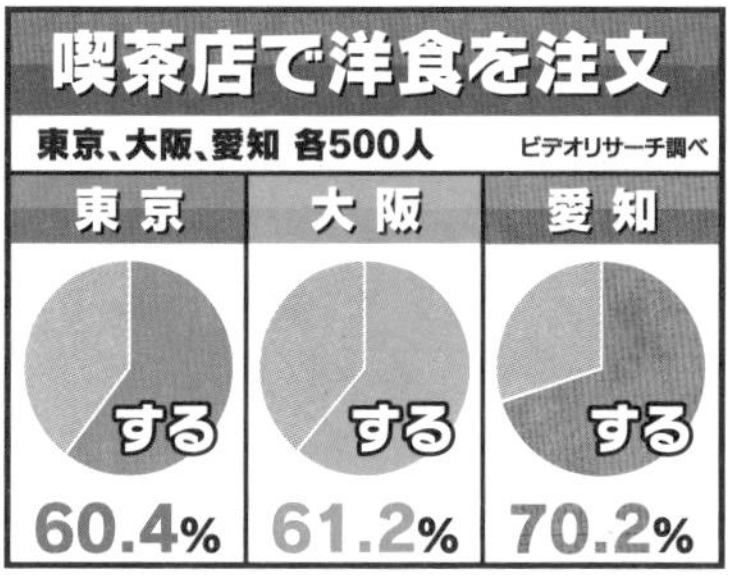

喫茶店で洋食を注文

東京、大阪、愛知 各500人　ビデオリサーチ調べ

	東京	大阪	愛知
する	60.4%	61.2%	70.2%

❷愛知県民の喫茶店支出額が高いのはコーヒー好きだからではなく喫茶店で食事をする（＝単価が高い）から(!?)

名古屋喫茶発祥「鉄板ナポリタン」1万5000枚も売れた鉄板皿

名古屋独特の洋食メニューの1つに「鉄板ナポリタン」がある。ケチャップをスパゲティにからめるナポリタンは全国にあるが、名古屋では鉄板皿に盛り卵を流し入れるのが特徴だ。元祖は東区の「喫茶ユキ」。創業者が考案し、1970年にメニューに採用した。やや深めの鉄板皿は、名古屋の業務用食器メーカー・青木商会が卵がこぼれないように独自に開発。喫茶店の展示会で飛ぶように売れ、ピーク時の昭和40年代後半には年間1万5000枚が売れたという。

当時は喫茶店が急増し、名古屋市内では昭和30～40年代にかけて実に3倍に（1963年1000店→1972年3493店 ※愛知県喫茶飲食生活衛生同業組合調べ）❸。競争が激化する中で単価を上げるために食事を出す店が増え、そこで鉄板ナポリタンがこぞって採用され

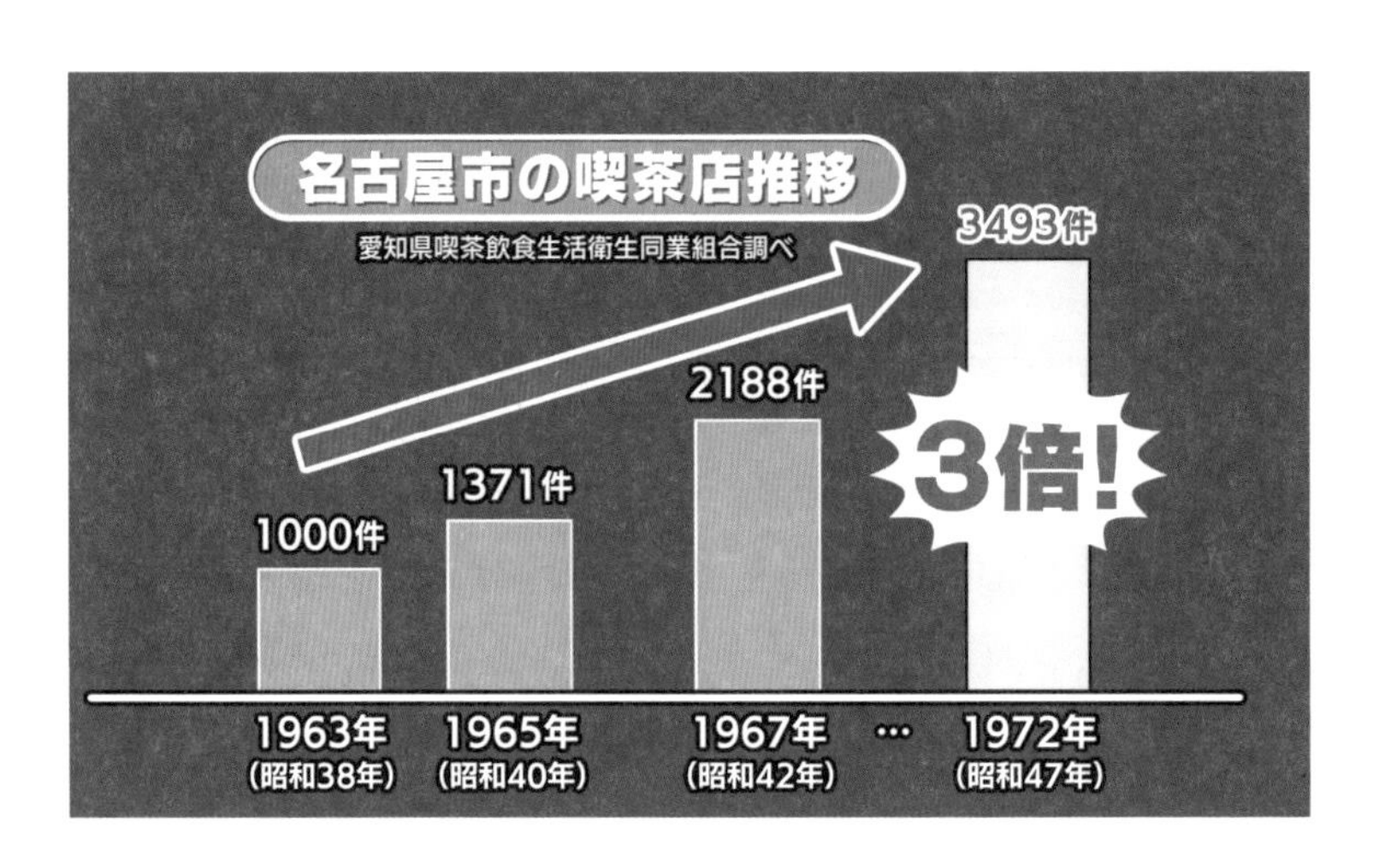

❸喫茶店が急増し競争が激化したことが、差別化や客単価アップを目的に、鉄板ナポリタンを採用する店の増加にもつながったと考えられる

たのだった。

「あんかけスパゲティ」も名古屋生まれのご当地洋食。誕生は１９５９年頃。まだ名古屋にスパゲティ専門店がない時代で、そこに目をつけたのがホテルの料理人だった横井博さん（後の「スパゲッティハウスヨコイ」創業者）。日本人の口に合うオリジナルソースを開発しようと考え、自身が生粋の名古屋人で濃い味の文化で育ったため、濃厚なソースを考案。さらに、具や麺によくからみ最後まで熱々で食べられるようにと、とろみのあるあんかけ風にした。

もう１つ、インディアンスパゲティも名古屋独特。カレーをかけてあり、インディアンはアメリカの先住民のことではなく、インドを指す。

こってり・ピリ辛がクセになる「スパゲッティハウスヨコイ」のあんかけスパゲッティ

超ご当地限定洋食!「ミヤビヤ」「スカロップ」

「ミヤビヤ」は東海3県の洋食店3店舗にだけ伝わる不思議なメニュー。玉ねぎなどの野菜と肉をケチャップやデミグラスソースで炒め煮し、卵を落とす。名古屋で唯一食べられた「勝利亭」(当時は名古屋市西区・1909=明治42年創業)が2019年に閉店してしまい、伝統の味を受け継ぐのは「あじろ亭」(岐阜県岐阜市・明治40年創業)、「中津軒」(三重県津市・明治44年創業)、「享楽亭」(愛知県武豊町・大正元年創業)だけになってしまった(他、近年メニュー化した店が複数あり)。この謎を30年以上研究しているのが名古屋出身で香川県在住の医師・石川元さん。石川さんによるとフランス料理のひとつ、ウー・メイエルベール(Meyerber)が明治35年頃に名古屋・伏見にあった元祖「勝利亭」に伝わったのではないかとのこと。店主の平野仲三郎はトマトソースを「カゴメ」創業者に教えた人物。当時珍しかったトマトケチャップが手に入るこの店からミヤビヤが生まれたのではないかとの仮説を立てている。

「スカロップ」は名古屋では「ラク亭」(東区)だけに存在する。デミグラスソースをしみ込ませたしっとり柔らかな食感のトンカツが特徴だ。北海道では根室のご当地グルメで、福井では福井市と敦賀市の「ヨーロッパ軒」(「ヨーロッパ軒総本店」「敦賀ヨーロッパ軒」)に存在する。

今はなき「勝利亭」のミヤビヤ

愛知ではトンカツに味噌かソースかを選べる。写真は「矢場とん」のみそかつ

エビフライは名古屋のご当地グルメ？ 東京、大阪では「思わない」が約7割

〝エビフリャー〟こと「エビフライ」。西洋発祥のイメージがあるが、明治末期に東京の洋食店が考案した日本生まれの洋食だ。全国で食べられるが、なぜかなごやめしの1つに数えられることも。そのきっかけをつくったのがタレントのタモリさん。80年代前半、名古屋国際ホテルのロビーに飾られた伊勢エビの殻で作られた宝船を見て大いに面白がり、名古屋人のエビ好き食文化を名古屋弁でもじって「エビフリャー」とネタにするように。そこから、〝エビフライ＝名古屋名物〟のイメージが広まった。市内の飲食店もこれに便乗し、エビフライを金の鯱に見立てたメニューなどを考案して積極的に売り出した。

三大都市で「エビフライは名古屋のご当地グルメ？」のアンケートを取ると、愛知だけは半数以上が「思う」と回答❹。なごやめしストリートとして人気の地下街・エスカでも飲食店33店中13店、およそ4割がエビフライを提供している。愛知県の県魚に車エビが選ばれているくらい、もともとエビ好きの土地柄でもあり、地元っ子がエビフライに親しみを感じていることは確かなようだ。

味噌カツは洋食？ 和食？ 人気店の意見は意外にも…？

名古屋を代表する洋食といえば「味噌カツ」。名古屋では終戦直後の屋台で、客がどて鍋に串カツをドボンとつけたのが始まりだといわれている。地域特有の豆味噌は油との乳化性が高く、カツの衣との相性がよいことも他にないおいしさを生み出した要因だと考えられる。

ところが、そもそも「味噌カツは洋食なのか？和食なのか？」という疑問も。番組が名古屋市

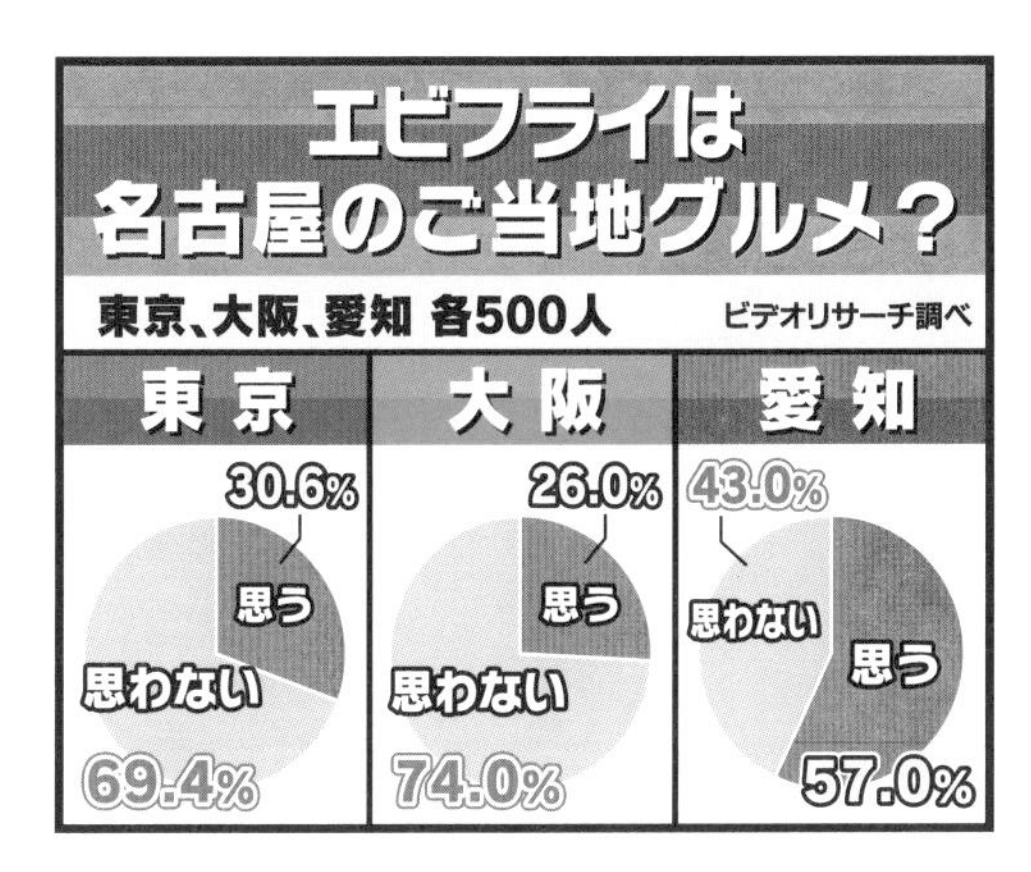

❹エビフライをなごやめしの１つに数えることには地元でも意見が割れるが、少なくとも地元での方がご当地食として認められている

「まるは食堂」などエビフライを名物にする店も少なくない。名古屋のシンボル金鯱と似ているのも名物化した要因だった（？）

内の主要な人気店に尋ねてみると、洋食派２・和食派３・どちらともいえない１と意見はバラバラ。日本洋食協会に尋ねると「味噌カツは〝日本の洋食〟。ハンバーグ、ナポリタン、オムライス同様、ルーツは欧米にあるが、日本で独自進化を遂げ海外では見られないメニューの１つ。日本の洋食は和食の一部であり、つまり味噌カツは洋食であり、同時に和食といえる」とやはりどっちつかず。いっそ「なごやめし」という１つのジャンルと言い切った方がすっきりするかもしれない。

このようにこの地域で独自に発展したメニューも多い名古屋の洋食。うまみを重視する際立った嗜好性が、洋食にも豊かなローカル色とオリジナリティをもたらしたことは間違いないだろう。

2020年6月14日放送

愛知県民は〝あみゃーもん〟好き？ 菓子王国〝愛知の秘密〟

菓子王国でもある愛知県。和菓子、洋菓子、駄菓子の各ジャンルで製造量や出荷量は全国トップクラス。消費者の購入額も多い。甘いもんが好きだから菓子作りも発展したのか、それとも…？　知られざる菓子王国の秘密を探る。

愛知の菓子製造事業所数は日本一！ お菓子年間出荷額は全国3位！

愛知の菓子製造事業所数は４４２で全国１位。地元民でも意外に思うであろうこの数字。2位・北海道３０８を大きく引き離している。ちなみに3位・大阪２９７、4位・埼玉２７５、5位・東京２６６と続く❶。菓子の年間出荷額は埼玉（３２９９億円）、新潟（３１０３億円）に次いで愛知は3位（２７１８億円）と、やはり上位につけている❷。

商品ジャーナリストの北村森さんによると「愛知は中堅メーカーが多く家庭用のお菓子から和洋菓子までバラエティに富んでいる」のが特徴だという。

和生菓子の出荷額は全国2位！ 洋生菓子の出荷額は全国1位!!

和生菓子の出荷額もまた愛知は全国有数。3

菓子の出荷および産出事業所数

愛知	442
北海道	308
大阪	297
埼玉	275
東京	266

※総務省の統計を基に番組が作成

❶愛知は中小・個人店が多く事業所数が多い

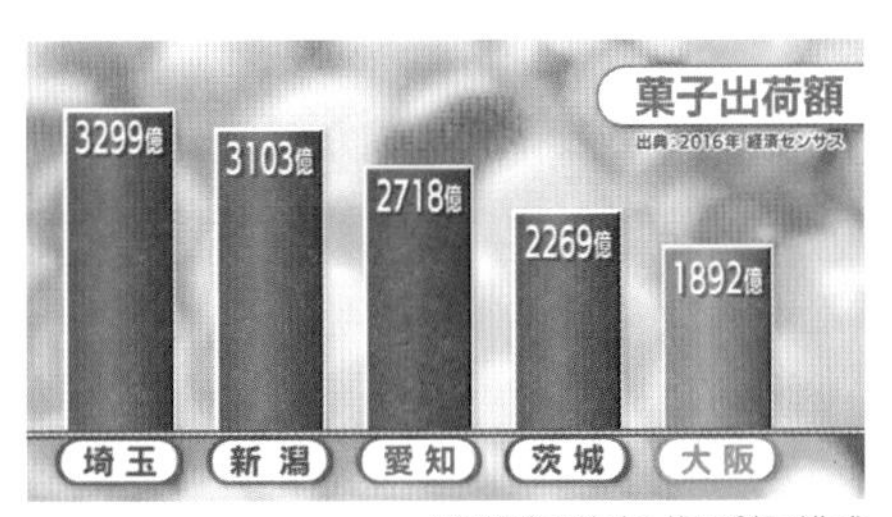

※総務省の統計を基に番組が作成

❷埼玉は大手企業、新潟はせんべいが多い

和生菓子の出荷額

京都	390億4600万円
愛知	373億5000万円
千葉	277億8100万円
大阪	272億7000万円
埼玉	269億8900万円

※総務省の統計を基に番組が作成

❸茶の湯文化が愛知の和菓子生産を支えている

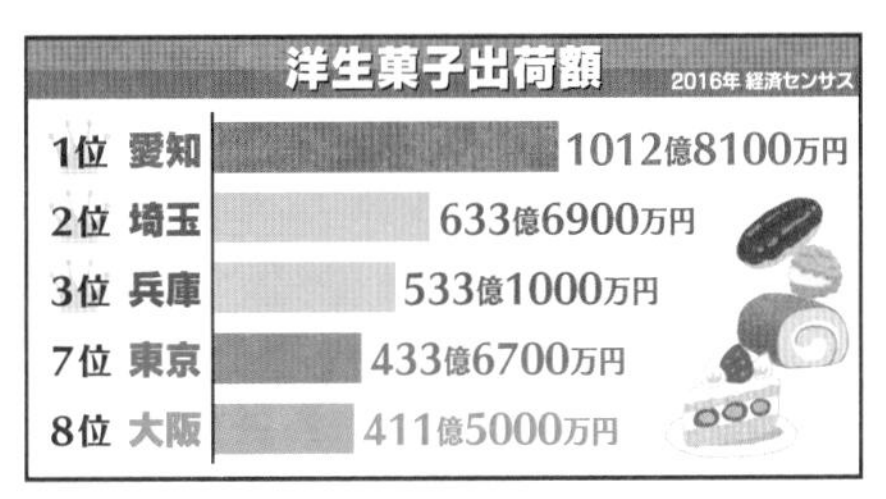

※総務省の統計を基に番組が作成

❹愛知が全国シェア12.3%を占める

７３億５０００万円は京都（３９０億４６００万円）に次ぐ全国２位で、３位以下の千葉、大阪、埼玉（それぞれ２７０億円前後）に差をつけている❸。

　愛知の和菓子づくりのルーツは名古屋城築城の頃といわれ、信長・秀吉・家康の三英傑の時代から茶の湯の文化が発展し、それにともなって全国有数の和菓子どころになったとされる。江戸時代に尾張藩の御用菓子を務めた「両口屋是清」、「美濃忠」といった老舗も健在だ。

　さらには洋生菓子の出荷額は愛知が堂々全国１位！　１０１２億８１００万円で２位・埼玉（６３３億６９００万円）、３位・兵庫（５３３億１０００万円）を大きく引き離している❹。これについて前出・北村さんは「愛知には大手パンメーカーがありここで製造する洋生菓子が多いのではないか」と分析する。

名駅近くに日本唯一の駄菓子問屋街
全国区のプチスター菓子も多士済々

名古屋市西区の明道町。名古屋駅の超高層ビル群から目と鼻の先のこの地には、全国に唯一残る駄菓子の問屋街がある。さらに西区内には「春日井製菓」、「カクダイ製菓」、「丸川製菓」などの菓子メーカーも拠点を構えている。戦後は数々のヒット商品が愛知から誕生。今も愛されているロングセラーは数多い❺。

「尾張藩に仕官できずにいた下級武士が内職でおこしや餅などの菓子をつくっていたのがこの明道町界わいだった。明治維新で廃業した武士などが菓子屋に転職し、大正から昭和にかけて多くの菓子メーカーが誕生した」とは、西区新町に編集部を構える食品産業新報社社長・藤山寿樹さんの解説。さらに「各社が菓子のサンプルを持って全国各地を回ったこと、特徴ある菓子が多かったことも発展した大きな要因」という。

また、かつて子どもたちに大人気だったラウンド菓子（円盤型の台でキャンディーやチョコレートを量り売りする什器）も名古屋発祥。名古屋市中区の「松風屋」が開発し、１９５９年に名鉄百貨店に初めて設置された。

番組が名古屋市内のスーパーで調査したところ、50～80代の菓子購入者が購入した商品のうち、１／３を愛知の菓子が占めた。愛知の菓子は中高年に支えられているということになる。

一方で、近年はコンビニやスーパーの台頭で町の駄菓子屋の多くが廃業。最盛期には１２０

愛知が生んだ代表的なヒット菓子

年	商品	メーカー
1950年	ちゃいなマーブル	春日井製菓
1952年	タマゴボーロ	竹田本社
1958年	ミレーフライ	渡油製菓
1959年	マーブルフーセンガム	丸川製菓
1962年	フィリックスガム	丸川製菓
1963年	クッピーラムネ	カクダイ製菓
1966年	しるこサンド	松永製菓
1970年	アルファベットチョコレート	名糖産業
1972年	麦ふぁ～バニラ	竹田本社
1973年	グリーン豆	春日井製菓

※番組調べ

❺今も現役の“プチスター菓子”

社以上の卸問屋が集結。しかしコンビニやスーパーなどの小売業の台頭で、現在は13社に。愛知県民の地元菓子愛は、この先もご当地のメーカーを守っていくことができるだろうか…?

ロングセラーは少しずつ改良・品質向上しているものが多い

三大都市中最も菓子を買っている愛知 チョコレート人気の伸びも顕著

愛知県民の菓子好きは購入額にも表れている。一世帯あたりの菓子の年間購入額を東京・大阪を含む三大都市で比較すると、スナック菓子、せんべい、キャンディー、チョコレート、いずれも名古屋が一番高く❻、購入額の伸び率も三都市の中で最も高い。菓子全体の購入額を全国と比較しても、名古屋市は52都市中7位と上位につけている❼。

その背景を前出・北村さんは「同居率が高く、子どもの人口割合も三都市の中で最も高い（総務省人口推計　19才以下の人口割合　愛知18・6％、東京15・3％、大阪17・1％）ことが影響しているのでは」と推察する。

伸び率の高さでいえばチョコレートの伸びは全国的な傾向だが、特に名古屋はその傾向が顕著。三大都市の一世帯あたりの年間購入額を見ると、2012年→2016年で名古屋は50％も伸びている。

名古屋のチョコレート人気を象徴するのが「ジェイアール名古屋タカシマヤ」のバレンタイン催事「アムール・デュ・ショコラ」。2001年に始まった同イベントは年々売り上げを伸ばし、百貨店のバレンタイン催事としては2020年まで11年連続売り上げ日本一。約4週間で32億円以上を売り上げる、世界でも屈指のチョコイベントとなっている。近年は男性客、しかもシニア層の姿が珍しくないのも特徴だ。

チョコを食べて健康に！蒲郡市の健康チョコ実験

全国で初めて町ぐるみでチョコレートの健康効果の実験を行ったのが蒲郡市だ。蒲郡市は2011年の調査でメタボの人の割合がおよそ25％と県内ワーストであることが判明。そこで、

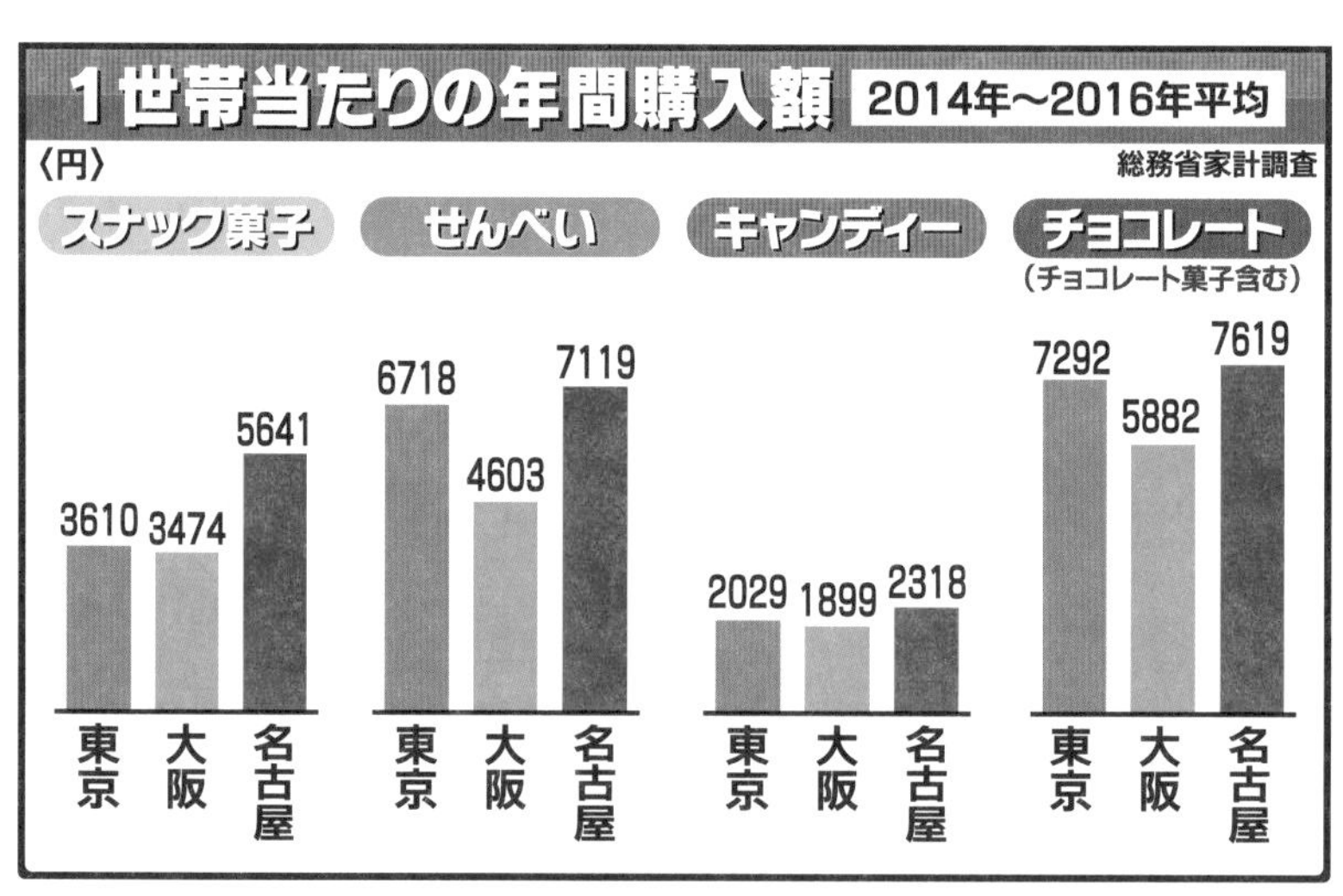

1世帯当たりの年間購入額 2014年～2016年平均（円）	東京	大阪	名古屋
スナック菓子	3610	3474	5641
せんべい	6718	4603	7119
キャンディー	2029	1899	2318
チョコレート（チョコレート菓子含む）	7292	5882	7619

総務省家計調査

※総務省の統計を基に番組が作成

❻菓子の種類を問わず甘いものも塩気のあるものも好きな名古屋。お茶好きでお茶うけが欠かせないからかも

「チョコレート摂取による健康効果に関する実証研究」をチョコメーカーの明治、愛知学院大学との産官学で2014年から開始した。市内外の45~69歳の347人に高カカオチョコを毎日25グラム摂取してもらい、健康状態の変化を検証。すると血圧低下や善玉コレステロール値上昇の効果が確認され、認知症予防にも効果が期待できるとの結果が得られた。

今や健康食品としても評価されているカカオ。これを実験に利用しようと取り組む愛知の健康志向の高さも、県内のチョコレート人気の下地になっているのかもしれない。

和菓子、洋菓子、駄菓子、チョコレート…。あらゆるジャンルで製造から消費まで高レベルにあることが、愛知=菓子王国たるゆえんなのだ。

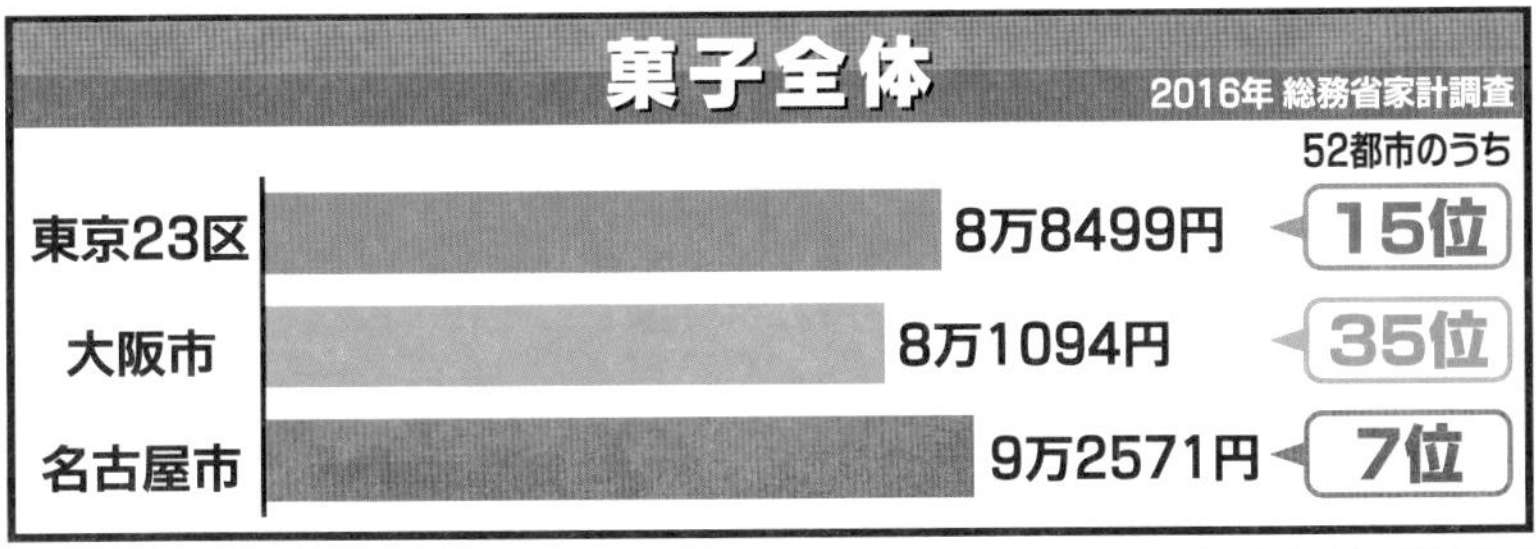

菓子全体

2016年 総務省家計調査

52都市のうち

	金額	順位
東京23区	8万8499円	15位
大阪市	8万1094円	35位
名古屋市	9万2571円	7位

※総務省の統計を基に番組が作成

2018年2月4日放送

❼菓子全体の購入額でも名古屋市は全国7位につける

ご当地ラーメンから行列店まで麺どころ愛知の〝ラーメン文化〟

味噌煮込みうどん、きしめん、あんかけスパなど、ご当地麺が数多い愛知。それに押されてか、かつては〝ラーメン不毛の地〟とまで呼ばれたが、近年は様相が一変。ご当地ラーメンから新進の行列店まで、その魅力を探る。

「月に1回以上ラーメンを食べる」愛知県民は74・3％

愛知県民1000人に聞いた「月に1回以上ラーメンを食べる」人の割合は74・3％。男女世代別でみると、女性は20～60代すべての世代で「月2、3回」が最も多くいずれも20％台。男性はどの世代もどの頻度も10～20％台の中に納まり、大きな偏りは見られない。

対して男性は、どの世代でも「週に1回以上」食べる人が最も多く、女性のおよそ2倍の人がこの頻度で食べていると回答。特に35～49歳、50～69歳は半数近くが「週に1回以上」で、働き盛りはラーメンを好んで食べているという結果に（ビデオリサーチ調べ）。

また、東海地方のラーメン本の掲載件数は2年前と比べて1・5倍に。情報量が増えているということは、それだけ求めている人が多いのだと考えられる。

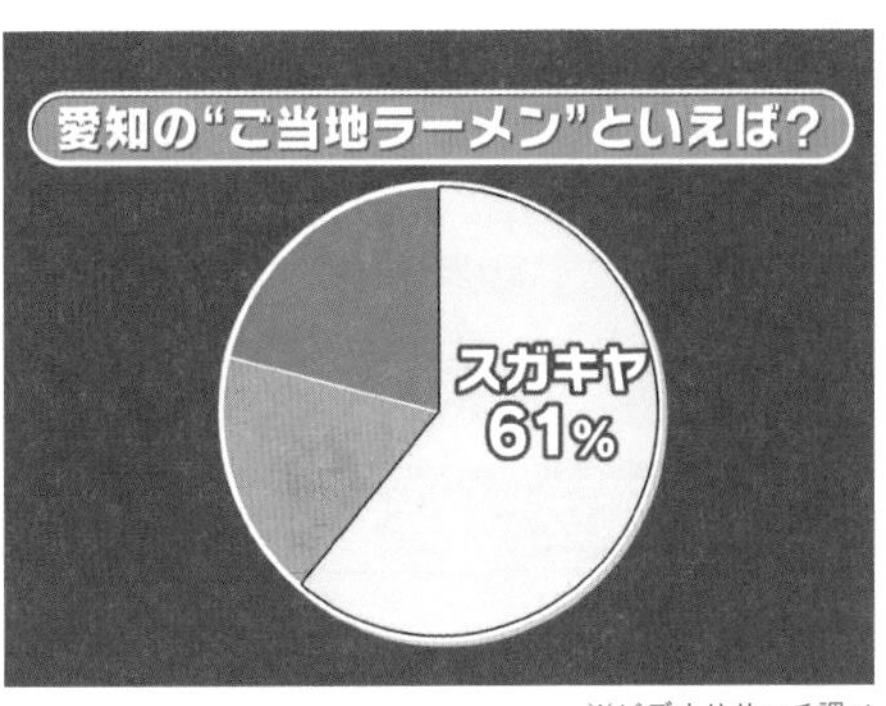

※ビデオリサーチ調べ

❶スガキヤの古い資料には「名古屋の人々は少々濃い味のトンコツが好き」と記され地域の嗜好への理解が高い支持につながっている

スガキヤに行ったことがある

愛知県民1000人アンケート　ビデオリサーチ調べ

	全体	男性	女性
	88.7%	86.9%	90.6%
20〜34歳		83.8%	87.2%
35〜49歳		87.7%	94.1%
50〜69歳		88.4%	89.8%

❷ラーメンブーム以前から地域密着で展開してきたことが、ミドル世代や女性からの支持が高い理由だと考えられる

愛知のご当地ラーメン「スガキヤ」「行ったことある人」は驚異の約9割!

愛知県民のソウルフードといっても過言ではない「スガキヤラーメン」。1杯330円と値頃で、ショッピングセンターのフードコートに主に出店しているためどの世代でも入りやすい。特徴あるスープは豚骨+魚介だしのWスープの先駆けで、隠し味に牛乳が入っていることでほんのりクリーミー。中華のラーメンとは違った和テイストがあり、親しみやすさとクセになる習慣性をあわせ持っている。

1946年に開業した当時は「甘党の店」。ラーメンを出すようになったのは2年後で、それにともない「寿がきや」に店名を変更した。昭和40年代から本格的なチェーン展開を進め、現在は静岡から兵庫までおよそ300店舗を展開する。

「愛知の〝ご当地ラーメン〟といえば?」の問

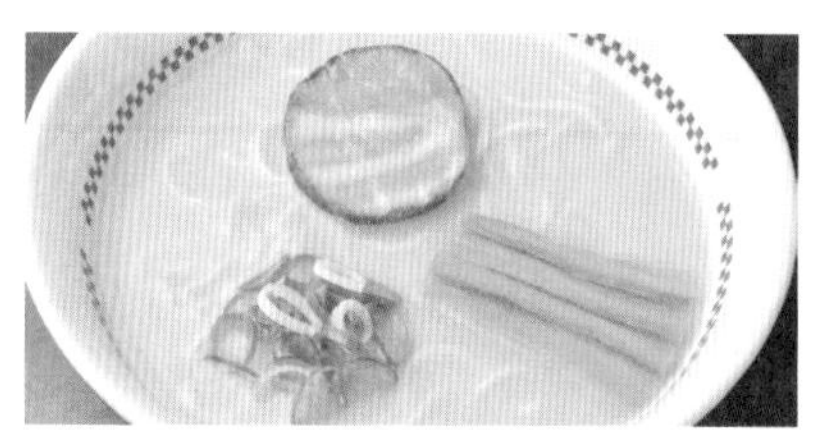

1杯330円は大衆食にふさわしい価格

“台湾ラーメン”を提供している店	
中華料理店・ラーメン店	858
あり	302

※番組調べ・店舗数は番組に回答してくれた店舗

❹スガキヤラーメンと並ぶご当地ラーメン・台湾ラーメンは愛知県中に広まっている

スガキヤの人気メニューランキング　複数回答

愛知県民1000人アンケート　ビデオリサーチ調べ

順位	メニュー	価格	人数
1位	ラーメン	330円	601人
2位	ソフトクリーム	160円	242人
3位	肉入りラーメン	430円	217人
4位	五目ごはん	230円	210人
5位	特製ラーメン（肉、玉子入り）	480円	151人
6位	クリームぜんざい	240円	140人
7位	野菜ラーメン	470円	96人
8位	玉子入りラーメン	380円	63人
9位	サラダ	190円	44人
10位	チョコクリーム	240円	38人

❸スガキヤ以外ではあり得ないランキング

いに「スガキヤ」と答えた人は番組調べで61%❶。さらに「スガキヤに行ったことがある」愛知県民は実に88・7%！ しかも女性の方が90・6%と多く、男女ともにほぼ年齢が上がるほどより食べているという結果が出た❷。

ラーメン評論家の本谷亜紀さんは「驚異的な数字！ 局地的に流行るご当地グルメはどの県にもあるが、9割の人が食べたことがあるものはなかなかない」と驚く。

他のラーメンチェーンにはない「スガキヤ」ならではの特徴が甘味メニューの人気。愛知県民1000人を対象としたアンケートでは、人気ランキングの1位はもちろんラーメン（601人）だが、ソフトクリームが堂々の2位（242人）！ さらにクリームぜんざい6位（140人）、チョコクリーム10位（38人）とベスト10に3つも甘味が入っている❸。

台湾ラーメンは「食べたことがある人」6割「提供している店」3割以上

「スガキヤラーメン」と並ぶ名古屋・愛知のご当地ラーメンが「台湾ラーメン」だ。台湾ラーメンと名乗りながら台湾にはなく、発祥は名古屋。昭和40年代に台湾料理店「味仙」が考案した。

番組調べでは「食べたことがある」人は愛知県民の6割近く。さらに愛知県内の中華料理店・ラーメン店では858軒中302軒と約35%が提供していると回答した。これはまさに台湾ラーメンがご当地ラーメンとして浸透しているといえるだろう❹。

パンチのある辛さばかりが注目されるが、実はミンチと唐辛子をじっくり炒め煮してうまみを引き出しているのがポイント。味が濃い＝うまみが濃い味を好む愛知県民の嗜好にマッチしたことが根づいた要因だと考えられる。

「平成に入って、ほとんどのラーメンブームは東京発信。その中で台湾ラーメンは〝名古屋発〟として全国に誇れるラーメンになった」と前出・本谷さんは評価する。

ご当地ラーメンに地元チェーン愛知県民に愛されるラーメンたち

この他、愛知県民に「食べたことがある」ご当地ラーメンを尋ねると、「麺屋はなび」発祥の「台湾まぜそば」は県民の28・1%が食べたことがあり、以下「新京」発祥の「ベトコンラーメン」23・1%、「萬珍軒」の「玉子とじラーメン」12・4%、「好来」の好来系ラーメン5%と続く(ビデオリサーチ調べ)。

続いて「愛知県民が好きなラーメン店ランキング」❺はやはりダントツで「スガキヤ」(「寿がきや」)がトップ。もはや殿堂入りと認定したいくらいの圧倒的な支持率だ。2位は三河安城店が1号店で現在150店舗以上を展開する

※店舗数は番組放送時点のもの

❺「愛知にはクオリティが高くサイドメニューが充実してファミリーで利用できるチェーンが多い」（ラーメン評論家・本谷亜紀さん）

「丸源ラーメン」、3位「味仙」と続く。以下も5位「うま屋」（春日井市／1号店の場所、以下同）、7位「麺屋はなび」（名古屋市中川区）、9位「一刻魁堂」（東浦町）、10位「藤一番」（小牧市）、13位「岐阜タンメン」（稲沢市）、14位「ラーメン福」（名古屋市港区）と、愛知県発祥のチェーンが多数ランクインしている。

近年はさらに個性の際立つラーメン店が愛知で増えている。前出・本谷さんが注目するのは「らぁ麺紫陽花」（名古屋市中川区）、「拉麺ぶらい」（同・緑区）、「麺屋はやぶさ」（同・中村区など）だ。「らぁ麺紫陽花」はすっきり系のスープにチャーシューなどトッピングにまでこだわり、行列が絶えない超人気店。「拉麺ぶらい」はシンプルな醤油ラーメンながら、ダシから麺、具まで上質の素材をふんだんに使用する２０１９年６月開業の新鋭店。「麺屋はやぶさ」はイタリアン出身のシェフが手がけるオマール海老のクリーミーな泡のトッピングが特徴で複数店舗を展開する。

新たなご当地麺として注目なのが、岡崎市の「岡崎まぜめんプロジェクト」。八丁味噌を麺とからめればラーメンに限らず、うどん、パスタ、焼きそばまで何でもあり。２０１２年に発足し、約20店舗がそれぞれオリジナルメニューを提供している。

愛知のラーメン店は１３０８で全国３位

iタウンページに掲載されている愛知のラーメン店の数は１３０８（２０２０年1月17日現在）。1位＝東京２７４７、2位＝北海道１５２３に続き全国で３番目に多い（ちなみに大阪は6位＝１０９３）。うどん文化圏といわれてきた中でも、ご当地ラーメンが着実に支持を広げ、新鋭のラーメン店も実力主義でファンの心をつかんでいる。確実に定着・進化している愛知のラーメンは、今まさに新時代を迎えようとしているのだ。

２０２０年1月19日放送

〝麺どころ〟名古屋・愛知が誇る！きしめん・うどん文化を分析

麺食文化が盛んな愛知。豊かな穀倉地帯で麺の主原料である麦の収穫が多く、つゆの原料となる醤油などの醸造業も盛んなことから、古くから人々の食生活の中に麺が根づいてきた。県民の嗜好から最新の創作麺まで幅広く調査した。

愛知県民の46・6%が「きしめん」が好き ところが年1回も食べない人が約4割（！）

「好きな〝なごやめし〟の麺料理は?」というアンケートの結果、1位は味噌煮込みうどん、2位はきしめんと、伝統あるご当地麺が続いた❶。

きしめんの発祥には諸説があるが、名古屋城築城の際に多くの職人に手早く食べてもらえるよう、ゆで時間を短縮するために麺を薄くした、という説が有力。薄くしてもコシを保つには職人技が決め手で、ツウの間では「『平』が上味」とされてきた。全国に知られるきっかけとなったのは1964年の東海道新幹線開通。ホームにきしめんスタンドができ、「名古屋名物＝きしめん」のイメージが広まり定着した。

県民のおよそ半数が「好き」と答えたきしめんだが、食べる頻度を尋ねると「年に1回未満」「食べない」という人がなんと全体の4割近く。知名度の割には食べられていないことが判明し

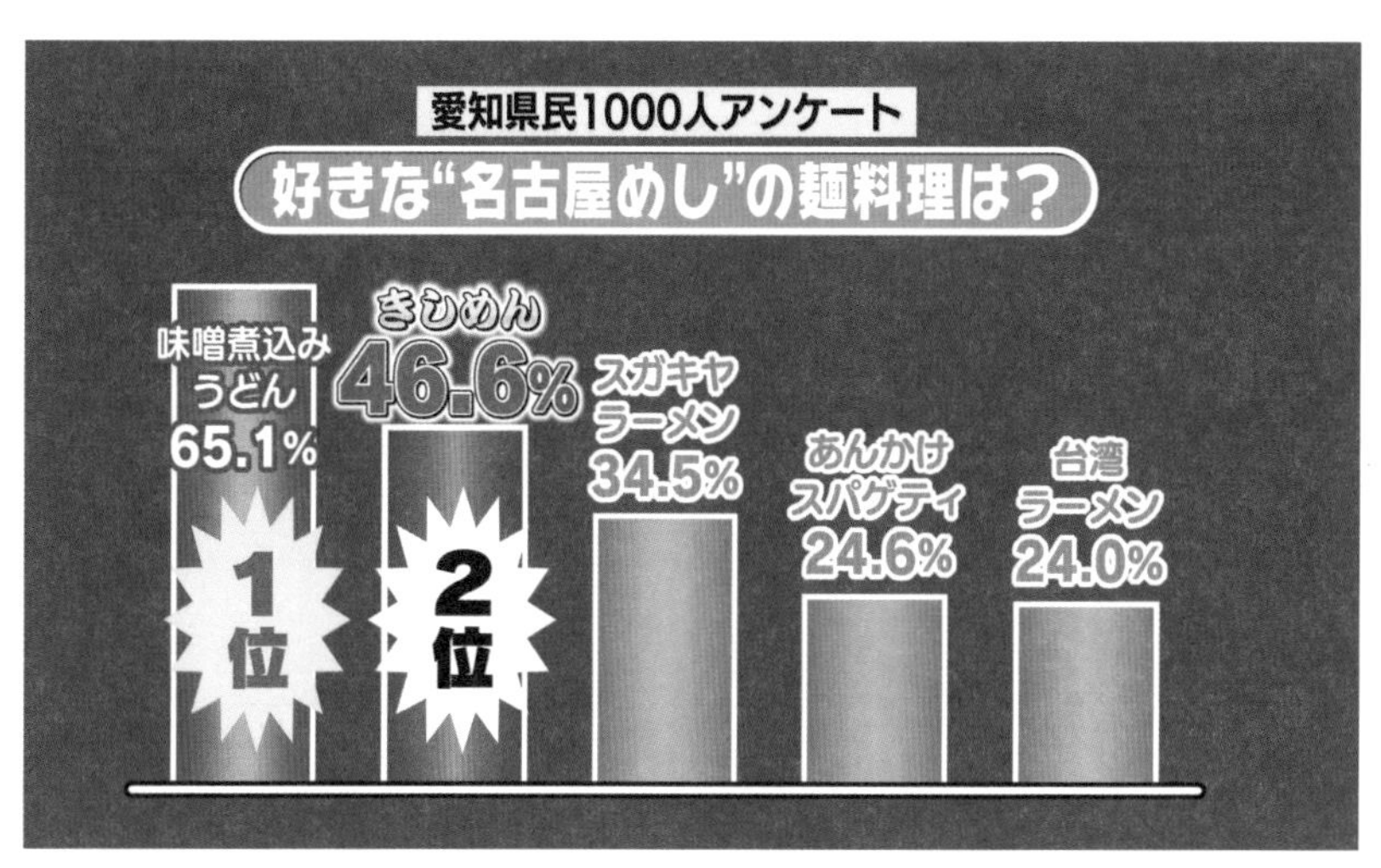

※ビデオリサーチ調べ

❶世代別では味噌煮込みうどん、きしめんともに50〜69歳の支持が最も高かった。古くから食べられている伝統ある麺だけに年齢が上がるほど支持も高くなる

た。年配の人が多く食べるということもなく、全体的に低調な結果となった。

乾麺の生産量を見ても、手延べそうめん4万6070トン、日本そば3万5205トンなどに比べてひらめん（きしめん含む）は5332トンとかなり少なめ（2016年　農林水産省米麦加工食品生産動態等統計調査）。しかも、1992年には1万1809トンあったものが2009年には2276トンと、実に1／5に縮小してしまった。それでもこの状況に危機感を

味噌煮込み（上）は県内全域で食べられるがきしめん（下）は三河のうどん店にはあまりない

抱いた愛知県めん類組合などのPRなどが奏功して近年は回復傾向にあり、2016年には5332トンとどん底期からは2倍まで復活している。

支持率1位の味噌煮込みうどんだが「好き」「食べない」が二極化

同アンケートで65・1%が「好き」と答えて1位となった「味噌煮込みうどん」。食べる頻度は「2〜3カ月に1回」が最も多く21・9%。月に1回以上食べるという人を合計すると22・2%。日頃から親しまれていることが分かる❷。

半面、「年に1回未満」「食べない」という人も合わせて23・9%と少なくなく、好きな人と嫌いな人の二極に分かれているといえそう。特に若い世代はその傾向が顕著。「週1回以上食べる」「月2、3回食べる」という味噌煮込み好きの割合は若い世代（20〜34歳）が一番多く、

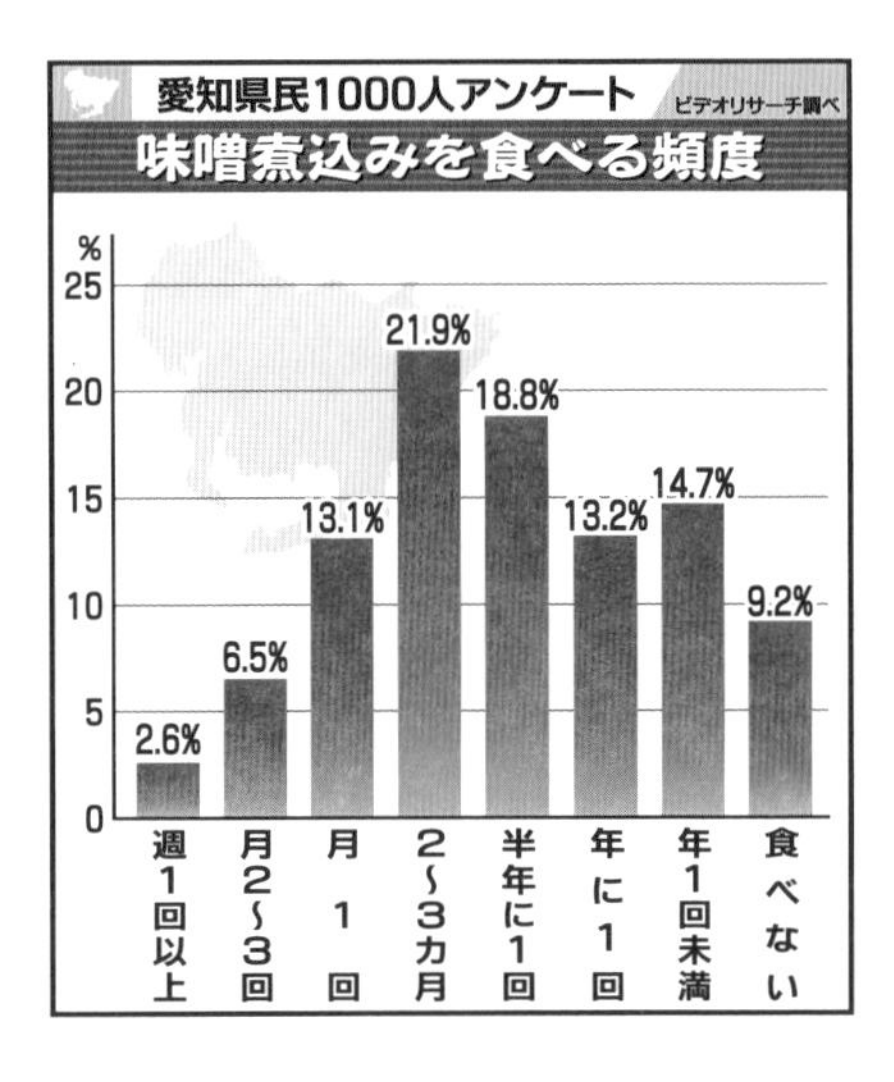

❷「月1回以上食べる」人が合わせて20%以上。味噌煮込みはスーパーで売られるパック商品も多く、外食でも内食でも食べられる

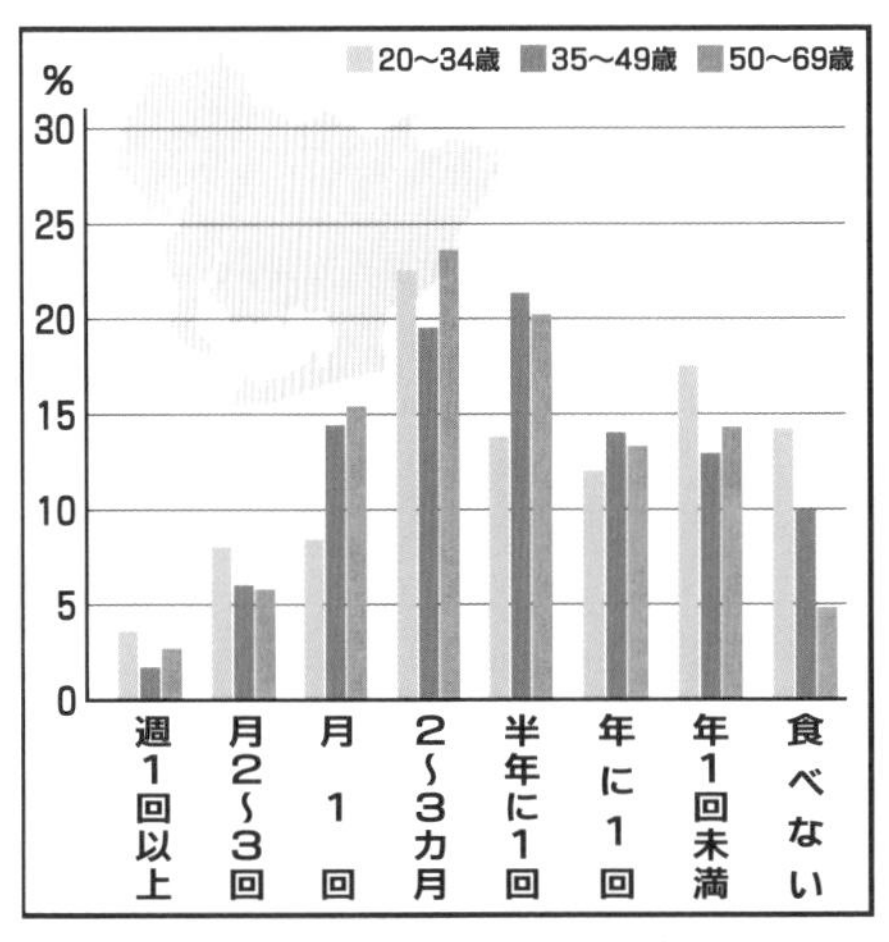

❸20〜34歳の若い世代は「週1回以上食べる」人も「食べない」人も世代別で一番多く、「好き」「嫌い」がはっきり分かれる

一方で「年1回未満」「食べない」という人も若い世代が最も多かった❸。

二大味噌煮込み専門店 一日中、一年中客を獲得する強さ

愛知県民1000人に聞いた「味噌煮込みうどん 人気店ランキング」❹では、「山本屋本店」と「山本屋総本家」が3位以下を大きく引き離して貫録のワンツーに輝いた。

「山本屋本店」は県内を中心に全14店舗。この規模のうどん専門店としては珍しく麺は純手打ち。「強いコシとふかふかした食感を実現するには手打ちがベスト」といい、自社工場で一括生産している。ある一日の「山本屋本店」全店舗の時間帯別来客数は【開店~午後2時】3850人【午後2時~午後6時】2828人【午後6時~閉店】2246人。うどん店はランチタイムに客が集中するところが多いが、一日を通して客を獲得していることが分かる。

「山本屋総本家」は打ち粉にそば粉を使用するのが特徴。甘みが出て、麺と麺がくっつかないという利点があるという。名古屋駅のタワーズ店の一年間の来客数推移を見ると8月が一番多く、それ以外の月も安定して集客している。味噌煮込みうどんは寒い時期に好まれるイメージがあるが、「山本屋総本家」では気候に左右されずに食べられているのだ。

新・ご当地うどんの経済効果は4億円!

この他、各地で新しい名物うどんも誕生して人気を集めている。

「豊橋カレーうどん」はカレーうどんの下にとろろごはんが隠れているユニークな一品。豊橋はもともとうどん店が多く自家製麺率も高い。豊橋郷土のソウルフードをPRする目的で、2010年に発売された。市内で40店舗以上が提供

愛知県民1000人アンケート

ビデオリサーチ調べ

有効回答数：639

味噌煮込みうどん 人気店ランキング

順位		店名	得票	店舗
1位		山本屋本店	204	県内13店舗 三重1店舗 岐阜1店舗
2位		山本屋総本家	136	県内5店舗 東京1店舗
3位		まことや	51	天白・植田（2店舗）
4位		サガミ	49	県内47店舗
5位		若鯱家	10	県内28店舗
6位		角丸	9	東区泉
7位		東京庵	7	豊橋・豊川（2店舗）
8位		ミッソーニ	6	緑区鳴海町
9位		いずみ庵	5	安城市和泉町
10位		かに屋	4	一宮市別明町

※番組放送時点のもの

❹「山本屋」強し！　意外と地元民でも2社を混同している人は多く、アンケートでも「山本屋総本店」「山本屋」という回答が50件以上あった

し、9年間で157万食が食べられている。全国に数ある創作系ご当地グルメの中でも有数の成功例だ。

蒲郡の「ガマゴリうどん」は全国有数のあさりの産地・三河湾の恵みが充実。殻付きのあさり5個以上、わかめを入れるなどが条件で、インパクト重視が主流のご当地グルメでは珍しいあっさり上品系。市内約25店舗で提供されている。蒲郡ではそのデビュー翌年から3年続けて全国ご当地うどんサミットを開催。最大5万人が集まり、経済波及効果は2014年2億1691万円→15年2億1850万円→16年4億1732万円と、ご当地グルメのパワーが存分に発揮された。

豊橋カレーうどんは各店が工夫をこらしているので食べ歩く楽しみがある

愛知のうどん店は1213で全国3位!

愛知にある「うどん店」は1213(出典：iタウンページ 2018年10月26日)。これは東京、埼玉に続く全国3位で、うどん店が多いイメージがある4位の大阪を抑えてのトップ3入りだ。

愛知のうどん店はうどん、きしめん、煮込み麺、さらにそばと4種類を打つ店も珍しくなく、その分、職人は仕事が早く、また技術も高い。加えて、名古屋では時間をかけてじっくり生地を熟成させるなど独自の手打ち技法が受け継がれていて、この地域だからこそのおいしさがある。

私たちも日頃からおいしい愛知の麺料理を食べて、地域の麺文化を盛り立てていきたいものである。

2018年11月4日放送

コレって実は…愛知だけ？ 夏限定！ 愛知の「冷やし麺」調査

ご当地麺の宝庫、愛知。味噌煮込みうどん、台湾ラーメン、鉄板スパゲティなど〝熱々〟の麺料理が思い浮かぶが、実は愛知ならではの「冷やし麺」も多い。意外と知らない、そして意外性たっぷりの愛知の「冷やし麺」を調査！

暑い愛知の夏は冷たい麺で乗り切れ！ 7割近い人が「月2回以上食べる」

「夏に冷たい麺類を食べる頻度」を愛知県民500人に尋ねた。「週に1〜2回」と答えた人が最も多く31・4％。続く「月に2〜3回」＝28・6％。さらに「週3〜4回」＝7％、「ほとんど毎日」＝2％という頻度の高い人もいて、これらを合わせると「月に2回以上食べる」愛知県民は69％。全体的にかなりの頻度で食べていることが分かった（ビデオリサーチ調べ）。

愛知で冷たい麺が好まれるのは暑さが厳しい気候にもよる。2020年7月の真夏日（気温30度以上）の日数は名古屋＝13日で、東京＝7日、大阪＝12日と比べて一番多い。暑い中で涼を取るためにも、冷たい麺は欠かせないのだ。

冷やし中華＋マヨの愛知県民は7割 年配者ほどマヨ派が多い(!?)

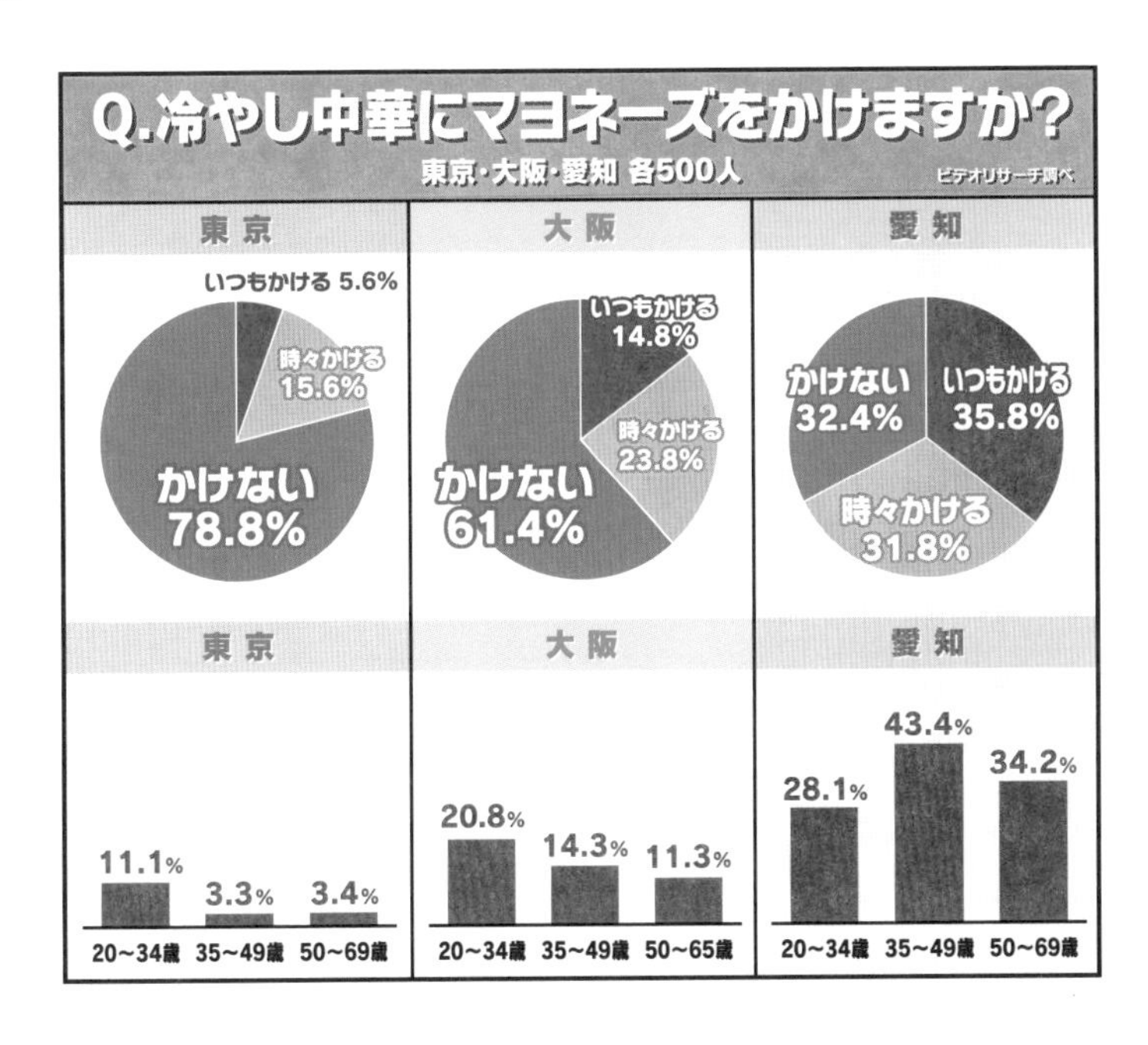

❶冷やし中華＋マヨネーズが愛知特有の食習慣であることが一目瞭然

愛知では冷やし中華を注文すると、器の隅にマヨネーズがついているか、テーブルにマヨネーズのボトルが置かれているのが当たり前。スーパーの売り場では冷やし中華のコーナーにマヨネーズも一緒に並べられ、コンビニで買っても必ず小袋入りのマヨネーズがついてくる。

愛知県民はこれが当然の組み合わせだと思っているが、実は地域特有の食べ方。「冷やし中華にマヨネーズをかけますか？」との問いに愛知県民は「かける」派が約7割。対して東京は「かけない」派が約8割、大阪は「かけない」派が6割と対照的な結果となった❶。

世代別にみると愛知は若者よりも中高年の方がマヨネーズをかける人が多く、逆に東京、大阪は若い人の方が多い。この結果からも、愛知は古くからこの食べ方が浸透していることが分かる。一方で東京や大阪では10年ほど前から冷やしラーメンや冷やし中華を出す店が増えていて、目新しいグルメだったためマヨネーズのトッピングも意外性のあるものとして若い世代に受け入れられたのではないか、と考えられる。

都道府県情報を紹介しているサイト「Jタウンネット」も全国47都道府県を対象に「冷やし中華にマヨネーズをかけるか?」調査している。「いつもかける」人の割合が61%以上だった県は東海3県と長野、山形、福島のみ。このうち東北の山形と福島でマヨ派が多いのは、両県では年間のマヨネーズ消費量が全国トップクラスで、冷やし中華に限らず、様々な食べ物にマヨネーズをかけて食べるのが好きなのだ❷。

コンビニの冷やし中華にはマヨネーズがつけられている地域とつけられていない地域がある。コンビニ大手3社の分布を見ても、先のJタウンネットの調査と概ね似ていて、3社ともつけているのは東海3県と和歌山のみだ。

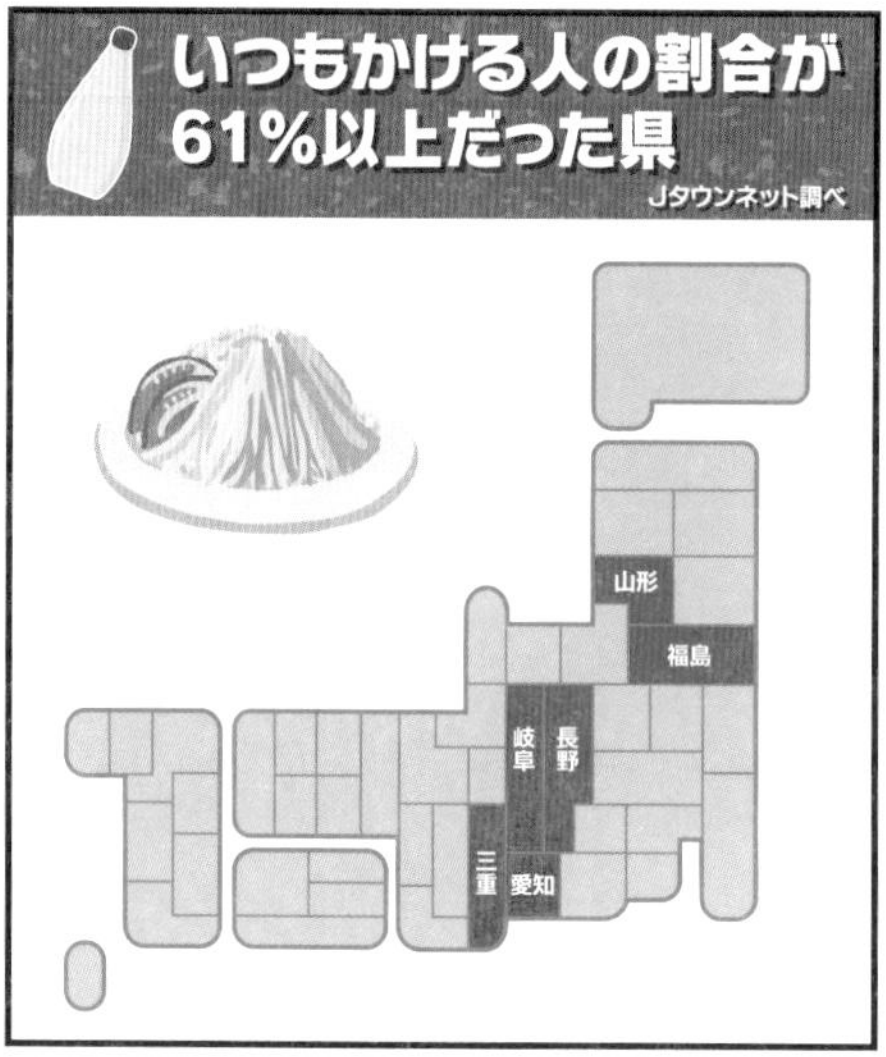

いつもかける人の割合が61%以上だった県

Jタウンネット調べ

山形
福島
岐阜
長野
三重
愛知

❷冷やし中華+マヨネーズが主流派なのは中部と東北の一部に限られている

発祥はスガキヤ(?) 実はマヨラーではない愛知県民

この「冷やし中華にマヨネーズ」という食べ方の発祥は「スガキヤ」との説が有力。1957年に売り出した冷やしラーメンに、サラダ感覚で食べられるようにとマヨネーズをつけたのが始まりで、さらに1965年頃には一般的な冷やし中華にもつけるようになったと伝えられる。「スガキヤ」の店舗展開はほぼ東海圏に限られ、先の分布ともほぼ重なり合う。地域ナンバ

ー1チェーンによって、地域限定で広まったと考えるのは決して無理のあることではないだろう。一方で1953年創業の「かっぱ園菜館」(名古屋市東区)は、「スガキヤ」よりもさらに早い時期にこの組み合わせを考案していたそう。同店では今も冷やし中華は夏の人気メニューで、こちらも地域独自の食文化の定着に一役買ったといえるだろう。

愛知県民はさぞマヨネーズ好きなのだろう。そんなふうに思われるかもしれないが、名古屋市のマヨネーズ消費量は全国52都市中34位(県庁所在地と政令指定都市)とむしろ下位(総務省家計調査2017~19年平均)で、何にでもマヨネーズをかける〝マヨラー〟ではない。味噌+カツ、うなぎ+だし、トースト+あんこなど多彩なミスマッチグルメを生んだ土地柄、意外な組み合わせにも果敢にチャレンジし、おいしければ受け入れる。そんな気質が冷やし中華+マヨネーズの普及にも一役買ったといえるのかもしれない。

そうめんづくりが盛んな愛知 〝日本一長い〟そうめんも!

この冷やし中華を抑えて「夏に一番食べたい麺は?」というアンケートのトップに挙げられたのがそうめんだ。東京、大阪、愛知の計1500人へのアンケートで、1位・そうめん=27・5%、2位・冷やし中華=20・1%、3位・ざるそば=16・7%がトップ3。以下、ざるうどん=4・5%、ひやむぎ=4・3%と続く❸。

愛知はその生産でも全国トップクラスで、手延べそうめん、そうめん(乾麺)ともに全国トップ10以内に入っている❹。

そして、愛知には独自のそうめん文化もある。〝日本一長い〟といわれる安城市の「和泉手延長そうめん」だ。約200年前の江戸時代中期から同市和泉町に伝わり、現在も数軒の製麺所で伝統的な製法が受け継がれている。一般的にそうめんは冬に製造し、長さは製造段階で約1・8メートル。対して「和泉手延長そうめん」は、夏に製造し、長さは3メートル以上。長さの理由は、貫（ぬき）といわれる木造家屋の木材を麺を延ばすのに使い、これが3・6メートルだから。この長さに延ばすためには、麺が乾燥しにくい夏の方が適しているのだそう。また天日干しの後、湿度の高い場所で寝かせて柔らかく戻す〝半生もどし〟の工程も独特。この長さと半生の状態であることが、つるつるしたのどごし、そしてそうめんなのにもちっとした強いコシを生むというわけだ。

発祥に諸説ある「ころ」
「きしころ」ラリーできしめん復権！

名古屋ならではの冷たい麺に「ころ」がある。冷たいつゆをかけたうどんやきしめんを指す名古屋独特の呼び方で語源には諸説がある。冷やしても香りが立つ露＝「香露（こうろ）」が転訛（てんか）した、市内各所にあった公設市場の製麺所兼食堂で白玉麺を丼に〝ころっ〟と放り込んでつゆをかけた、この白玉麺が小さく丸めて店頭に並べてあったので〝石ころ〟〝あんころもち〟などのように小さく丸っこい＝〝ころ〟と呼んだ…などなど。

この「ころ」で人気復権を果たしているのがきしめんだ。きしめんは名古屋名物として知名度が高いものの、近年は需要が大きく落ち込んでいた。危機感を抱いた名古屋市内のうどん店が２０１５年からスタートしたのが「きしころスタンプラリー」。麺が薄い分、しなやかでのどごしがよいきしめんは冷たいころが最もおいしい！　との思いから、参加店が創作メニューを積極的に考案。食べ歩く楽しさがあることから年々参加者が増加しきしめん復権に一役買っている。２０２０年は37店舗が参加し、夏の2カ月間で１０００杯以上のきしころが食べられた。

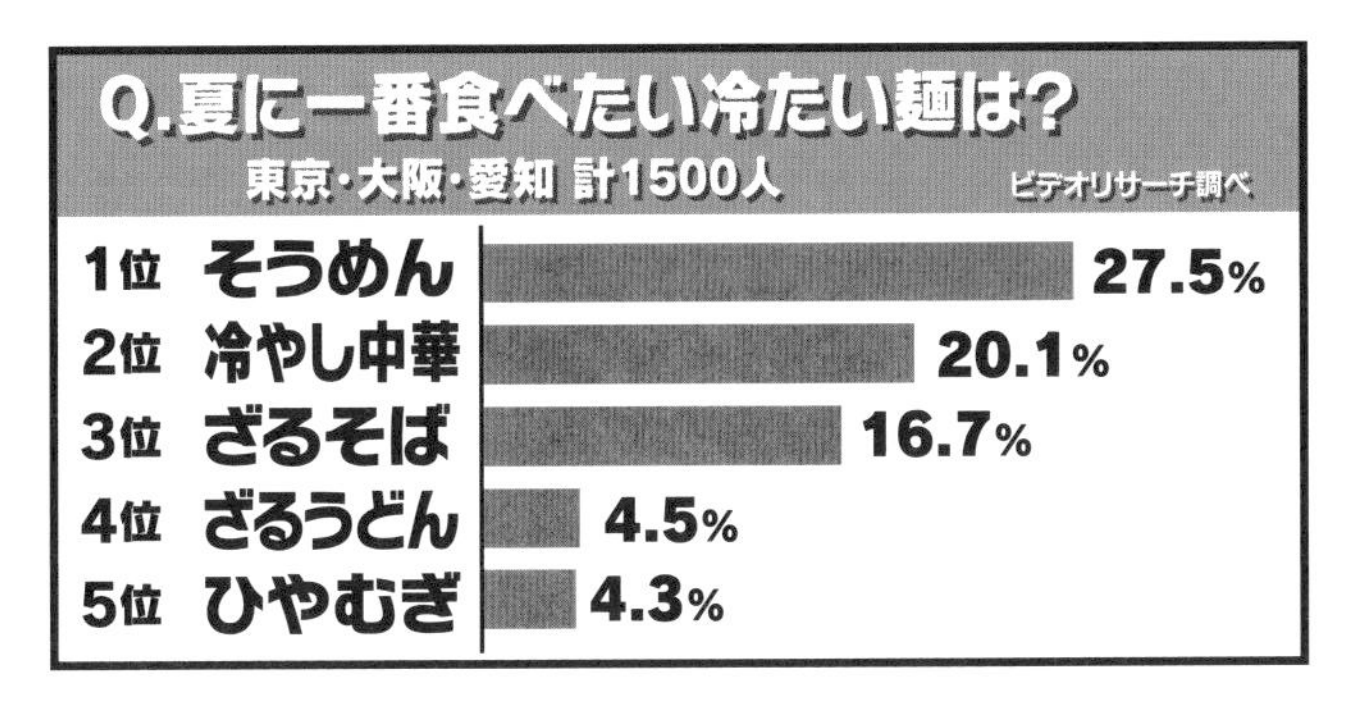

❸純国産勢と並び、冷やし中華が日本の麺食文化に浸透していることが分かる

手延べそうめん生産量		
1位	兵	庫
2位	長	崎
3位	奈	良
⋮		
8位	愛	知

そうめん（乾麺）生産量		
1位	香	川
2位	兵	庫
3位	宮	城
4位	愛	知

※農林水産省 米麦加工食品生産動態等統計調査（2009年）

❹穀倉地帯の愛知は麺類の生産全般が盛ん。他に生うどん、ゆでうどんの生産も上位に入る

冷たい味噌煮込み、台湾ラーメン、パン
ユニークな創作系冷たい麺グルメも

冷たい麺が大好きな愛知県民の嗜好に合わせて、ユニークな創作麺も登場している。「吉野屋」（名古屋市中区）の「冷やし味噌煮込みうどん」は麺に味噌を練り込み具もつゆもすべて冷たい珍品。「麺舗作一」（同・中区）の「冷やし台湾そば」、「ベーカリー ニコット」（同・天白区）の「冷やし中華パン」も唯一無二のアイデアメニューだ。

愛知県内の製麺所の総数は１６６。これは全国3位の多さ。1位は〝うどん県〟香川で４２５。２位・東京＝２３４で、これを見ても愛知は麺食文化に秀でた土地といえる（iタウンページより。２０２０年8月15日現在）。

これほどご当地麺が豊富な土地は珍しく、そんな麺食の盛んな愛知で魅力的な冷たい麺の数々が生まれたのはいわば必然。愛知の暑〜い夏は冷たくておいしいご当地の麺で乗り切りたい。

２０２０年8月23日放送

「土用の丑の日」直前！愛知の〝うなぎ事情〟を徹底調査

愛知県民は〝うなぎ好き〟。国内有数の産地があり、絶大な人気を誇るご当地グルメ・ひつまぶしもその価値を高めている。愛知のうなぎ料理の特色から養鰻場の取り組みなど知れば知るほどうなぎを好きになる&食べたくなる！

土用の丑の日にうなぎを食べる愛知県民は6割以上！

「土用の丑の日にうなぎ」の食習慣は、江戸時代の学者、平賀源内によるうなぎ屋の宣伝文句が由来といわれる。夏バテ気味の時季、ビタミン豊富なうなぎを食べたくなるのは確かだ。

「土用の丑の日にうなぎを食べますか?」。愛知県民1000人に尋ねると、「食べる」と答えた人は61・4%。世代・男女別ではミドルからシニア世代の男性が最も多く、50～69歳/男性=70・8%、女性=66%、35～49歳/男性=60・7%、女性=64・4%、20～34歳/男性=46%、女性=54・5%と、男女とも年齢が高くなるほど「食べる」割合も高くなる（ビデオリサーチ調べ）。

「うなぎを食べる頻度」は「半年に1回」がおよそ3割。50歳以上に限ってみると、「月1回以上」食べる人が7・4%、「2～3カ月に1回」という人が18・2%もいる❶。

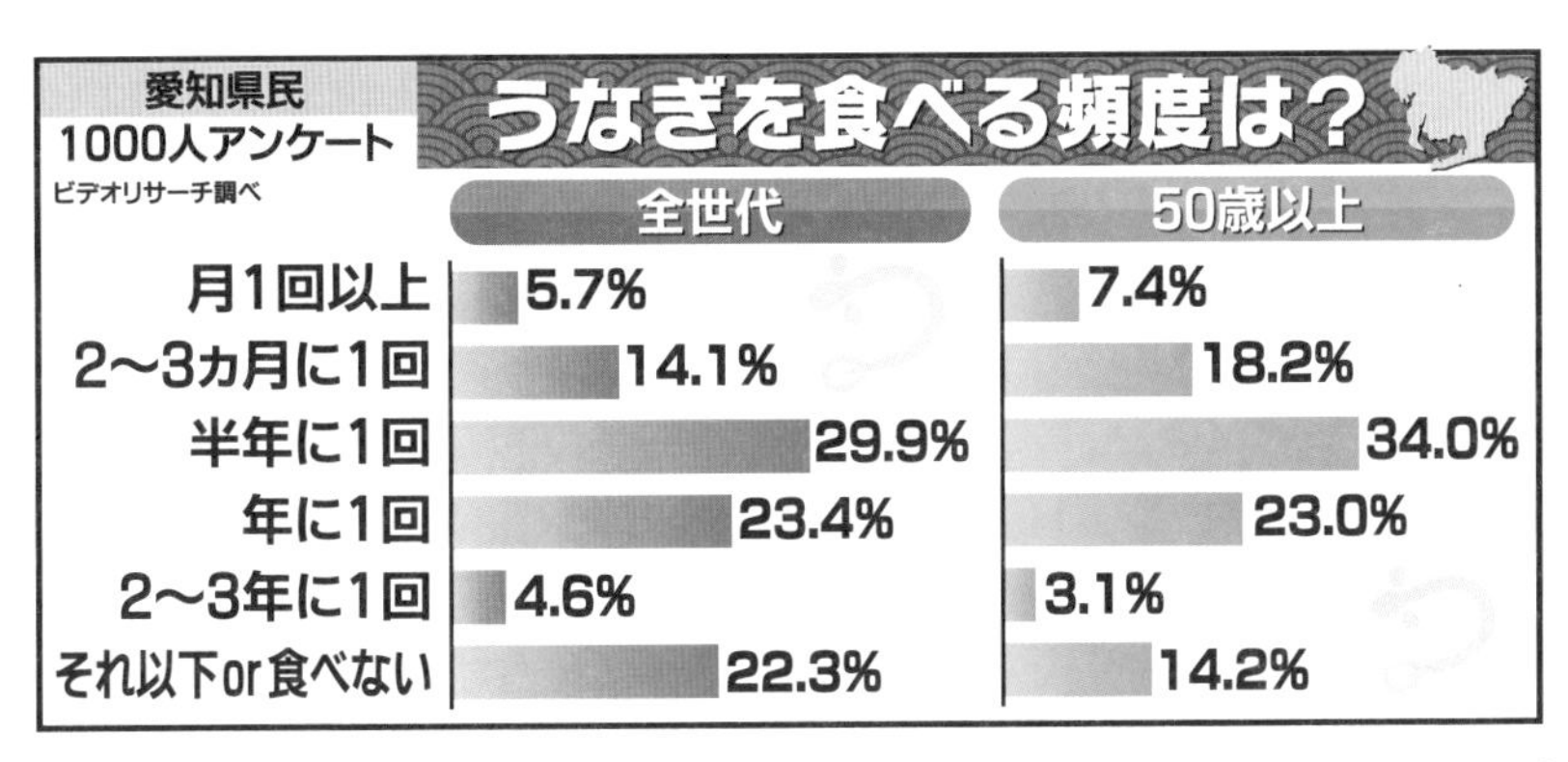

❶「人数が多い家庭ほどイベント的に食べるイメージがある」（料理研究家・長田絢さん）

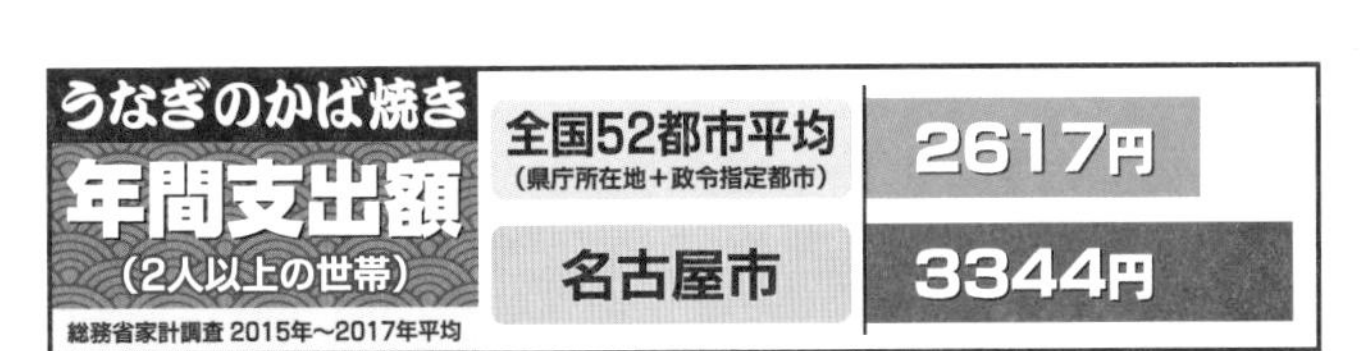

❷名古屋市は全国7位。岐阜市は3293円で9位。1位は浜松市でダントツの6311円（！）

うなぎのかば焼きの年間支出額も、全国平均＝２６１７円に対して、名古屋市＝３３４４円と30％近くも高い❷。

うなぎが好きでよく食べているだけに、お気に入りの一軒を持っている人も多い。そのランキングが❸。名店、人気店がズラリ名を連ね、中でも「あつた蓬莱軒」の人気は絶大だ。

「関西風」「関東風」の境界線は豊川（？）ハイブリッドの「中部風」も！

うなぎといえばかば焼き。この調理法が誕生したのは江戸時代後期。長くぬるぬるしたうなぎを素早くさばくための専用包丁、開いた身に浸透させる醤油とみりんベースのタレ、高温でふっくら焼き上げる炭。これら日本文化を融合させて完成するのがかば焼きで、工程こそシンプルだが奥が深く、職人として一人前になるには長い修業を要し、「串打ち3年、割き8年、焼きは一生」と称される。

かば焼きの調理法は「関東風」と「関西風」に大別される。関東風は背開き+蒸し焼き、関西風は腹開き+直焼きをして、名古屋は関西風が主流。身がくずれにくい腹開きで直焼きでパリッと焼くため、細かく刻んでお茶漬けにするひつまぶしのような食べ方も可能になったと考えられる。

では関東風と関西風の境界線はどこなのか？我こそは！　と主張するのは豊川市。同市観光協会の調べによると、市内のうなぎ店10軒のうち関東風2軒・関西風3軒と混在、さらに背開き+直焼きのように東西を融合させた「豊川風」が半分の5軒を占めているとのこと。まさに東西のうなぎ食文化が入り混じっている。

料理研究家の長田絢さんによると、さらに愛知には「中部風」なる調理法もあるとのこと。「少しだけ蒸した後にほどよく焼くことで時間を短縮できる。かば焼きの方法でも愛知は多様化していて、うなぎ文化が独自に発展している」という。

やきものの町にはうなぎの名店愛知のうなぎ文化の背景とは？

愛知にうなぎ文化が根づいたのはなぜなのか？　理由の1つに古くから窯業が盛んなことが挙げられる。愛知には日本六古窯のうち、瀬戸と常滑の2つがある。陶器を焼く窯場は三日三晩寝ずに火の番をせねばならず、スタミナ食のうなぎは昔から職人に好まれた。そのため〝やきものの町には必ずうなぎの名店がある〟といわれるのだ。

2つ目の理由はうなぎ料理の1つ、ひつまぶしの名古屋名物としてのブランド力。自慢のご当地グルメとして、他地方からの友人知人を連れて食べに行く機会も多いと考えられる。

地元・愛知県民が愛するうなぎ店

愛知県民 539人
ビデオリサーチ調べ

順位	店名	所在地	票数	備考
1位	あつた蓬莱軒	熱田区	212票	■明治創業 名古屋市内 3店舗 + 持ち帰り専門 1店舗
2位	しら河	西区	59票	名古屋市内 3店舗 + 持ち帰り専門 1店舗
3位	まるや本店	天白区	45票	■愛知県内 7店舗 ■韓国にも進出
4位	いば昇	中区	32票	■栄(本店) 明治創業 ■錦 ➡ 戦後 のれん分け
5位	備長	大口町	29票	■名古屋市内 5店舗 ■東京 3店舗 ■大阪・福岡
6位	うな富士	昭和区	27票	■2018年1月 御園座に初の のれん分け店「鰻う おか冨士」
7位	なまずや	中区		
8位	たむろ	春日井市		
9位	うな豊	瑞穂区		
10位	イチビキ	中村区		

※番組放送時点のもの

❸名古屋のうなぎ店はうな丼、うな重に加えひつまぶしを出す店が多い。うなぎは目的来店が中心のため、一等地になくても人気を得ている店が少なくない

全国生産量の2割を占める一色町 おいしさの3つの理由

そして3つ目、何といっても県下に良質の産地があること。うなぎの生産量1位こそ鹿児島にゆずって2位だが、養殖場の数は愛知がダントツでトップ❹。中でも県内の生産の8割を占めるのが西尾市一色町。全国の生産量2万9２2トンのうちおよそ2割の4５００トンを一色地区が占めている（２０１７年）。

一色町のうなぎはなぜ高く評価されるのか？長所の第1は川水を引いてくる養鰻水道。うなぎの養殖場は地下水を使うところが多いが、一色町はすべて矢作川の川水で育てている。うなぎは川に生息するので、より自然に近い環境で育てられる。

第2は「アオテ」と呼ばれる上質のうなぎを育てる技術。背中が青いのでこう呼ばれ、肉質がふわっと柔らかく、20匹に1匹程度と希少価値が高い。

第3は細やかなエサの調整。うなぎの成長や状態に合わせてエサをやる回数や配合、固さなどを調整し、水質管理にも気を配っている。

これらの要素が組み合わさって、質の高いうなぎが市場に届けられる。地元・愛知では当然入手しやすく、おいしいうなぎを食べられる機会も多いわけだ。

激減するうなぎの供給 完全養殖は愛知から（？）

そんな愛知県民が愛してやまないうなぎだが、国内の供給量は近年激減している。ピークだった２０００年には16万トン近くあったのが近年は5万トン程度と1／3になっているのだ。減っている最大の要因はヨーロッパウナギの輸入の減少。80年代半ばから中国経由での輸入が急増していたが、種の減少などによって２０００

年以降は一転して激減した。輸入だけでなく国内の養殖生産量もピーク時からほぼ半減していて、うなぎ不足は深刻さを増している。

この危機を脱する切り札がうなぎの完全養殖。うなぎ生産はほとんどが養殖だが、天然のシラスウナギ（稚魚）を採捕して育てている。このシラスウナギが減少していることが、うなぎの生産縮小の一番の要因だ。２０１０年に国の機関によって、卵から育てる完全養殖技術が開発されたが、質・量が安定せず量産化にはまだ道半ば。現在も愛知、静岡、宮崎、鹿児島の施設で研究が進められているが、商業化は10年後とも20年後ともいわれている。

うなぎ文化が発展した愛知から、その文化を継承するための技術が生まれ、将来も安心しておいしいうなぎを食べたいものである。

2018年7月15日放送

うなぎ生産量（トン）		
1位	鹿児島	8522
2位	愛　知	5780
3位	宮　崎	3262

養殖場		
1位	愛　知	133
2位	鹿児島	63
3位	静　岡	55

※日本養鰻漁業協同組合連合会（2017年）

❹愛知は天然に近い環境で丁寧にうなぎを育てている養殖場が多い。西尾市一色地区の他、豊橋地区、高浜市碧海地区、弥富市で養殖が行われている

ひきずり鍋から味噌おでんまで…愛知の〝鍋文化〟を徹底分析

調理が簡単、種類が多彩、栄養バランスがよい、と食卓の頼れる味方、鍋。愛知は山海の幸が豊富で味つけに欠かせない調味料の醸造も盛ん。ご当地鍋の味噌おでんもある。もっと食べたくなる愛知の鍋の魅力を探る！

お鍋大好きな愛知県民 お肉大好きな嗜好も鍋の好みに反映

「鍋料理が好き」な愛知県民は89・4％！ 県民1000人アンケートで「大好き」＝20・8％、「好き」＝36・1％、「まあまあ好き」＝32・5％で、合計するとおよそ9割の人が鍋が好きだと回答した（この段落のデータはすべてビデオリサーチ調べ）。

「冬季に鍋を食べる頻度」は「週に1回程度」＝27・2％、「4、5日に1回」＝8・2％、「2、3日に1回」＝5％、「ほぼ毎日」＝1・4％で、これらを合わせた「週1回以上」食べる人が41・8％、「月に1回以上」となると83％にも上った。手間いらずの上、近年は鍋つゆのパック商品の種類も多彩で、特に子どものいる家庭で重宝されている。

愛知県民の「好きな鍋」は「すき焼き」「寄せ鍋」「しゃぶしゃぶ」がベスト3❶。「好きな具材」は「牛肉」「豚肉」「豆腐」がベスト3。

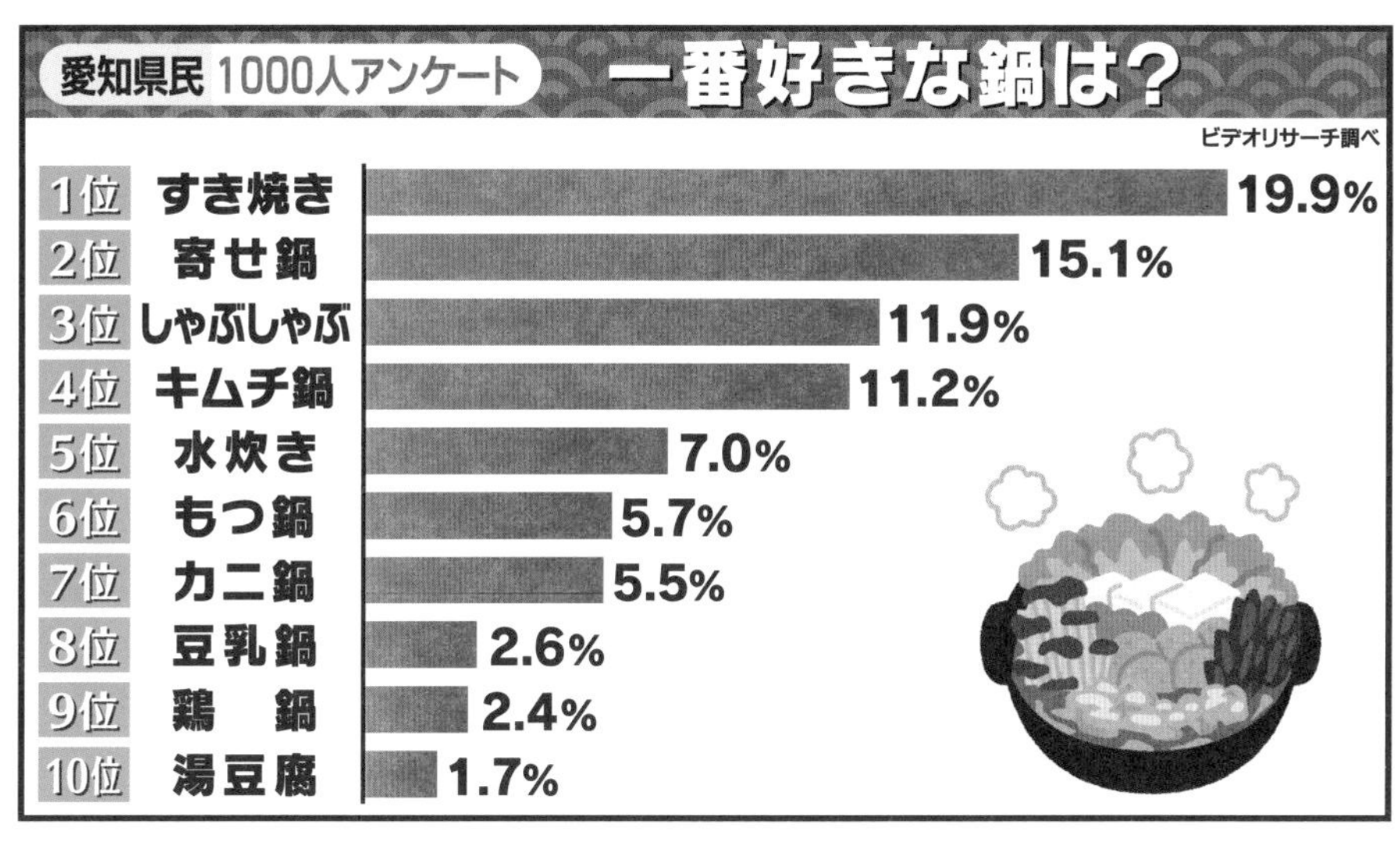

❶すき焼き、しゃぶしゃぶと牛肉が主役の鍋が上位に。肉好き県らしいランキング

料理研究家の長田絢さんは「愛知県民の肉好きで野菜をあまり食べないという傾向がはっきりと出た順位。全国的には、白菜、豆腐、ねぎ、きのこ、しらたきの後に肉がランクインする地域が多い」という。

すき焼きの作り方や肉鍋のだしにも地域性あり

愛知県民に圧倒的に支持されているすき焼きだが、地域によって調理法に違いがある。

関東風は醤油、みりん、料理酒、だしなどでつくる割り下で、肉と野菜を一緒に煮る。関西風は牛脂をひいて肉を焼いて、砂糖や醤油で味つけし野菜を加えていく。つまり、関東風は〝煮る〟、関西風が〝焼く〟のがメイン。前出・長田さんによると愛知のすき焼きは関西風に近く、「割り下は使わず、牛脂をひいて肉を焼いて、多めの砂糖と醤油で味つけする。甘辛の味つけを好む愛知らしく、肉にしっかり味がしみ込んだ仕上がりが好まれる」、また「肉も土地柄が出て、関東は米沢牛など、関西は松阪牛、さらに西へ行くと近江牛、東海は飛騨牛、松阪牛が人気。関東では豚肉ですき焼きをする場合もあります」という。

さらに鍋のだしにも土地柄が出る。「関東は寄せ鍋やちゃんこ鍋などの醤油か味噌ベースが一般的。関西は上品な昆布だし。愛知は名古屋コーチンや手羽先など鶏を使った鍋料理が多くあり、また味噌を愛する文化なので味噌仕立てにすることも。スープに味がついている寄せ鍋でもそのまま食べることには皆さん、物足りなさを感じます」と長田さん。

バリエーション広がる鍋つゆ 愛知発の大ヒット商品も！

家庭での鍋人気を支えているのが鍋つゆ。具材と一緒に鍋に入れるだけで味つけができ、最近は年々バリエーションが増えているため、様々な味を気軽に楽しめて飽きが来ない。県内の某大手スーパーの売り場にはおよそ50種類の鍋つゆがある。担当者によると「ちゃんこ鍋やキムチ鍋など定番に加えて、あごだし鍋、ごま豆乳鍋、塩タンメン鍋などバリエーションが増え、名店の味とのコラボ商品や1人用の個食タイプも人気が高まっている」という。

この鍋つゆ市場でグングン売り上げを伸ばしている愛知発のヒット商品がある。「赤から鍋スープ」だ。「赤から鍋」は鍋専門店「赤から」の看板メニューで、味噌の風味とピリッとした辛みで特に女性に人気。「赤から」は豊橋に本社を置く大手外食企業、「甲羅グループ」が２００３年に名古屋に1号店をオープンし、今では全国に２８０店舗以上を展開する。２００８年には名古屋の調味料メーカー、「イチビキ」とのコラボで家庭向けの「赤から鍋スープ」を商品化。10年で売り上げは約40倍に伸びている。発売当

初は出荷数の98%が中部だったが、今では東日本、西日本でもほぼ同等に売れていて、人気は全国に拡大している。愛知の企業の取り組みも鍋つゆ人気に一役買っているのだ。

外食でも人気の鍋
しゃぶしゃぶ、もつ鍋、新・名古屋鍋も

鍋料理は外食店でも人気だ。愛知県民が好きな鍋・第3位に入っていたしゃぶしゃぶ。地元の人なら真っ先に頭に浮かぶのが「木曽路」だろう。名古屋に本社を置き、全国に約120店舗を展開する。50年以上愛されている理由のひとつがごまだれ。秘伝の味は木曽路のおいしさの象徴で、家庭用のパック商品もある。

もともと博多の郷土料理であるもつ鍋は90年代前半に全国的にブームとなった。愛知でも特に女性に人気で、ヘルシーかつリーズナブルな点もお値打ち好きの県民性にマッチしていると考えられる。名古屋での人気の火付け役となったのが、市内で最初の専門店として1991年にオープンした「元祖もつ鍋ぽぽろ」(中区)。名古屋人向けにあえて塩味を強くしたことが受け入れられた理由だという。

さらに強力に名古屋人好みにアレンジしたもつ鍋もある。「元祖台湾もつ鍋 仁」(昭和区)の「台湾もつ鍋」だ。今や名古屋のご当地グルメの一ジャンルになった激辛の台湾ミンチ。これをもつ鍋に大胆にトッピング。ミンチの隠し味には八丁味噌も使用している。パンチの利いた味がウケて、現在名古屋と岐阜に4店舗を展開する。

ひきずり鍋に味噌おでん
愛知ならではのご当地鍋

愛知には他の地方にはないご当地鍋がある。その1つがひきずり鍋。これはいわば鶏肉のすき焼き。牛肉のすき焼きと同様に鍋の上で鶏肉

をひきずるようにして焼くことからこの名がついたとされる。古くから養鶏が盛んで、鶏肉を食べるのも好き、しかも醤油ベースの甘辛い味つけもこの地域の嗜好にマッチしている。かつては〝新しい年に悪いものを引きずらないように〟との願いをこめて1年のしめくくりにひきずり鍋を食べる風習もあった。愛知では大晦日に牛肉のすき焼きを食べる風習があるが、これはひきずり鍋を食べる名残りだと考えられる。

そしてご当地鍋といえば何といっても味噌おでんだ。全国のおでんのほとんどは関東風（濃い口醤油で甘辛く、具はちくわぶ、はんぺんなど）と関西風（薄口醤油&昆布だしであっさり、特徴的な具は牛すじ、タコなど）に分けられるが、そのどちらでもない〝第3のおでん〟。煮込むほどにおいしくなる、この地域特産の豆味噌の特性を活かした鍋料理だ。主に居酒屋などで食べられ、家庭では関東風のおでんに調味味噌をかける食べ方が多い。

全国で異なるおでんの中身 愛知にしかないねりものも

おでんの具＝おでん種にも地域性がある。愛知県民の「好きなおでん種」トップ3は「大根」「卵」「牛すじ」。以下、❷のように並ぶ。イモは愛知では里イモが多く使われ、北陸、東北、九州も里イモ。だが、ジャガイモは近畿、中国、四国、埼玉、山梨、静岡で好まれ、京都ではエビイモ、石川ではサツマイモを入れる。

こんにゃくは東京より西では海草がねり込まれた黒いこんにゃくが一般的で愛知もこのタイプ。東北地方より北では白いこんにゃくが主流になっている。

すじは関東と関西ではまったく別のもの。関東では白身魚のすり身に軟骨を加えたねりものを指すが、関西では牛のすじ肉が串に刺さった牛すじのことで、愛知もすじといえばこの牛すじだ。

ねりものは土地土地でかなり違う。東京のち

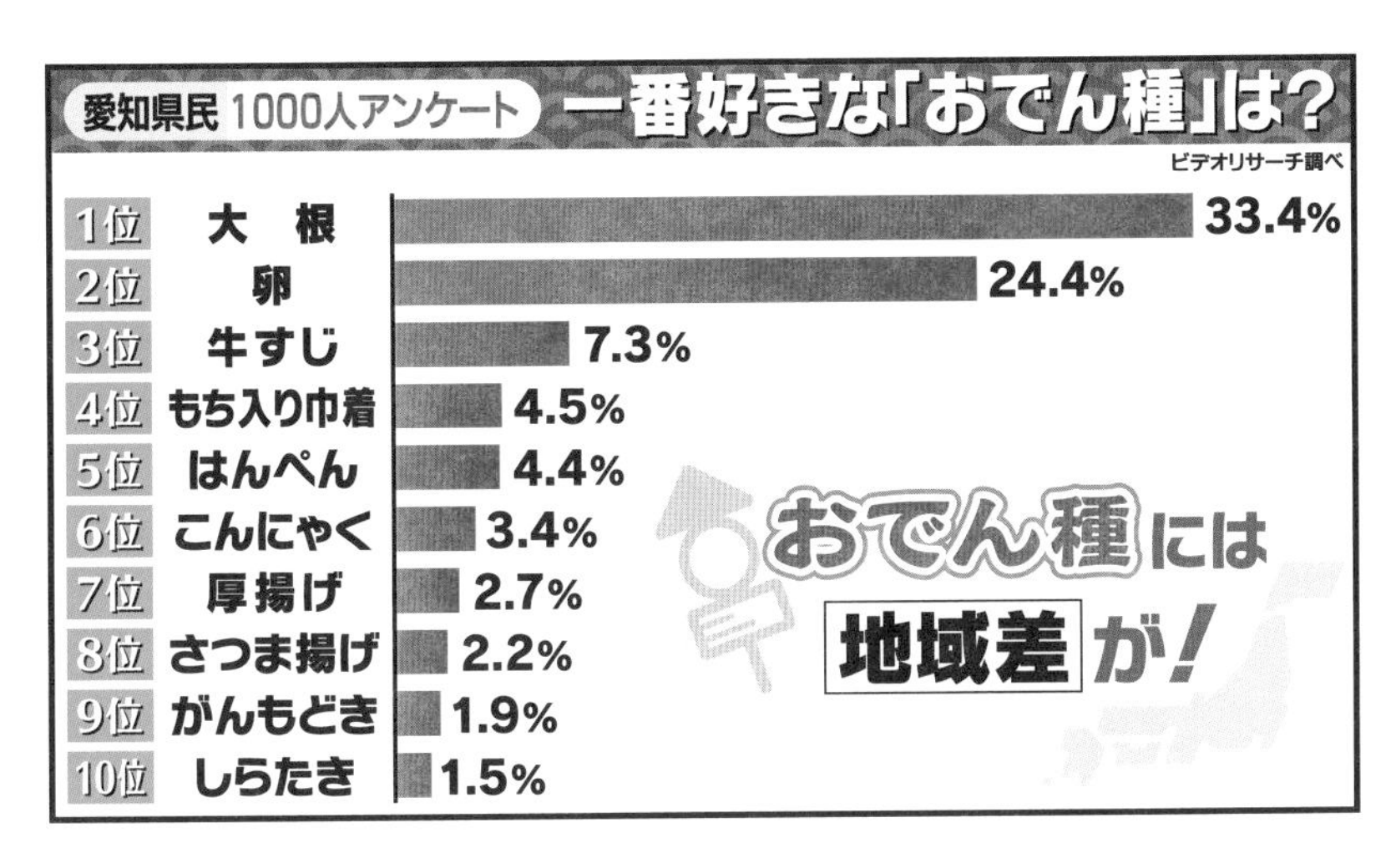

❷大根、卵は味噌おでんでも関東煮でもおいしく、愛知らしい順位ともいえそう

くわぶ、京都の生麩、静岡のなると、石川のふかし（かまぼこを蒸した伝統料理）、和歌山のほねく（太刀魚のすり身）、北海道のマフラー（四角で細長いさつま揚げ）、高知のすまき（ピンクで細長いかまぼこ）などなど…。愛知の角麩（生麩の一種）や赤棒（ピンクのさつま揚げ）は他では見られない地域特有のねりものだ。

「おでんは地域ごとに独自性がある。関東でははんぺんやお麩などのねりものを多く使い、味の薄い具を濃い目のつゆで煮込む。関西ではタコや牛すじなど素材の味が濃い種を薄味のつゆで煮込みます。愛知は家庭ではいわゆる関東煮のおでんに、調味味噌かからしを好みによってつけて食べるスタイルが主流です」と前出・長田さん。

ご当地グルメという言葉がなかった時代から、庶民に親しまれ、地域性豊かに発展してきた鍋料理。いろいろな地方出身の人と鍋を囲めば、鍋談義は尽きることがなさそうだ。

2019年2月10日放送

「名古屋・愛知の県民」をデータで解析！

名古屋・愛知の人ってどんな人？　名前や日頃から使っている言葉のルーツ、金銭感覚、結婚観、郷土愛…。ひと言で「名古屋・愛知」といっても、広い上に歴史もあるため地域や世代によって思わぬ違いが…！　その特徴や多様性を知ることで、名古屋市民、愛知県民ひとりひとりの個性に対する理解も深まっていく。

愛知県民の「名字」を徹底調査 名字の成り立ち&謎に迫る!

うんちく・雑学のネタの定番、名字。日本人の誰しもにかかわる事柄ゆえ、話題が尽きないのは当然だ。人の気質に県民性・地域性があるように、名字にもまた土地ごとに傾向や特徴がある。名字に見る〝愛知県らしさ〟とは──?

日本の名字は10万種以上! トップ10が国民の1割を占める

日本の名字の種類は10万種以上（姓氏研究家・森岡浩さん調べ）。これはアジアの中ではダントツに多く、中国は14億人という人口の割に少なく約4000種、韓国はわずか300種とその種類はかなり限られている。ただし、世界で一番多いのは移民大国アメリカで、100万種以上だ。

では、日本ではどの名字が多いのか？ 全国ランキングは1位・佐藤、2位・鈴木、3位・高橋、4位・田中、5位・渡辺、6位・伊藤、7位・山本、8位・中村、9位・小林、10位・加藤。このベスト10を合計すると約1287万人。全国民の10%余りとなり、名字は10万種以上あるにもかかわらず上位10種が1割以上を占めていることになる。

全国とまったく異なる愛知のランキング トップ3の分布にも特徴が

では愛知はどうか？　1位の鈴木以外は全国ランキングとまったく違う顔ぶれ。2位・加藤（全国10位）、3位・伊藤（全国6位）、4位・山田（全国12位）、5位・近藤（全国36位）、6位・山本（全国7位）、7位・佐藤（全国1位）、8位・渡辺（全国5位）、9位・田中（全国4位）、10位・水野（全国103位）となっている。トップ3が人数で4位以下に大きく差をつけ、「藤」がつく名字が多いのも特徴だ❶。

トップ3の鈴木、加藤、伊藤の分布にも特徴がある。「鈴木」は三河地方で鈴木一族が栄えたことから、静岡県浜松市あたりまで多く見られる。「加藤」は美濃で加藤一族が勢力を持っていたため岐阜にも多い。「伊藤」は伊勢が本拠地のため三重県に多い。上位3つの名字が、それぞれ東・北・西の県境をまたいで分布しているの

名字ランキング　森岡 浩さん調べ

	全国		東京		大阪		愛知	
1位	佐藤	200万人	鈴木 27万人	全国2位	田中 13万人	全国4位	鈴木 21万人	全国2位
2位	鈴木	175万人	佐藤 23万人	全国1位	山本 11万人	全国7位	加藤 18万人	全国10位
3位	高橋	145万人	高橋 19万人	全国3位	中村 7万人	全国8位	伊藤 16万人	全国6位
4位	田中	135万人	田中 17万人	全国4位	吉田 6万人	全国11位	山田 9万人	全国12位
5位	渡辺	115万人	小林 16万人	全国9位	松本 6万人	全国16位	近藤 8万人	全国36位

愛知の名字 6位〜20位

6位	7位	8位	9位	10位
山本	佐藤	渡辺	田中	水野
全国7位	全国1位	全国5位	全国4位	全国103位
11位	**12位**	**13位**	**14位**	**15位**
中村	林	杉浦	小林	吉田
全国8位	全国19位	全国239位	全国9位	全国11位
16位	**17位**	**18位**	**19位**	**20位**
森	石川	高橋	竹内	後藤
全国22位	全国27位	全国3位	全国54位	全国32位

❶「加藤」「伊藤」「近藤」など「藤」がつく名前が多い。全国の順位との差が大きいのが「水野」「杉浦」だ

だ（前出・森岡さん解説による）。

「大まかにいうと名字は佐藤、鈴木が多い東日本型、田中、山本が多い西日本型に分かれる。愛知は1位・鈴木で東日本型が優勢だが、西日本型も混在し、分岐点エリアといえる」（森岡さん）。

愛知では多いが全国的にはさほど多くない名字もある。「水野」は愛知で10位だが全国では103位。「杉浦」は愛知で13位だが全国では239位と大きな差がある。

「杉浦」が特に多いのは愛知県碧南市。実に市民の1割近くが杉浦さんだ。ルーツは神奈川・三浦半島の三浦一族。分家の杉本一族が滋賀へ移った際、一文字ずつ取って「杉浦」と名乗り、さらに碧南に移って根づいた、とこれまた森岡さんが解説する。

他、「神谷」「河合」「鬼頭」「犬飼」「尾関」「今枝」「新美」「舟橋」も愛知に多い名字だ。

「なかじま」さん？「なかしま」さん？愛知は全国分布の特例区？

名字の読み方にも地域性がある。「清音or濁音」問題だ。「中島」は「なかしま」か「なかじま」か？「山崎」は「やまさき」か「やまざき」か？

愛知に比較的多い「中島」で調べてみる。豊橋市ではハローページ掲載の「中島」は169件（『ハローページ個人名編』2018年7・8月発行愛知県下全版を基に番組調べ。以下ハローページ関連はすべて同）。豊橋市役所によると「なかじま」1245人：「なかしま」183人で濁音派が圧倒的優勢。

瀬戸市ではハローページ掲載の「中島」は112件。瀬戸市役所調べで「なかじま」88人：「なかしま」989人で、濁音派と清音派の勢力分布は両地域で真逆の結果となった。

江戸時代にさかのぼると豊橋市は旧三河、瀬

戸市は旧尾張。当時の藩制の境界が名字にも影響しているのか？

西日本では清音の澄んだ響きが好まれ、東日本では発音が濁音になりやすい傾向がある、と森岡さん。「中島」は九州・山口はほとんど「なかしま」でそれ以東は「なかじま」が主流となる。ではなぜ愛知の一部では「なかしま」なのか？　かつて尾張国には中島郡があり（現在の一宮市、稲沢市、清須市の一部）、この地名が「なかしま」だったため、旧尾張領に限っては「なかしま」が多いのだという。

愛知が誇る三英傑「織田」「豊臣」「徳川」さんは県内に何人？

三英傑の名字の人は愛知にどれくらいいるのか？　NTTの電話帳ハローページで調べてみた。由来の解説はここでも森岡さんだ❷。

❷愛知県内の人数は「織田」がダントツトップ！　三英傑の現代の人気にもつながっている？

○「織田」…199件

織田一族発祥の地は越前国織田庄（現在の福井県越前町）。現在でも「織田」は福井に多い。織田家は信長の祖父・信定が尾張の津島を掌握したのを機に大きく発展し、織田の名も広まっていった。

○「徳川」…6件

家康の若い頃の名字は「松平」。一族のルーツが三河国松平郷だったためだ。「徳川」と改名したのは、源氏の一族「得川氏（とくがわし）」の末裔とアピールするため。家康は徳川を名乗れるのは自分の直系の子孫だけとしたため、現在にいたるまで徳川さんは非常に少ない。

○「豊臣」…0件

秀吉はもともと「木下」を名乗り、大名になった際に織田家の有力家臣だった柴田勝家、丹羽長秀から一文字ずつ取って「羽柴」とあらためた。天下人になり「豊臣」と名字を変えたと思っている人が多いが、実は名字は羽柴のままで豊臣は姓。江戸時代までは名字と姓は性格が異なり、姓は出自を示すもので公家や武士は両方を持っていた。秀吉は「平氏」「源氏」「藤原氏」といったそれまでにあった姓ではなく、新たに豊臣という姓を朝廷から賜った。完全オリジナルのため、愛知はおろか全国でも豊臣を名乗る人はほとんどいない。

この3人が愛知から出たため、彼らに大名に取り立てられた家もたくさんあった。福島県の二本松藩主・丹羽氏、千葉県の佐倉藩主・堀田氏、石川県の加賀藩主・前田氏、徳島県の蜂須賀氏、広島県の浅野氏など。こうして愛知発祥の名字も全国へと広まったのだ。

愛知で「愛知」さん、「名古屋」さんを探せ!

○「愛知」…19件
○「名古屋」…2件

これもハローページを基にした番組調べ。どちらも愛知県内に限らず全国でもかなりレアな名字で、いずれも地名が由来とされ、「名古屋」という地名は新潟や千葉で見られる。「愛知」は滋賀県愛知(えち)郡がルーツと考えられる。

名字はほとんどが地名、地形・風景、方位・方角、職業、藤原一族系の合わせて5種類のルーツに分類される。すなわち名字には地域の情報がインプットされているといえる。あなた自身や周囲の人の名字から、住んでいる町や地域の歴史や文化に思いをはせることができるのだ。

どう読む? 愛知の珍しい名字

第1問	第2問	第3問	第4問	第5問
雲英	勘解由	樹神	朏	毛受
(西尾市)	(豊橋市)	(豊田市)	(新城市)	(知立市)

2019年4月7日放送

[答え] 第1問/きら　第2問/かげゆ　第3問/こだま　第4問/みかづき　第5問/めんじょう

みんな知らずに使ってる？ 愛知の「方言」を徹底調査

「やっとかめだなも」「どえりゃあうみゃ～がや」。こんな名古屋弁、だぁれも使っとれせんわ！　あれ？　実は自覚がないまま愛知の方言を使っている？ 特徴や尾張・三河の違いなど知るほどに地元言葉に愛着がわいてくる！

名古屋弁をいつも使うのは4人に1人 標準語を使っていると〝思い込んでいる〟!?

名古屋市民で名古屋弁を「いつも使う」人は全体のわずか1／4。「状況によって使い分ける」人を含めても約4割と半数以下❶。

ところが、国立国語研究所の准教授で名古屋出身の朝日祥之さんいわく「名古屋人は〝標準語を使っている〟という意識がとても強い。〝方言を使いますか？〟と聞かれても〝使わない〟と答えてしまう」。名古屋は地元定住率が高いこともあり名古屋弁以外の言葉を普段あまり耳にしないため、自分たちの言葉を標準語だと認識しているのだという。

名古屋弁は「上町」「下」「武家ことば」 母音は日本で最も多い8種類

そんな名古屋弁にはどんな特徴があるのだろう？

まず大きく分けて3種類がある。「上町ことば」「下のことば」「武家ことば」。上町は広小路通以北の名古屋城に近いエリア、下はそれ以南の言葉、武家ことばは武士とその家族が使っていた言葉。上町は語尾に「なも」がつくなど柔らかくて上品。下では「だがや」になり、最近はこちらの方が優勢だ。武家ことばは時代劇で耳にする「ござる」が今も残っていて、「いらっしゃいますか？」が「ござるかね？」などと言う。「失礼します」を「ご無礼します」と言うのも武家ことばだ❷。

8つの母音があるのも特徴。この母音の数は全国で最も多い。「あ・い・う・え・お」の他に「æ ə」「yː」「øː」があり、「æ ə」＝「a＋i」、「yː」＝「u＋i」、「øː」＝「o＋i」といずれも母音が融合したもの。ただし「yː」「øː」は現在では年配者でもあまり使わず、比較的なじみがあるのは「æ ə」。アイと母音が続く時に現れるエとアの中間音で、英語で「ａｐｐｌｅ」と発

上町ことば	なも	北 広小路 南
下のことば	だがや	
武家ことば	ござる	「いる」「来る」

いらっしゃいますか?	失礼します
ござるかね？	ご無礼します

❷武家ことばは武士とその家族が使った言葉で、現在でも比較的自然に使われている。城下町の風情が残っているのが名古屋弁の特徴だ

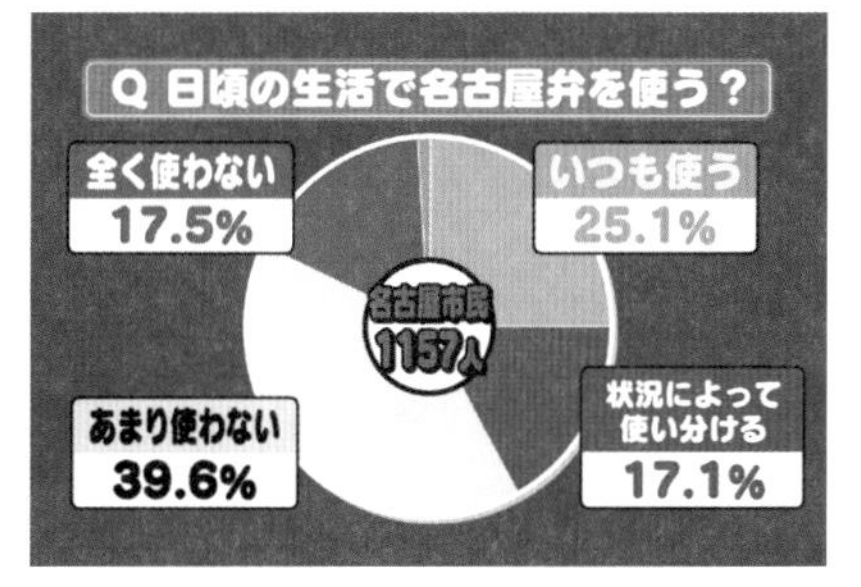

※2009年度 第3回市政アンケート調べ

❶名古屋弁は近しい相手にだけ使う“身内言葉”といわれるが、隠しているつもりでもイントネーションなどでばれている（？）

音する時に使う「ェア」という音。例えば「ない」は「ネァー」、「甘い」は「アメァー」、「大根」は「デァーコ」と発音される❸。

打ち消しの「しん」「せん」「ら抜き言葉」は時代を先取り（？）

打ち消す時に「しん」「せん」を使うのも名古屋弁の特徴。「しない」→「しんわ」、「しなくていいよ」→「しんでええよ」、「書けない」→「書けーせん」、「やめられない」→「やめれーせん」となる❹。

「ら抜き言葉」は近年、使う人が増えているが名古屋では昔から使っていた。「考えれる」「信じれる」など、他の地方では「ら抜き」されることがない言葉も「ら抜き」にされるケースが多い。逆に「かけれる」「行けれる」と「れ」を足したり、「丈夫い」「ピンクい」など「い」を足す言い方もある。

全国最多 8つの母音

アイ	➡ エとアの中間音「æə」	
ない	甘い	大根
ネァー	アメァー	デァーコ

「名古屋ではエビフリャー」

オイ	➡ オとエの間の音「øː」	
	標準語	名古屋弁
重い	omoi	omøː

ウイ	➡ ウとイの間の音「yː」	
	標準語	名古屋弁
薄い	usui	usyː

❸「Øː」は英語では出てこない発音記号で、フランス語では使われる

打ち消し「しん」「せん」

標準語	名古屋弁
もうしない	もうしんわ～
もうしなくていいよ	もうしんでええよ
書けない	書けーせん
やめられない	やめれーせん

❹この他に、「れ足し言葉」も関西から名古屋でしばしば見られる言葉。「書けれる」「泳げれる」「立てれる」など

語尾も母音もアクセントも違う 名古屋弁と三河弁

尾張と三河は江戸時代までは別の藩。廃藩置県にともない1872年に愛知県が誕生して1つになったが、約150年たった今でも言葉は微妙に異なる。

違いが分かりやすいのが語尾。三河弁の代名詞ともいうべきものが「じゃん・だら・りん」。名古屋弁では「だがやorだがねorだがん・だろ・やー」となる。また東三河（豊橋、蒲郡など）では「のん」「だに」もあり、「これええのん（これいいねぇ）」「行くだに（行くよ）」となる。

違いその2は母音の変化。名古屋弁は「ア」と「イ」が続くと「エ」と「ア」の中間音になり、「ない」→「ネァー」、「甘い」→「アメァー」、「大根」→「デァーコ」となるが、三河弁ではこうした変化は起きない。

名古屋弁&三河弁&共通語

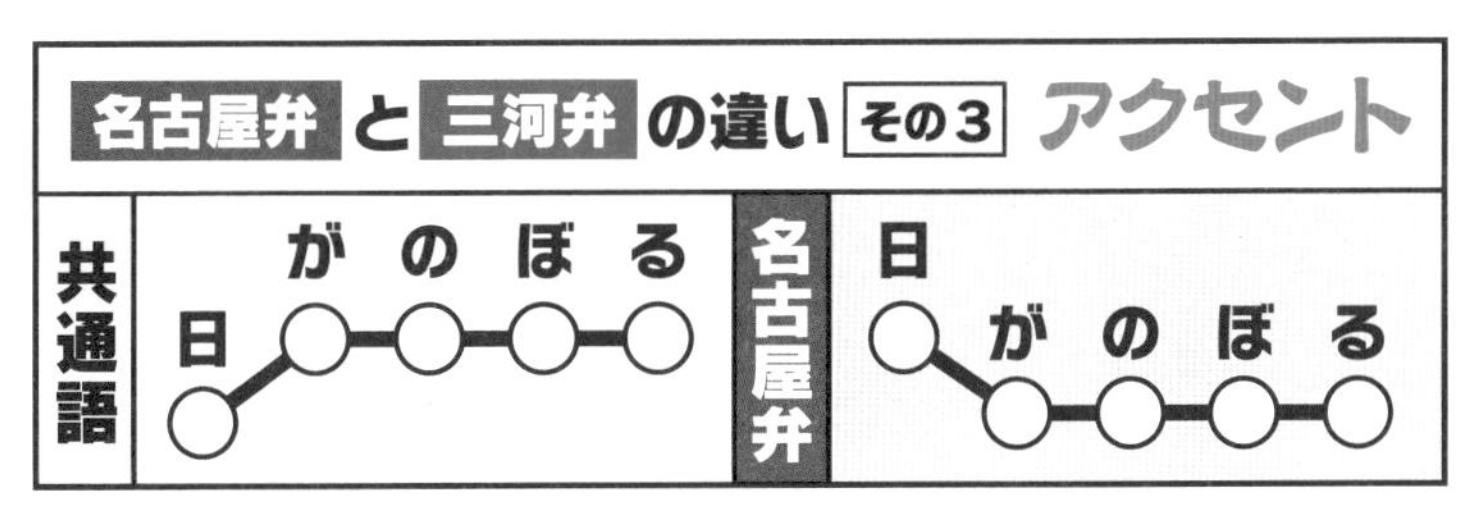

❺名古屋弁の「日」は、共通語のアクセントでは「火」に聞こえる

3音節の形容詞のアクセント

共通語				名古屋弁
青い	アオイ	赤い	アカイ	アカイ
○─○○	重い、薄い、厚い、粗い、固い 軽い、きつい、暗い、遠い、丸い			

共通語	アカイ	アカッタ	アカク	アカクテ	アカケレバ
名古屋弁	アカイ	アカッタ	アカク	アカクテ	アカケレバ

❻名古屋弁では「厚い」と「暑い」が同じアクセントになる

違いその3はアクセント。「日がのぼる」は❺のように共通語と名古屋弁とで異なり、三河弁は共通語と同じアクセントとなる。この違いが最もはっきり出るのが3音節の形容詞で、❻のように共通語と名古屋弁とで異なり、三河弁はやはり共通語と同じアクセントなのだ。

学校は方言の宝庫!?「放課」「うわばき」「B紙」などなど

学校用語は方言の宝庫。学校を運営する市町村の教育委員会で使う用語の方針が決まり、管轄は県の教育委員会のため、学校の用語は基本的に県単位で決まる。

その典型例が「放課」。愛知では授業と授業の間の休み時間を指すが、この使い方をするのは愛知だけ。授業後を「業後」と言うのも愛知だけだ。全国ではそれぞれ「休み時間」「休憩時間」「放課後」などと言う。そもそも休み時間を放課と呼ぶのは日本語としても正しいとは言えない。「放課」＝課を放つ、すなわち「授業を終える」を意味する。愛知教育大学名誉教授・中田敏夫さんによると、1873（明治6）年に決められた愛知県義校規則に授業と授業の間の時間を「放課トス」とあり、当時は全国で同様に使われていたそう。「業後」も明治時代に愛知が作り出した言葉だ。全国ではその後、授業の間は「休み時間」「休憩」、授業の後は「放課後」にあらためられたが、愛知では早くから使っていたため定着も早く、その後も愛知だけで使い続けたのだろう、とのことだ。

他にも「バレーシューズ」「B紙」という言い方も愛知で特に浸透している学校版・愛知の方言といえる❼。

名古屋弁や中部特有の言い方としてしばしば紹介される「机をつる」（持ち上げて運ぶ）も、学校以外ではあまり使われず、学校版方言といえるかもしれない。

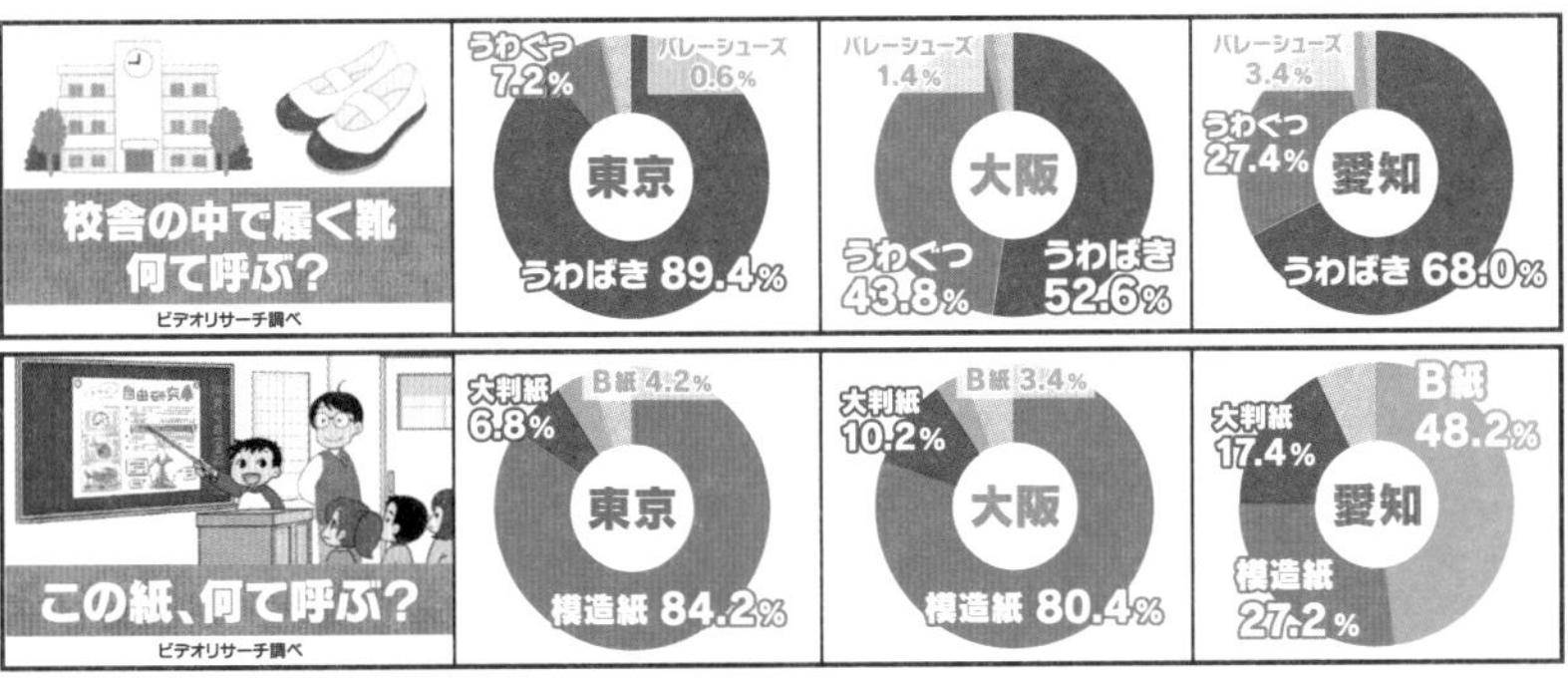

❼「バレーシューズ」は尾張の一部で使われる。「B紙」と呼ぶのはB1サイズに近いからという説が有力

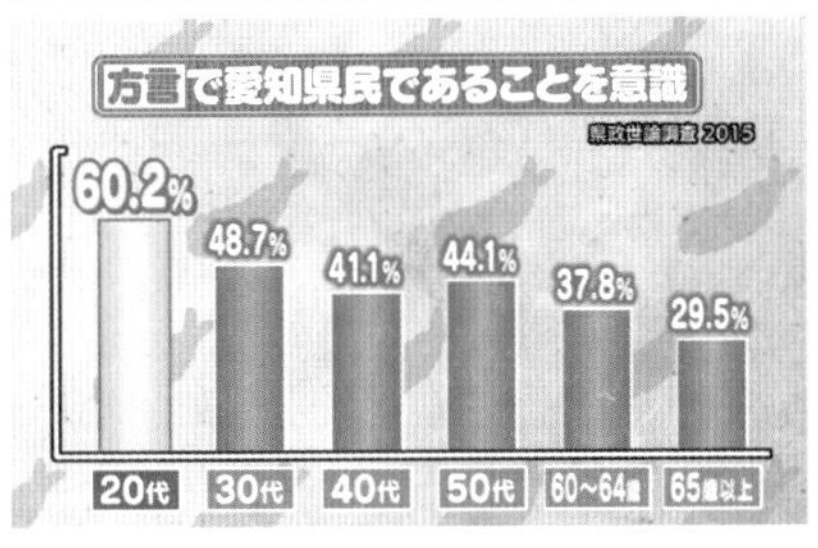

❽若い世代で強まる「地元志向」が、方言に対する意識にも反映された結果に

20代の60・2%が「方言」で愛知県民であることを自覚する

愛知県の県政世論調査（2015年）によると、「どのような場合に自分は愛知県民であることを意識するか？」の問いに「地元の方言」と答えた人の割合は20代が60・2%で世代別トップ。以下30代48・7%、40代41・1%、50代44・1%、60～64歳37・8%、65歳以上29・5%と、若い世代ほど方言に地域のアイデンティティを感じる割合が高いという結果が出た❽。

日本中で地域固有の文化が見直される中、愛知の若者の意識は頼もしい限り。これからも、まっと愛知の言葉で話そまい！

2020年3月8日・10月11日放送

やりくりの腕は日本一!? 愛知県民の〝年末年始〟お財布事情

倹約主義だがここぞという時にはドン！　とはり込む…など消費動向にも地域特有の傾向があるとされる愛知。実際には何にどれくらい使っているのか？　年末年始を中心に実態をきめ細かく調査して分かったこととは…？

消費に回す割合は全国47位で最下位！　名古屋人は稼いでも使わない…？

名古屋人が収入のうち消費に回す金額の割合は46・8％（総務省家計調査より算出・2015年）。これは全国の県庁所在地の中で最下位の47位。60％を超す上位三都市（1位・仙台市67・2％、2位・神戸市62％、3位・横浜市60・4％）はもとより、東京57・4％、大阪52・3％など他の大都市と比べても少ない❶。

東京は家賃をはじめ基本的な生活費が高いため、消費額も高くなる。対して名古屋は不動産相場が低い上にそもそも親と同居して家賃がいらない家庭も多い。にもかかわらず稼いだ分の半分も使っていないのだから、家賃で浮いた分を消費にはあまり回していないといえる。

一方で特に手堅い「定期性預貯金額」は、愛知は一世帯あたり671万円で、東京576万円、大阪625万円（2014年総務省全国消費実態調査）と比べて多い。稼いでも使わず貯

稼いだお金のうち消費に回す比率

2015年度・総務省 家計調査から算出

順位	都市（比率）
1位	仙台市（67.2%）
2位	神戸市（62.0%）
3位	横浜市（60.4%）
⋮	
45位	佐賀市（48.0%）
46位	富山市（47.8%）
47位	名古屋市（46.8%）

❶2014年の全国消費実態調査（名古屋市分）では、名古屋市は貯蓄現在高が1885万円で全国5位。貯蓄年収比では7位。ちなみにいずれもトップは川崎市

め込んでいる。そんな風にいわれるこの地域の財布のひもの固さは、データからも明らかだ。

宝くじ購入金額は三大都市中最下位　一攫千金は狙わない堅実志向

では実際に何に、どれくらい使っているのか？　年末年始の恒例イベントでのお金の使い方を東京・愛知・大阪で暮らす1500人を対象に調査、比較してみた。調査は2014〜2016年のもので、コロナ禍によって最新の動向との違いが大きいことは否めないが、平常時の消費動向を示すデータとしては有効と思われる。

宝くじの購入予算は東京、大阪の約8000円に対して愛知は約7000円とおよそ1000円少ない❷。パチンコ店数は発祥の地だけあって東京、大阪の中間。競馬、競艇、競輪の公営ギャンブルの入場者数は、名古屋・愛知のあるこの地方が、関東圏や関西圏と比べて最も少

年末年始 最も"お金"を使う都市は？

年末ジャンボ宝くじ購入予算（ビデオリサーチ調べ）		
東京	愛知	大阪
7875円	6991円	8004円

お歳暮にかける予算（ビデオリサーチ調べ）		
東京	愛知	大阪
1万7554円	1万2549円	1万6936円

外食・ケーキ・プレゼントなど クリスマスにかける予算（ビデオリサーチ調べ）		
東京	愛知	大阪
1万4939円	1万2731円	1万6843円

年末年始の旅行予算（ビデオリサーチ調べ）		
東京	愛知	大阪
6万2404円	9万5657円	7万8128円

おせちにかける予算（ビデオリサーチ調べ）		
東京	愛知	大阪
1万3668円	1万0685円	1万4182円

福袋購入予算（ビデオリサーチ調べ）		
東京	愛知	大阪
1万4227円	1万2761円	1万7041円

おさい銭の平均金額（引越し侍調べ）		
東京	愛知	大阪
452円	426円	1259円

お年玉の平均総額（引越し侍調べ）		
東京	愛知	大阪
1万9460円	1万9420円	2万1772円

❷ほとんどの項目で愛知の金額が少ない中、旅行予算だけがずば抜けて多い。ここぞ！という時に大盤振る舞いする愛知県民の金銭感覚を象徴している（？）

ない❸。

「愛知の人は一攫千金を狙うよりコツコツ貯める手堅さがある」というのは名古屋市出身のファイナンシャルプランナー・山口京子さん。「愛知ではアセットアロケーション（資産を複数の金融商品に分配すること）の中で投資に回す割合は東京の半分ほどしかなく、堅実な貯蓄や保険に偏っている」という。

番組が独自に行なった調査では、「宝くじで10億円当たっても誰にも教えない？」という設問に対して、三大都市の中で「教えない」人が一番少ないのが愛知。親戚づきあい、ご近所づきあいが比較的守られている土地柄のため、秘密にしておくよりも、贈り物やごちそうをするなどして周囲との人間関係を円満に保とうとする心理が働くのかもしれない。

そんな手堅い愛知県民だが、熱心な宝くじファンは決して少なくない。彼らがこぞって足を運ぶのが名古屋駅の「宝くじ名駅前チャンスセンター」。1億円以上の当せんは２７１本！ 高額当せん累計額４６４億円!!（２０２１年1月までの実績）と大当たりが続出している。

そのすぐ下の地下街にある「名鉄観光名駅地下支店」もスゴい。3億円以上の当せん本数は36本と全国4位！ 億万長者88名を生んでいる（２０２０年8月までの実績）。この2カ所をはしごして買い分けする人も多い。

愛知県内には５０２カ所の宝くじ売り場があり、奥三河の聖地が「ふぁすと長篠店宝くじ売り場」（新城市）。スーパーの一角にある売り場を目指して、発売時期は車が長蛇の列をなす。売り場に鎮座する福の神がその名も〝3億福ちゃん〟。宝くじのご利益で有名な佐賀県・宝当神社の参道で生まれた猫で、２００９年にここで飼われて以来、毎年高額当せんが続出している。

堅実といわれながらもジャパニーズドリームを夢見る愛知県民だが、購入金額の低さはより当せん確率が高い（と思われる）ゲンのいい売り場に

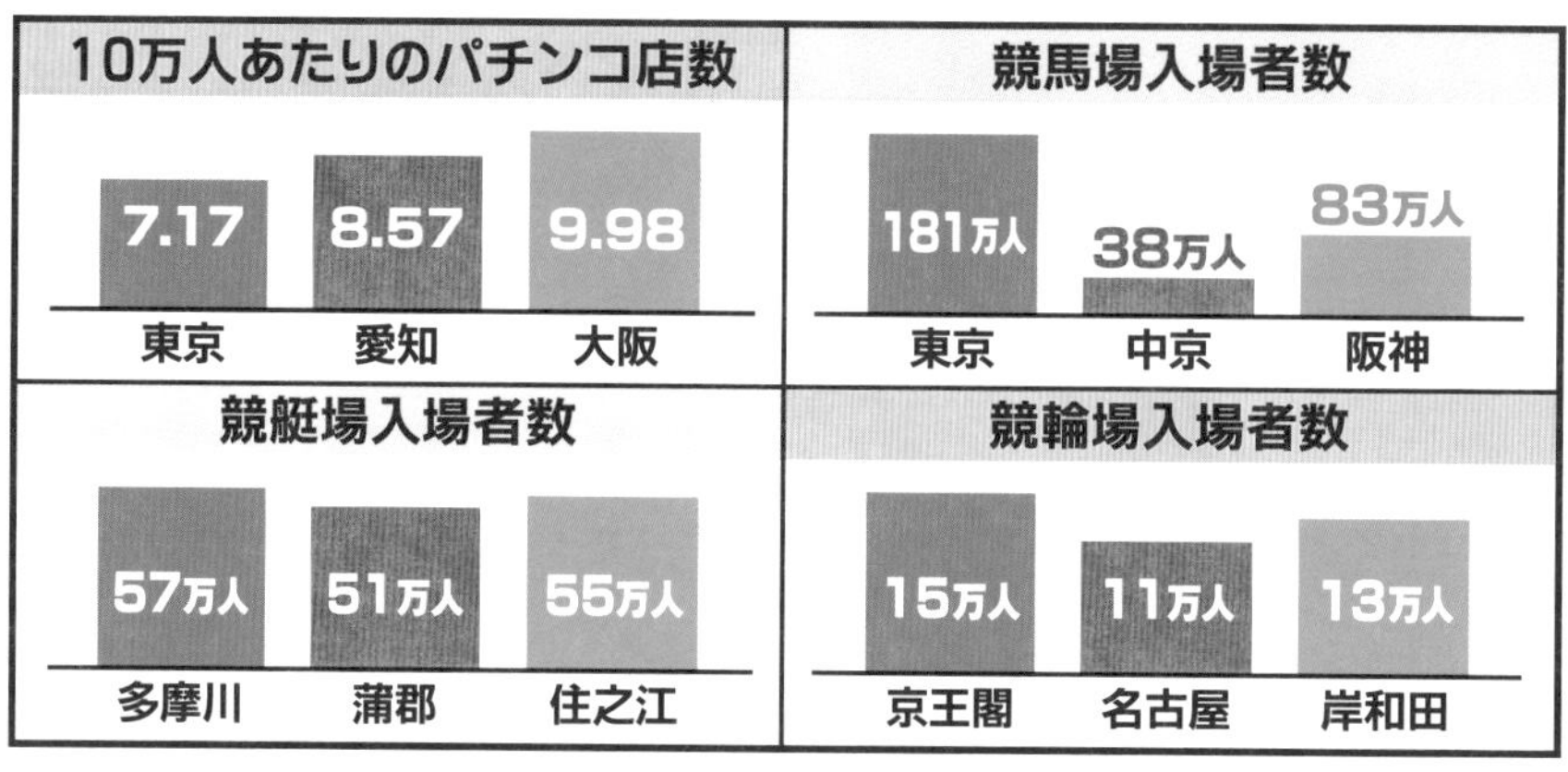

※10万人あたりのパチンコ店数：全日本遊技事業共同組合連合会 提供のデータを基に番組で算出
競馬場入場者数：日本中央競馬会 調べ
競艇場入場者数：一般財団法人日本モーターボート競走会 調べ
競輪場入場者数：公益財団法人JKA 調べ

❸愛知はパチンコ発祥の地でありながら、店の数は決して多くはない。ジャンルを問わず、愛知は相対的にギャンブル人口が少ない

しぼって宝くじを買うからなのかもしれない。

年末年始のイベントの予算は控えめ 一大イベントは海外旅行！

その他、「お歳暮」「クリスマス」「おせち」「福袋」の予算は三大都市の中で最も少なく、逆に「旅行」は他を大きく引き離して1位。旅行の行先も東京・大阪が1位＝中国、2位＝韓国、3位＝台湾とアジア圏が並ぶのに対して、愛知は1位＝グアム、2位＝ハワイ、3位＝台湾とビーチリゾートの人気が高い。名古屋・愛知は「派手な結婚式」に代表されるように日頃せっせと貯めたお金をここぞという時に思い切ってはり込む、といわれる。愛知の人にとっては、クリスマスや正月はまだ日常生活の延長で、旅行こそが「ここぞ！」というハレのイベントに位置付けられる…、データからはそんな心理がうかがえる。

おさい銭はやや渋ちん　お年玉は〝ついついに〟

初もうでのおさい銭の平均金額は愛知は426円と全国平均605円より3割も低い。三大都市の中では大阪が1259円と突出して多い。ちなみに一番多いのは愛知のお隣・三重で2323円。これは伊勢神宮のお膝元であることが反映された結果だろう。逆に一番少ない沖縄はわずか63円で、こちらはそもそも県内に神社が14社（放送当時）しかないことに起因する。

お年玉については東京、大阪、愛知ともに全国平均（2万1961円）よりも低く、都道府県の中での順位も中位クラスで特別な傾向は見られない。全国トップは大分で3万2875円。山梨、福井がこれに続く。愛知のお年玉が比較的少ないことについては「愛知特有の〝ついついにする〟という心理が働いている」と前出・山口さん。「お互い損得ないよう対等に、の意味。お年玉はあげたらもらわなければならず、相手に余計な出費をさせないという奥ゆかしい愛知県民ならではの思いやり」だと解説する。

〝非日常〟と〝ライフイベント〟に備えてお金を貯めるやりくり上手

これらの年末年始の出費を合計すると1位・大阪＝17万4165円、2位・愛知＝17万1220円、3位・東京＝15万5779円という結果に。三都市にそれほど大きな差は見られず、愛知県民が特別ケチというわけでもないようだ。

最後にあらためて山口さんに愛知県民の金銭感覚を解説してもらおう。

「旅行という〝非日常〟や、結婚、葬式、マイカー、マイホームといった〝ライフイベント〟にお金を使うため、日頃から上手にやりくりしている。メリハリのきいた支出はお金を貯める極意。愛知県民はやりくり上手、なんです！」

2016年12月18日放送

今と昔でこんなに違う!?
愛知の「結婚事情」徹底調査

〝結婚式が派手〟ととかくいわれる愛知。菓子まきなど地域ならではの風習も多々ある。昨今著しい晩婚化や地味婚の波はこの地域の結婚観にどんな影響をおよぼしているのか？　お金から気持ちまでの愛知・結婚事情を調査した。

愛知の結婚率は59・4％
全国平均より高い17位

結婚している人の数は全国で6262万人（国勢調査・2015年）。15歳以上の人口に対する割合は58・5％。1980年は65・8％で、この35年の間で未婚化は進んでいるようだ。

都道府県別で見ると愛知は59・4％で全国平均よりも高く17位。東京（55・9％＝45位）、大阪（57・1％＝41位）と比べるとかなり高い位置につけている❶。

総じて大都市よりも地方の方が結婚率が高い傾向があるが（上位に中部がズラリと並んでいるのも興味深い）、その中で愛知は都市の中では結婚のプライオリティ（優先順位）が高いといえる。持ち家率や多世代同居率が高く、経済的にも比較的ゆとりがあることが反映されていると考えられる。

都道府県別	結婚している人の割合	
1	滋賀	61.5%
2	岐阜	61.3%
3	福井	61.2%
4	長野	61.1%
5	三重	61.0%
6	富山	60.7%
7	山形	60.6%
⋮		
17	愛知	59.4%
⋮		
41	大阪	57.1%
⋮		
45	東京	55.9%

※2015年国勢調査を基に番組が作成

❶結婚平均年齢（2015年）は全国平均が男性＝31.1歳、女性＝29.4歳。愛知は男性＝30.8歳／全国26位、女性＝29.0歳／全国15位（男女とも最下位の47位は東京）

令和初日に婚姻届を提出したカップルは通常の36倍

では、愛知のカップルはどんな日を「結婚記念日」にしているのだろう？　入籍日や結婚式の日取りについて「特に気にしなかった」との回答は意外や年齢が上になるほど高いという結果に❷。より詳しく尋ねると、若い世代は「2人の記念日」を選ぶ人たちがおよそ4割を占め、大安や友引といったお日柄で選ぶという回答は年配者ほど多い。何を気にするかは世代間で大きな違いがあることが分かる。

記念日といえば近年、婚姻届の窓口が大いににぎわったのが令和初日となった2019年5月1日。番組が密着した名古屋市の東区役所では62組が婚姻届を提出。前年の年間546組の1割以上にあたるカップルがこの日1日に訪れた。愛知県全体では、53市町村（東海市除く）で受け付けられた婚姻届は3547通。前年度

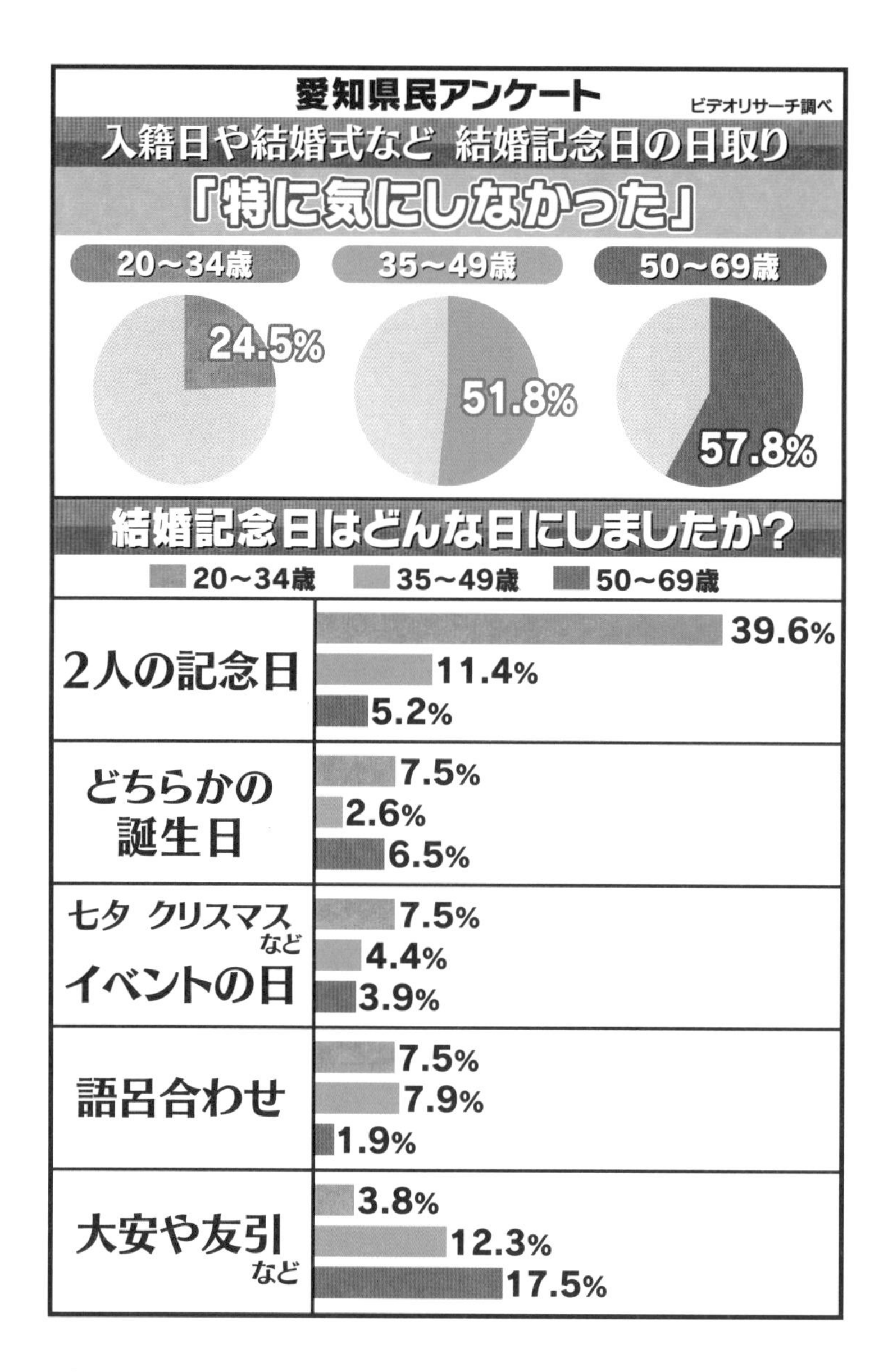

❷番組が県内各市町村に尋ねたところ、婚姻届が多く出される日は、11月22日＝いい夫婦の日、7月７日＝七夕などに加え、やはり大安も多いとのこと

の1日平均98・3通のおよそ36倍を数えた。特別な日、縁起のいい日を結婚記念日に選ぶ人は決して少なくはないようだ。

スリム化進む引き出物に結婚費用 名披露目や菓子まきなど独自の習慣も

愛知の結婚式の特徴に引き出物がある。数が多くて重くてかさばってこそありがたがられ、新郎新婦側の力の入れ具合を象徴する要素の1つだ。引き出物の平均支出額を見ても、愛知は34万円超で、東京の約30万円、大阪の約22万円を引き離している❸。

とはいえその内容は近年様変わりしている。平成以前は5~7品（食器、紅白まんじゅうなどの引き菓子、赤飯、かつお節、鯛の尾頭付き、砂糖など）が当たり前で平均重量はなんと6・8キロもあった。これが今では3品が主流で、合わせて1・5キロと1／4程度に軽量化している。それでも3品の中には、東海地方特有の名披露目（なびろめ）という新郎新婦のファーストネームを記す熨斗（のし）をつけた1品が盛り込まれ、引き出物を重視する意識が今なお高いことは間違いない。

結婚費用総額もこの30年ほどでかなりスリム化している。婚約・結婚式・新婚旅行の費用総額は全国平均が1991年・784万円→2018年・466万円と実に約4割減。東海地方はこれよりも金額は高いが、同944万円→472万円と下げ幅は全国平均以上。差はほとんどなくなっている❹。

この地域ならではの結婚式の風習に菓子まきがある。もともとは新婦の実家に集まったご近所さんに配るものだったが、最近はそんな風景はめったに見られなくなった。それでも、近年は結婚式場の演出として取り入れるところもあり、新郎新婦がブーケトスのように参列者にお菓子の入った袋を投げ渡すのが人気となっている。結婚情報誌の調査では、東海3県では約10

%のカップルが菓子まき・菓子配りをしたと答えている（2018年）。

親の結婚願望が根強い愛知 子どもの老後の心配も

結婚は当事者2人だけの問題ではなく、それぞれの家族にとっても重大な問題。特に親にとっては、子どもに相手がいてもいなくても心穏やかではいられない心配の種だ。番組独自に行なった調査によると、「自分の子どもには何歳までに結婚してほしい？」と愛知・東京・大阪の三都市で尋ねてみると、「20代」「30代」の合計は愛知65・8％、大阪61・2％、東京53・4％。「しなくてもいい」の回答は愛知13・6％、大阪15％、東京21・6％❺。「自分の子どもが結婚しないと困る」という親の割合も、愛知60・5％、大阪56・4％、東京54・4％❻。愛知では子どもの結婚を望む親が多く、東京は本人次第と考

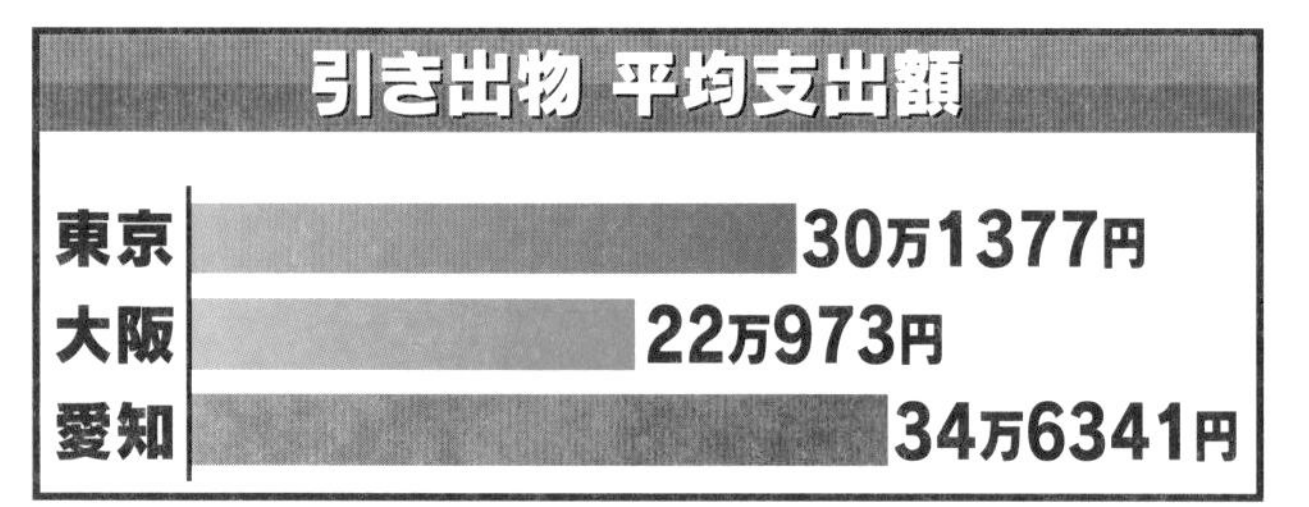

※2017年 経産省 特定サービス産業実態調査を基に番組が作成

❸かつては「片手で帰すな」といわれるほど量が重視された愛知の引き出物だが、近年は軽量化。それでも金額は東京、大阪に比べてかなり高い

結婚費用（婚約～結婚式～新婚旅行）

	1991年	2018年
全国	784万円	466万円
東海	944万円	472万円
	Bicブライダル BB白書	ゼクシィ 結婚トレンド調査

❹東海地方の結婚費用は今ではほぼ全国平均並。「愛知＝結婚式が派手」は今や都市伝説（!?）

える親が三都市中最も多いと、結婚観の違いが出た。

　ではなぜ「子どもが結婚しないと困る」のか？三都市とも「子どもが老後1人暮らしになる」のが一番の心配事だが、中でも愛知はこの回答が一番多かった❻。子どもが親の老後を、ではなく、親が子どもの老後を心配しているのである。

　最後に愛知県民に結婚した理由を尋ねると、最も多かった理由は「自分の家族を持つため」で47・6%。結婚する当事者同士も、そして親たちも、結婚は「家族」を持ち、つなぐという意識が愛知では強いといえるようだ。

自分の子どもには何歳までに結婚してほしい？

	東京	大阪	愛知
20代	11.8%	22.2%	20.8%
30代	41.6%	39.0%	45.0%
40代	4.4%	4.4%	3.4%
50代	1.4%	1.2%	0.4%
何歳でもいい	19.0%	18.2%	16.8%
しなくてもいい	21.6%	15.0%	13.6%

※ビデオリサーチ調べ

❺「何歳でもいい」「結婚しなくてもいい」は東京が一番多く、愛知が一番少ない

自分の子どもが結婚しないと困る

東京	54.4%
大阪	56.4%
愛知	60.5%

子どもが結婚しないと困ることは？

	東京	大阪	愛知
子どもが老後1人暮らしになる	19.0%	19.6%	23.7%
子どもが人間的に自立できない	5.0%	5.3%	7.5%
孫ができない	5.5%	4.7%	4.7%
子どもの社会的立場 世間体	4.0%	3.7%	3.1%
子どもの経済的安定	3.3%	3.3%	3.7%

※ビデオリサーチ調べ

2019年6月2日放送

❻「子どもが老後1人暮らしになる」が三都市とも圧倒的に多いが、特に愛知で多い

愛知を支えているのは…どっち？ 「尾張VS三河」〝お国自慢〟対決

愛知のすべての人にかかわりがある「尾張」と「三河」どっちだ？ 問題。同じ愛知県でありながら、言葉も文化も気質も異なり、互いの対抗意識は思いの外根深い。特徴的な「工業力」と「食文化」から両地域を比べてみた！

愛知の製造業は日本一！ 農業も全国8位

愛知県の人口は755万190人（愛知県統計課「あいちの人口」2019年7月1日現在）。工業、農業とも盛んで、製造品出荷額は48兆7220億円で42年連続日本一（2019年・経済産業省）、農業産出額は3115億円で全国8位（2018年・農林水産省）。ものづくりは硬軟ともに全国で指折りの実力だ。

古代から「尾張」「三河」は別の国 明治時代の20年にもおよぶ独立運動

そもそも「尾張」と「三河」はなぜ互いに対抗意識を抱くのか？

尾張、三河とはそもそも1300年以上前の飛鳥時代からの国の名前。7世紀の木簡に『尾張』『参河（みかわ）』の文字が記されている。国の境となったのは、その名も境川という川。

戦国時代の三英傑をめぐる「元亀・天正以来

の対立」も両者の間に溝をつくる。三河・家康の援軍の要請に尾張・信長が応じなかったのに端を発し、信長の死後は織田家の家督争いで今度は秀吉と家康がにらみ合う関係に。この頃からの対立構図が民衆の中に連綿と受け継がれているというのである。

「好きな三英傑」も尾張は信長がトップ。三河ではこれが逆転して家康がトップに躍り出る❶。

そして、尾張と三河の対抗意識を決定づけた歴史的事件が「三河分県運動」。1871（明治4）年の廃藩置県によって三河は「額田（ぬかた）県」となり、翌年に尾張は「愛知県」となるが、額田県は愛知県に吸収されることになった。しかし、これに納得がいかない三河では合併後も独立・分離運動がくり返しまき起こる。この問題はもめにもめ、国が間に入ってようやく終結するまで実に20年を要した。

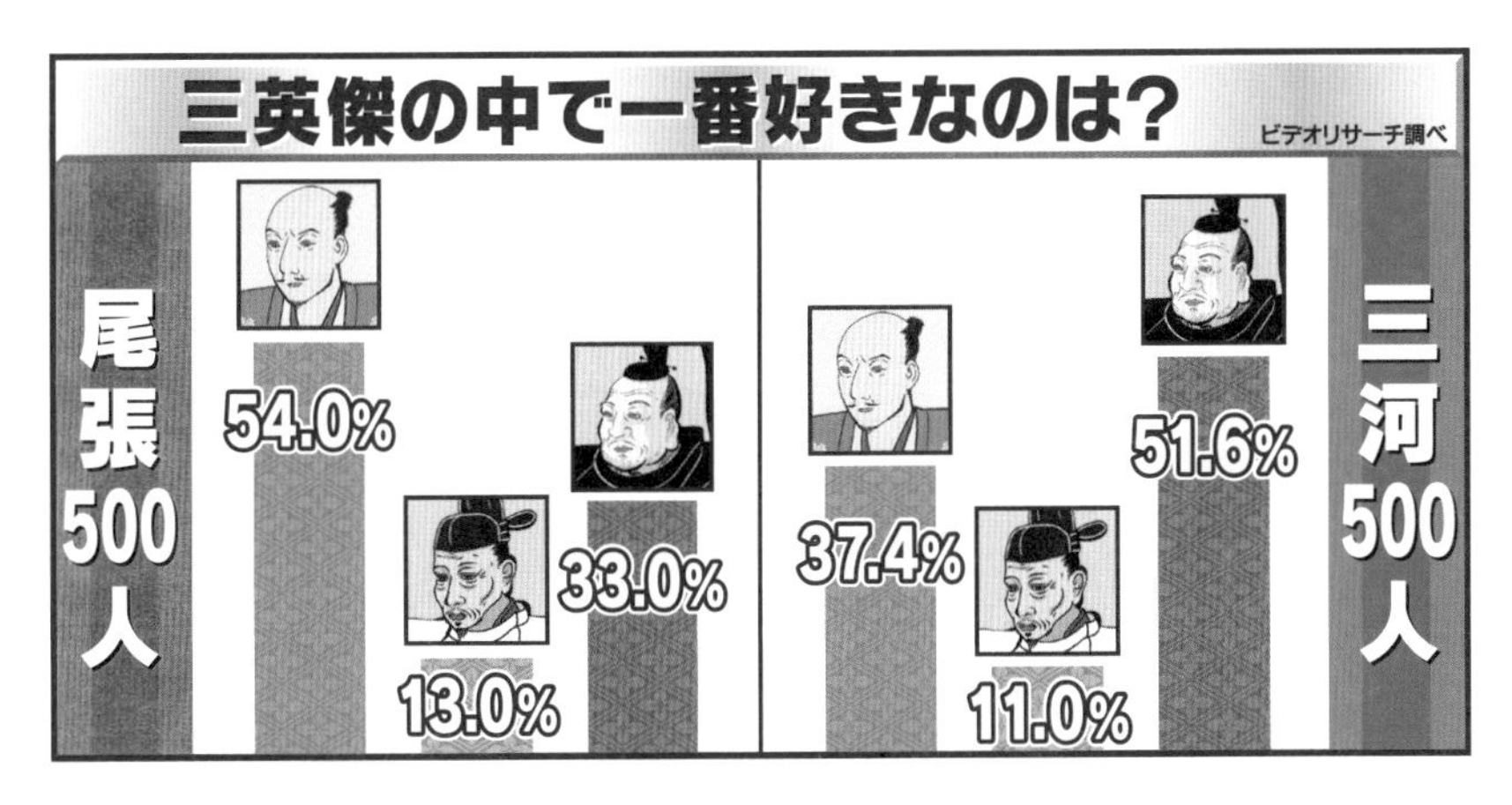

❶歴史シミュレーションゲーム『信長の野望・大志』の人気武将ランキングでは愛知県1位は信長、4位・家康。秀吉は圏外で意外や人気がない

尾張人の6割が「尾張の勝ち」
三河人は4割弱が「三河の勝ち」

そんな歴史的経緯もあって火花を散らす尾張と三河。しかし、そのライバル意識にも温度差が。尾張と三河に住む各500人に「自分の住んでいる地方の方が相手の地方よりも優れている？」と尋ねたところ、「自分の住む地域が優れている」と答えた人の割合は、尾張＝59・4％、三河＝37・8％。尾張の人の方が自分の地域に自信があり、三河の人はあまり自信がない、とはっきりと違いが出た❷。

では、自分たちの地域のどこが勝っているのか？　両地域の回答は❸の通り。おおむね尾張は「こっちの方が都会だ」と胸を張り、三河は「自然が豊か」と自慢する、お互いに正反対の答えが集まった。

「工業力」は分野別では尾張17：三河6
ところが…

では2つのポイントから両者を比較する。まずは「工業力」。〝ものづくり大国〟と称される愛知の屋台骨を支えているのはどちらか？

製造品出荷額を分野ごとに比較すると、鉄鋼、窯業・土石、食料品は尾張が三河を大きく引き離している。工業統計という調査では製造業23分野のうち17分野で尾張の方が金額が多いのだ。

しかし、この差を一挙にひっくり返すのが輸送機械（自動車など）の分野。三河はトヨタ自動車（豊田市）、アイシン精機、デンソー（ともに刈谷市）というガリバー・横綱級の企業を擁し、合わせた出荷額は尾張の約10倍の22兆円超！　これが圧倒的なアドバンテージとなり、全分野の合計額は尾張約15兆円、三河約29兆円とほぼダブルスコアで三河の圧勝となっている❹。

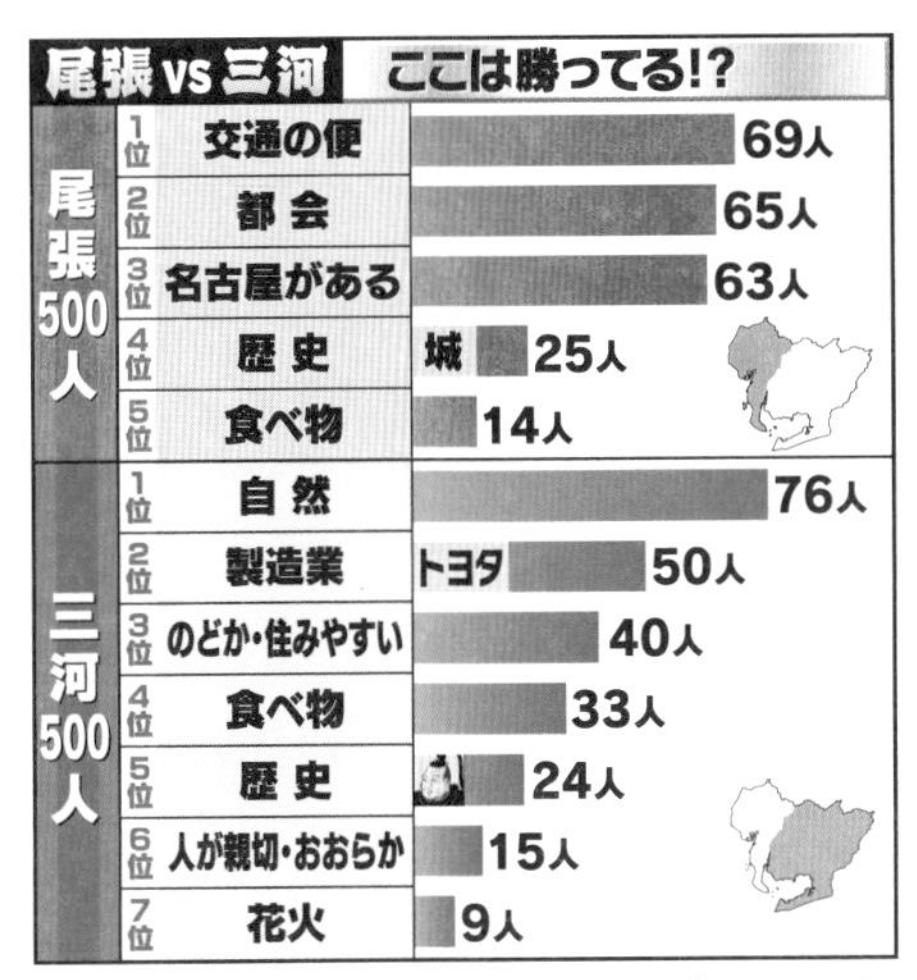

※ビデオリサーチ調べ

❸尾張では歴史＝名古屋城、犬山城を挙げる人も。三河は人間性に関する回答も集まった

尾張500人 三河500人に聞いた
自分の住んでいる地方の方が相手の地方よりも優れている?
尾張 優れている 59.4%
三河 優れている 37.8%
(ビデオリサーチ調べ)

❷地元意識が強いといわれる三河だが、「尾張より上！」と胸を張る人は意外や少数派

※愛知県工業統計調査結果　2017年

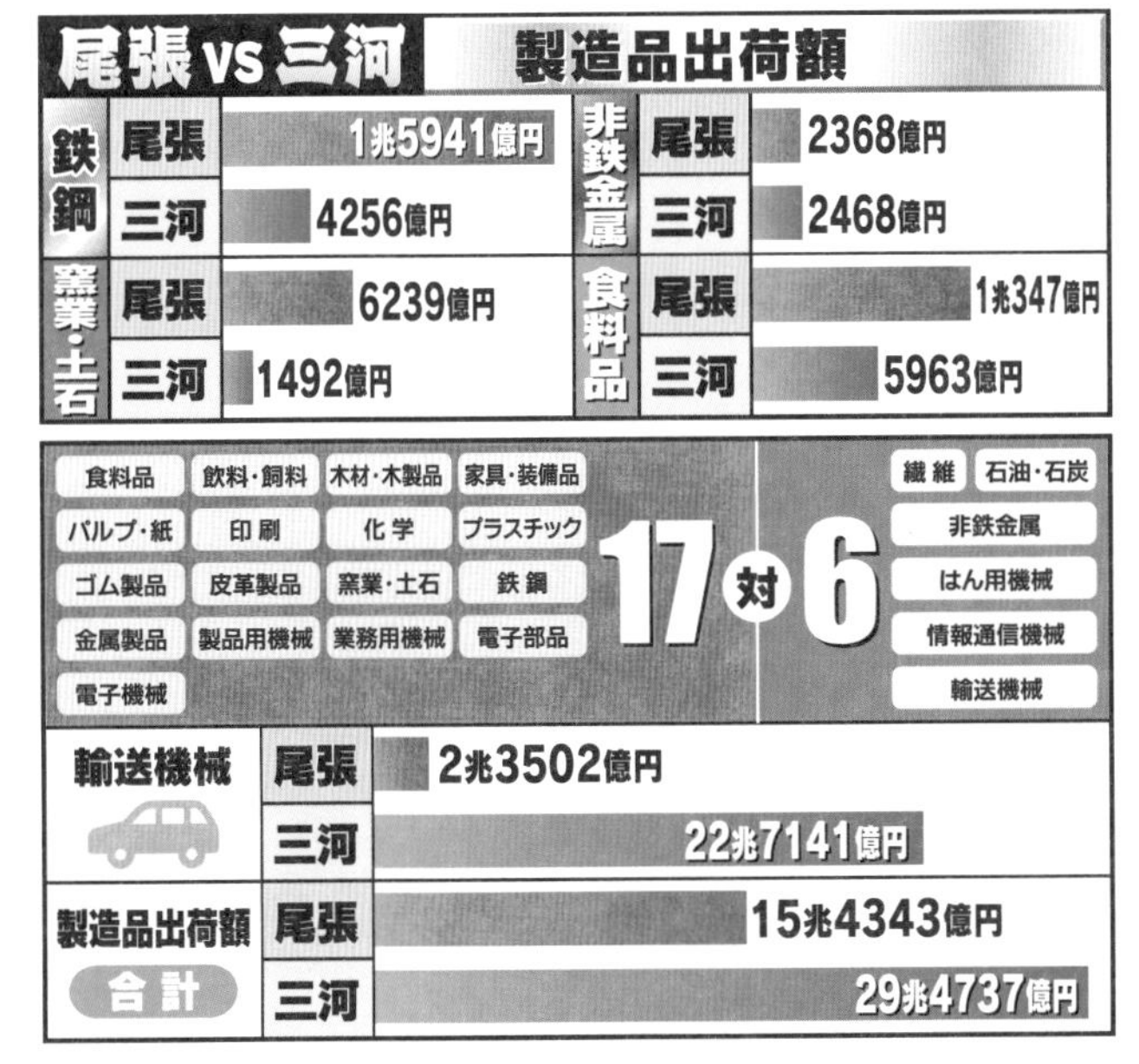

❹多様な産業でコツコツとポイントを稼ぐ尾張だが、自動車産業を擁する三河が国際的競争力で圧倒する構図に

「なごやめし」の尾張
〝食材の宝庫〟の三河

続いては「食文化」。味噌煮込みうどん、味噌カツ、ひつまぶし、きしめん、手羽先、台湾ラーメン、小倉トースト…。人気のなごやめしはどれも名古屋発祥といわれる。これは尾張の勝利…と考えるのは気が早い。多くのなごやめしに欠かせない豆味噌は三河がルーツ。有名な岡崎・八丁味噌はいわずもがな。平野を活かした大豆の産地で、矢作川の豊かな水、吉良の伝統製法による饗庭塩（あいばじお）と、恵まれた環境と原料を活かして、中世から味噌づくりが発展した。これが知多へ、さらに尾張へと伝えられたのだ。

また、愛知は全国有数の農業県でもあり、産出額全国1位の農産物も数多いが、その主な産地は農業産出額4年連続1位の田原市をはじめ、多くが三河。農業産出額も三河が約2・4倍の差をつけて尾張を圧倒している❺。

「尾張は料理として加工しブランド力を高め、商売上手。農業に関してはそれぞれ高付加価値の農産物を生産しており、甲乙つけがたい」。中京大学客員教授の内田俊宏さんはこう両者を評価する。生産地・三河の食材があってこそではあるが、食文化という物差しで考えるとオリジナルの料理を数多く生み出している尾張にやや分がある、といったところか。

「尾張」+「三河」=日本一！

最後に尾張、三河が対等のデータも。愛知県の自動車ナンバープレートは「名古屋」「尾張小牧」「一宮」「春日井」「三河」「豊橋」「豊田」「岡崎」と、尾張と三河で4つずつの合わせて8種類で、全国で一番多い。8つもあるのは全国でも愛知だけだ。

愛知が全国の中で存在感を発揮していくには、尾張と三河が1つになることが不可欠なのだ。

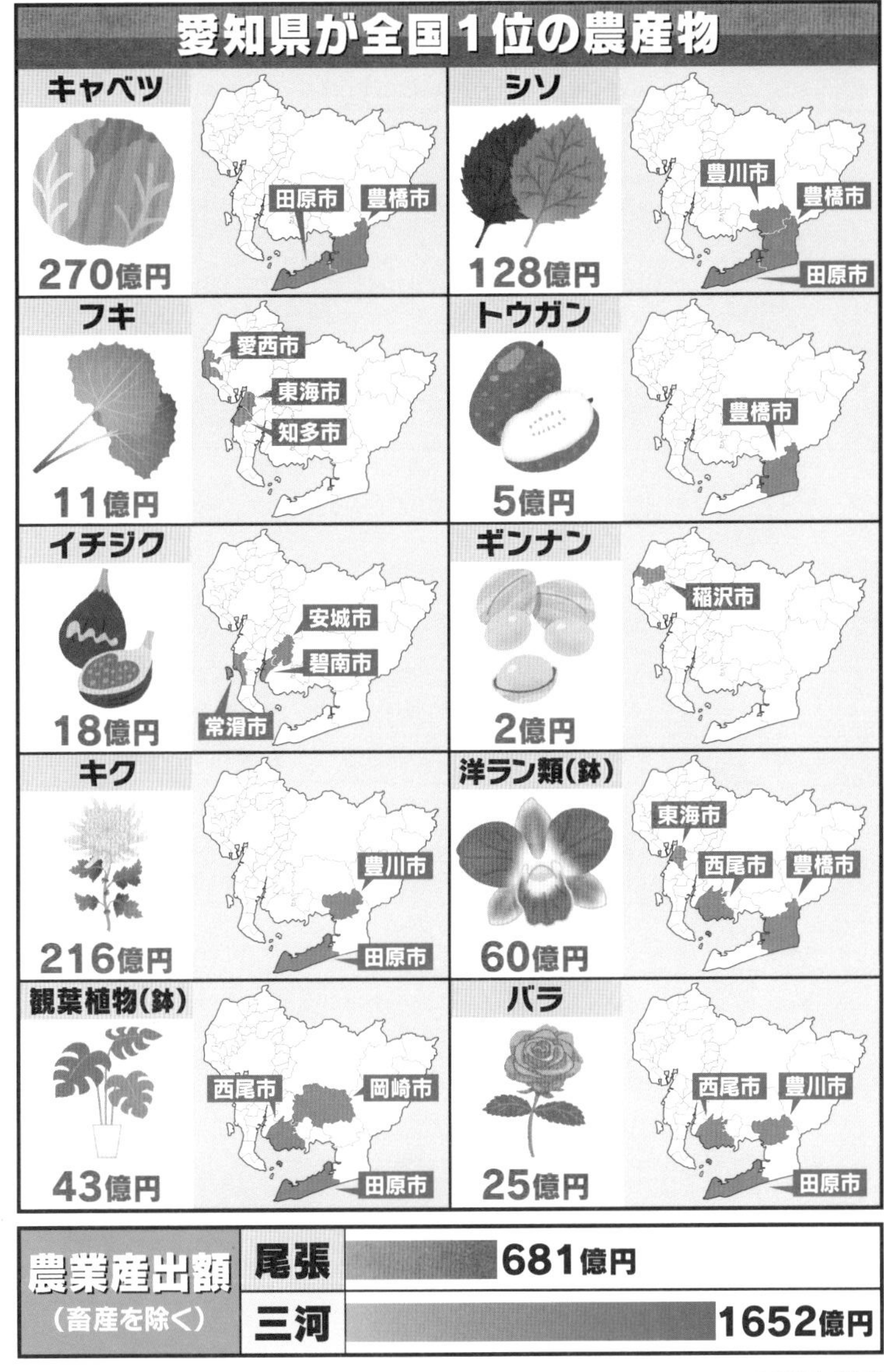

※2017年愛知県

❺実は農業県でもある愛知。尾張は地域独自の伝統野菜が多く、三河は広く肥沃な農地を活かして、農産物の生産性が高い

2019年8月18日放送

第3章

「名古屋・愛知の暮らし」をデータで解析！

“住みやすさ、暮らしやすさなら一番！”そういって胸を張る地元っ子も多い名古屋・愛知。生活偏差値の高さの実態を物価や環境、交通などの角度から検証してみる。そこから浮かび上がってくるのは県民の充実した毎日。データからも明らかになる“住めば都”の名古屋・愛知。知れば知るほど住みたくなる、離れられなくなる…！

愛知は〝お値打ち県〟？「物価のギモン」を大調査！

愛知の金銭感覚をズバリ言い表す〝お値打ち〟。安ければいい、とは異なり、価格以上の価値を求めてシビアに見極めようとする志向を表している。そんな手ごわい消費者心理を相手に、愛知の物価はどうなっているのだろうか？

名古屋のゆでうどんの値段は34円！東京90円と驚きの差が生まれるワケ

スーパーの定番商品、ゆでうどん。全国どこにでもある食品の1つだが、地域によって驚くほどの価格差があることをご存じだろうか？

名古屋市内のゆでうどん（1玉）の平均価格は34円。大阪市45円はもとより東京90円、最も高い千葉市の95円とは約3倍もの差がある（物価統計参照）。名古屋が安いのか？ それとも他が高いのか？

その秘密を解く鍵は袋の裏の表記にある。千葉市で売られているゆでうどんは県外産ばかり。県内には小さな製麺所しかなくゆでうどんを扱っていないため、ほとんどが県外からの仕入れに頼っていて、輸送費がかかる分値段が高くなるのだという。対して名古屋では小牧市や安城市など愛知県内の地元メーカーの製品が大半を占める。愛知には１２６もの製麺業者があり、よく売れるために他地域からの売り込みも多く、価格競争の結果、破格の安値となるのだ。

うどん以外でも都市によって〝物価〟は異なる。鍋料理の主な具材を東京、大阪、名古屋で比較してみる❶。多くの食材で名古屋が最も安く、東京、大阪と比べて合計でおよそ1割、名古屋が安上がりという結果となった。

その他、食関連の物価を比較する❷。際立って安いのは焼肉・カルビ572円。人口15万人以上の都市の中では全国で2番目に安く、最も高い横浜1291円とは2倍以上の開きがある。

〝庶民の味方〟もやしの安さの秘密とは？

〝物価の優等生〟〝庶民の味方〟と呼ばれる、もやし。これも東京30円、大阪42円と比べて名古屋は29円と安い。2005年頃は40円近かったのがそこから下がり続け、依然として他の地域よりも安い❸。

東海地方のもやし出荷のシェア50%を占める「サラダコスモ」(岐阜県中津川市)では生産はす

食材	量	東京（円）	大阪（円）	名古屋（円）
鶏肉	300g	405	414	387 安
白菜	1/2個	327	354	326 安
豆腐	1丁	89	93	53 安
エノキ	300g	51	63	52
ネギ	2本	172	201	192
カキ	200g	196	186	169 安
サケ	2切	402	398	349 安
エビ	4尾	193	199	197
ニンジン	1本	65	70	69
うどん	2玉	180	90	68 安
寄せ鍋	4人前	2080円	2068円	1862円

総務省・小売物価統計調査を基に番組で独自計算

※総務省・2016年小売物価統計調査を基に番組が作成

❶ほとんどの食材で名古屋が三都市中で最安。農産県であることも影響している？

べて工場内。もやしは天候に左右されず、製品になるまで一週間ほどと短く、工場で安定的に生産できることが安さにつながっているという。

生産者は「中国から主に輸入している原料の緑豆は3倍に高騰している。にもかかわらず販売価格は10％下がっている。せめて40円以上で売れれば、設備投資ができ、今以上においしいもやしを提供できるのに」とぼやく。

しかし、もやしはスーパーにとって〝安さ〟を印象づける商品のため、「競合店よりも高いと店全体が高いという印象を与えてしまう」となかなか値上げに踏み切れないという。

では消費者は「いくらまでならもやしを買う」のか？　愛知県民1000人に尋ねると、40円以上でもいいという人が合わせて44・1％❹。さらに「安すぎる商品」としても圧倒的多数がもやしを挙げている❺。これが本音であれば、無理にもやしに安値をつけなくてもよい、ということになる。

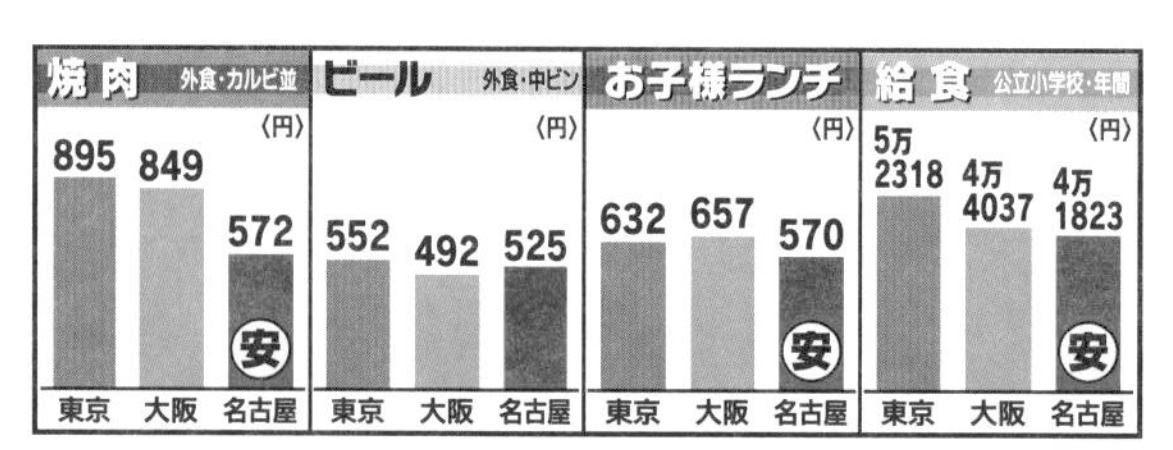

※総務省の統計を基に番組が作成

❷名古屋の給食の質素さは全国的に話題となり、2009年度以来の月額3800円から、2020年度に4400円に値上げされた

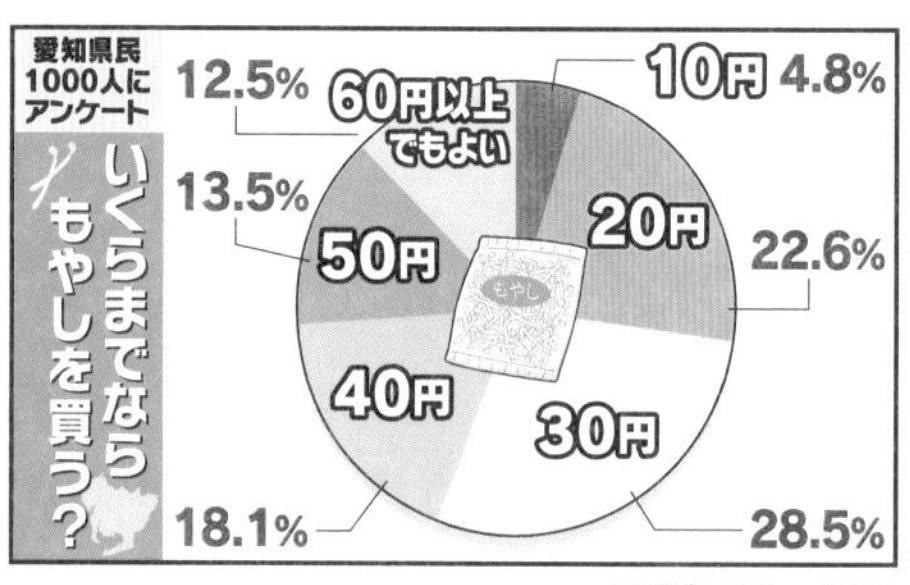

※ビデオリサーチ調べ

❹愛知の平均29円は消費者の意識を反映した価格といえるがもう少し高くても買ってくれそう(?)

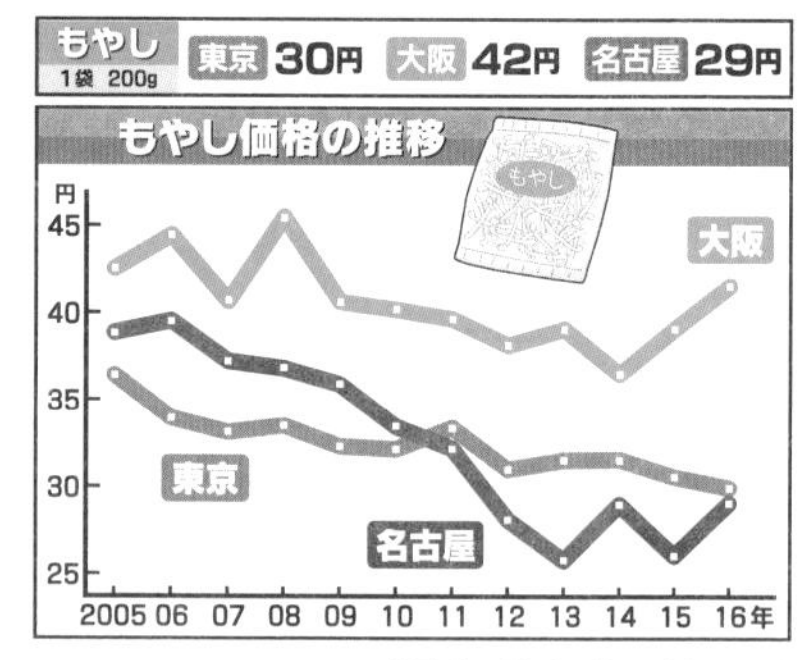

※総務省の統計を基に番組が作成

❸名古屋のもやしはもはや限界の安さ

愛知の物価は全国34位。賃金は全国4位 モノは安くて給料はたくさん!

食以外の分野でも、都市ごとに価格差が大きな商品は少なくない。整理ダンスは名古屋=約5万円に対して、大阪=約6万5000円、東京=約9万5000円。メガネは逆に名古屋が高く、名古屋=約4万1000円、東京=約2万4000円、大阪=約2万円となっている。家賃は周知の通り東京が飛び抜けて高く、1LDKで約12万円。大阪=約8万1000円、名古屋=約6万9000円と大きな開きがある(小売物価統計調査による)。

総合的な物価指数を見てみよう❻。全国平均を100とし、最も高い東京は104・4、2位の神奈川は104・3。この二都市が突出して高くなっている。大阪はちょうど100で全国9位。愛知は98・2で34位。お隣の三重(98・5、26位)よりも物価が安いのだ。

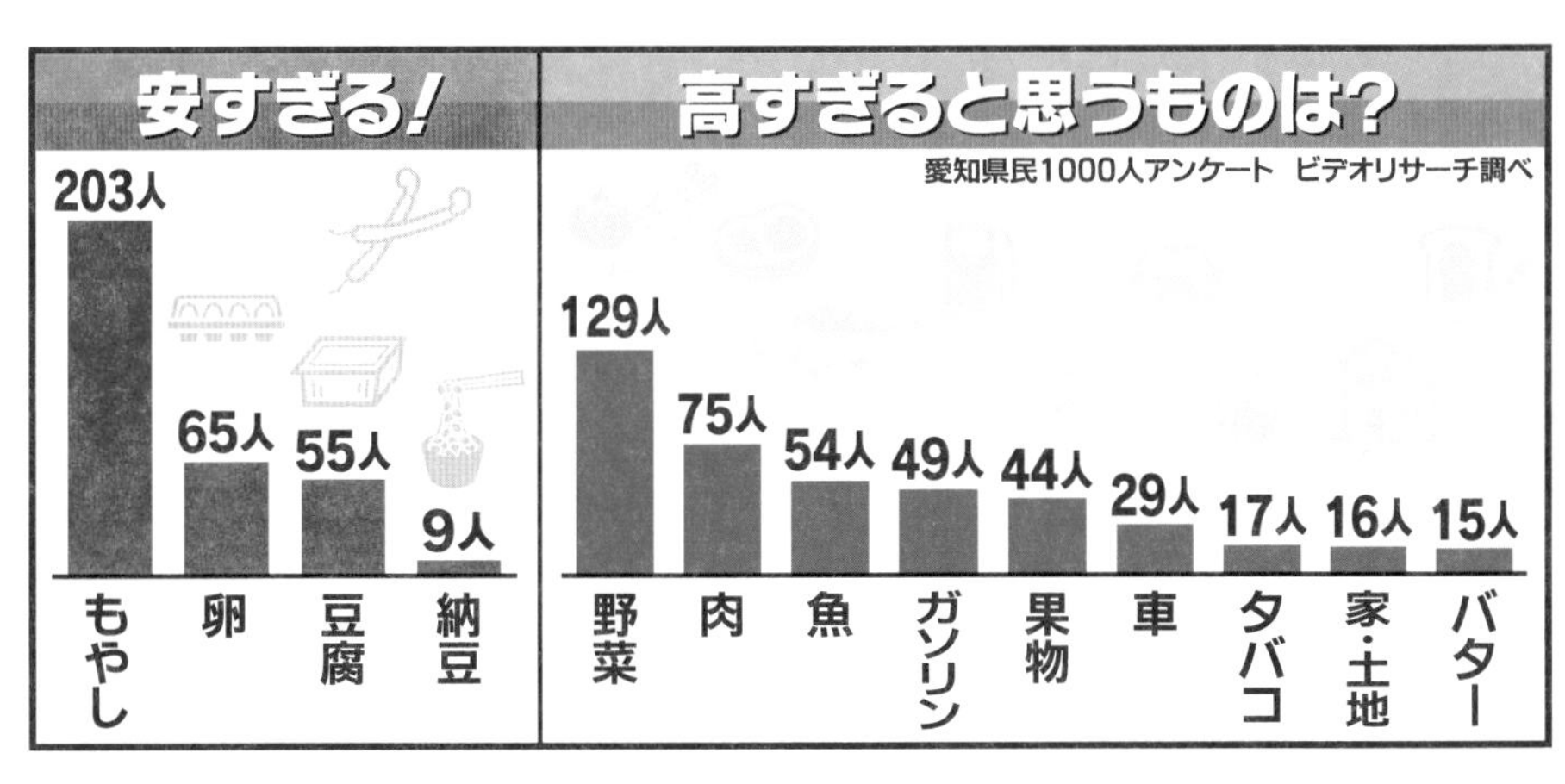

❺もやしの安さは認めながらも野菜全般は高いと感じている。日々の暮らしに直結する食材は総じて高いと思われがちだ

ところが、平均賃金を見てみると愛知は全国で4番目に高い❼。給料はたくさんもらっているのにモノが安い。愛知は実は非常におトクな県なのである。

都市部ほど物価が高いイメージがあるにもかかわらず、なぜ愛知は物価が安いのか？　三菱UFJリサーチ&コンサルティング調査部長（当時）・鈴木明彦さんは次のように分析する。

「農産県で食材の供給が豊富な上に道路網が発達しているため輸送コストを抑えられる。また東京や大阪と比べて大都市としては人口過密ではなく、不動産価格が低く抑えられている」。

人口密度ランキングでは東京23区が上位を占め、名古屋は68位に位置付けられる。この環境的ゆとりも物価安に影響しているようだ。

日本全体で上がらない給料 〝お値打ち〟感覚が生活を守る

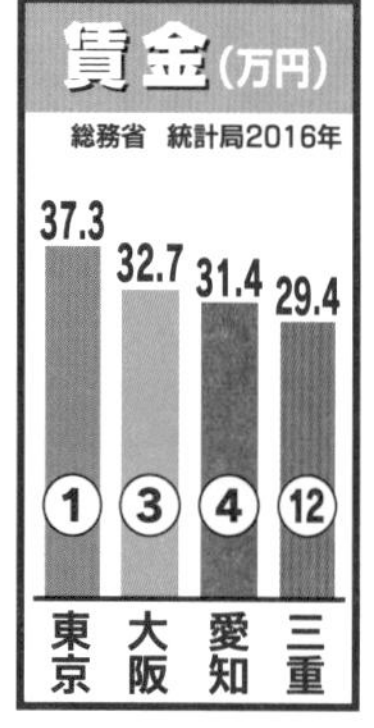

※総務省の統計を基に番組が作成

❼全国平均30.4万円以上は茨城、京都、神奈川合わせて6地域

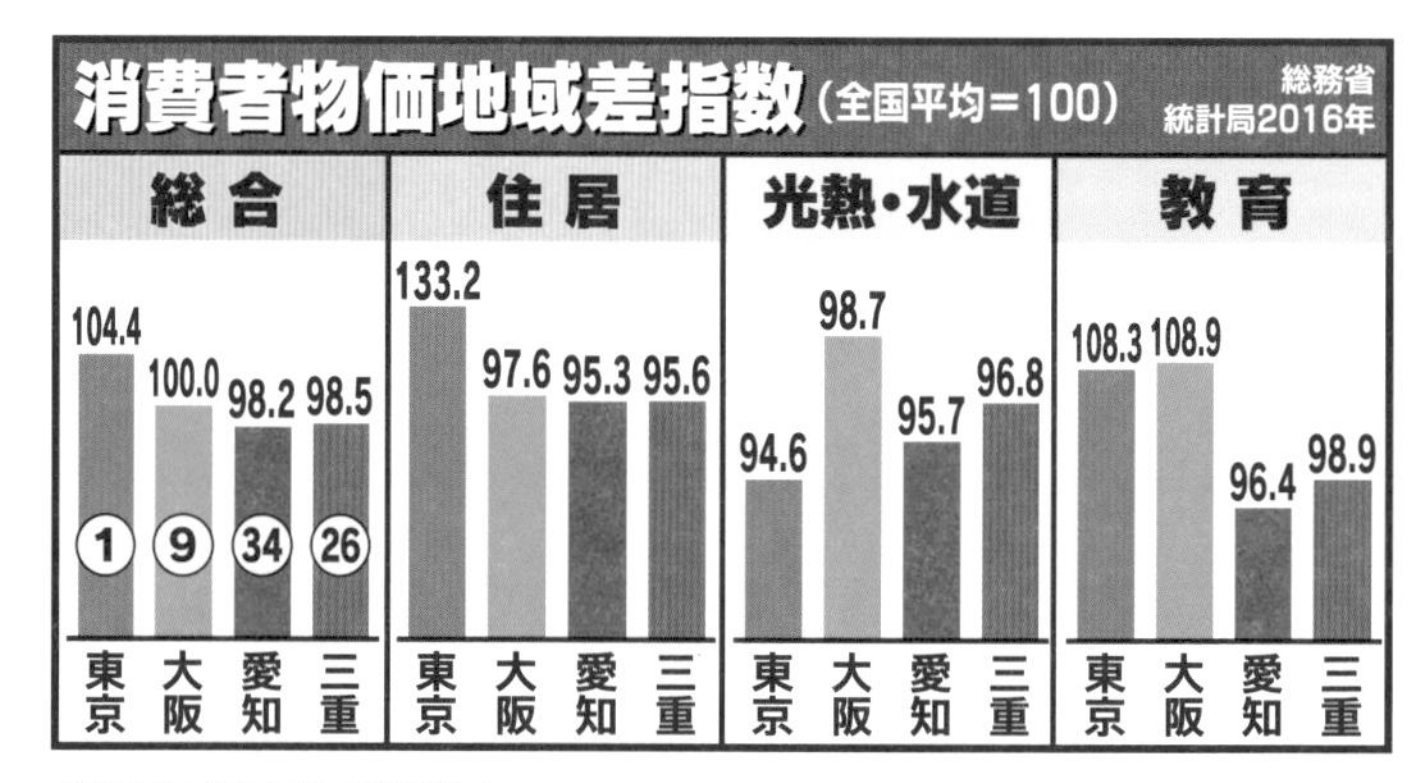

※総務省の統計を基に番組が作成

❻愛知は他に保健医療、交通・通信、家具・家事用品、教養娯楽などの項目でも平均的で、あらゆる分野で物価のバランスがとれている

日本の平均給与額はピークの1992年＝472万5000円から2014年＝419万2000円と約20年の間に50万円以上もダウン（厚生労働省調べ）。その後やや持ち直しているものの、消費税増税もあって目減り感は大きい。実質賃金も諸外国と比較して日本はほとんど上がっていない❽。国全体の経済成長の鈍化は、当然愛知にもじわじわと影響を及ぼしてくる。

前出・鈴木さんは「価格の安さで判断するのではなく、お値打ち感で判断すること。価格はすえ置きでも量が減っているなど目に見えない値上げを見逃さない。まとめ売りの商品は単価を暗算して比較する習慣を身につける」などの工夫が生活を守るために必要と説く。

愛知県民お得意の〝お値打ち〟感覚。これを正しく磨くことが、地域によっても時々によっても変化する物価とうまく付き合うためには欠かせないのだ。

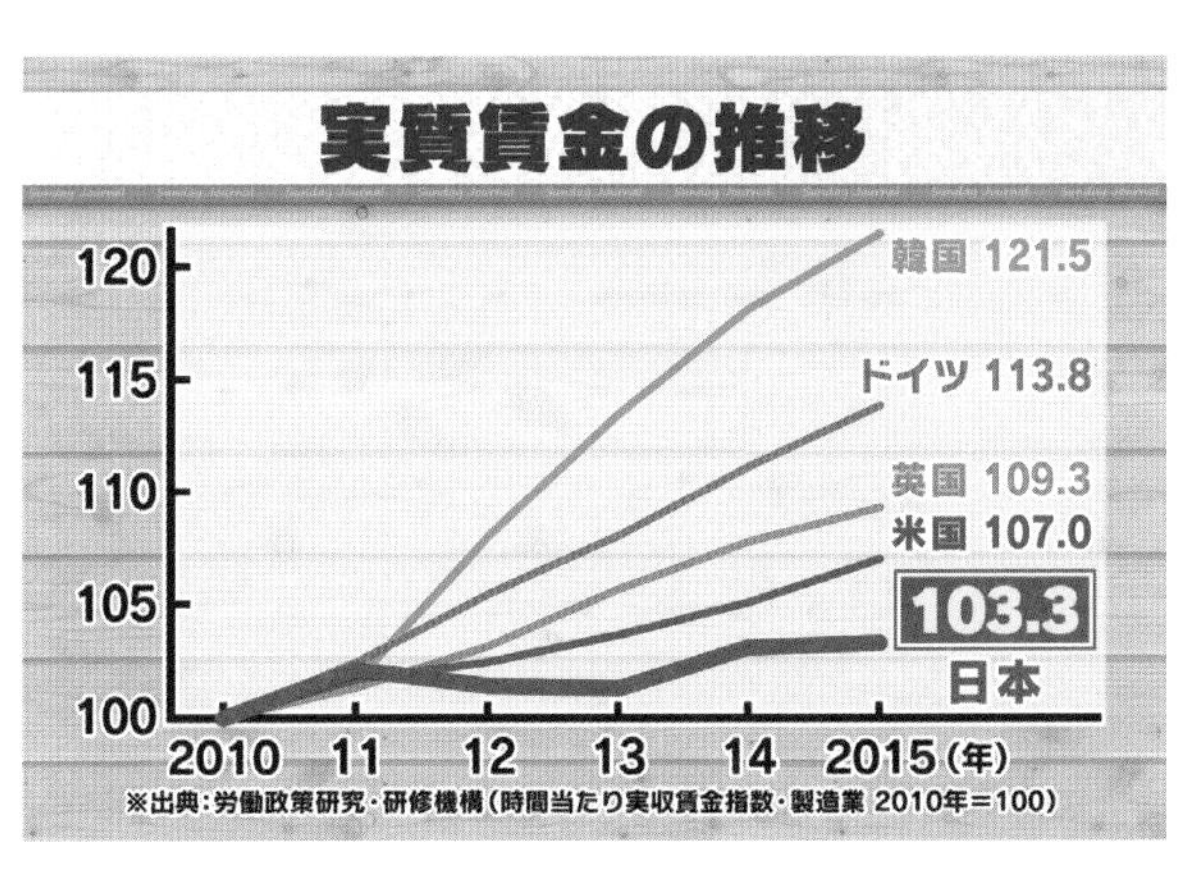

2017年11月12日放送

※労働政策研究・研修機構（時間当たり実収賃金指数・製造業 2010年＝100）を基に番組が作成

❽他の先進諸国との格差は上グラフの2015年以降さらに広がり、日本の国際競争力の低下は長期化している

知ってトクする〝活用法〟とは？ 東海地方の「ご当地スーパー」

毎日の食料品の入手になくてはならないスーパーマーケット。中でも近年注目度が高まっているのが地域色豊かな「ご当地スーパー」だ。驚きの魅力から上手な活用法までを、愛情あふれる専門家に解説してもらった。

毎週スーパーに行く人は76・2% 50歳以上の女性は95・1%！

東海3県にあるスーパーマーケットは1621店舗。内訳は愛知＝1020店舗、岐阜＝288店舗、三重313店舗となっている❶。愛知が圧倒的に多いのだ。

愛知県民はどれくらいスーパーを利用しているのか？ 食材を買いに行く頻度を尋ねると「週に2～3回程度」「週に1回程度」「週に4～5回程度」「ほぼ毎日」の回答を合わせて76・2%の人が毎週スーパーに行くと答えている❷。特に50歳以上の女性では実に95・1%の人が毎週スーパーに行くと答えた。

さらに「スーパーマーケットを選ぶポイント」は「低価格」「品ぞろえ」「家に近い」「商品の新鮮さ」を重視している人が多かった❸。

こうした回答からも、スーパーが身近かつ値頃で、日々の食生活に不可欠な場であると分かる。

※データで見るスーパーマーケット調べ

❶人口1万人あたりの店舗数は愛知1.35店、岐阜1.44店、三重1.78店となっている

愛知県民1000人アンケート Q.食材を買いにスーパーに行く頻度

（複数回答）ビデオリサーチ調べ

頻度	割合
週に2～3回程度	31.8%
週に1回程度	29.6%
週に4～5回程度	9.2%
ほぼ毎日	5.6%

毎週スーパーに行く人は76.2%

❷よくコンビニが“都市のインフラ”と呼ばれるがスーパーも生活を支えるライフラインだ

東海地方は全体の半数以上がご当地スーパー

そして今、注目されているのが「ご当地スーパー」だ。スーパーマーケット研究家で名古屋住まい経験もある菅原佳己さんはこう定義付ける。「公式な定義はありませんが、私は〝①限られた地域のみで店舗展開し、②ご当地食が豊富で、③地元発祥〟のスーパーをご当地スーパーと呼んでいます。」

そして、東海地方は全国でもご当地スーパーが多い土地だという。

「東海地方では約900店舗がご当地スーパーの定義に当てはまります。地元メーカーの食品を多くそろえるローカル色の強いスーパーが多い地域だといえます！」。

愛知・岐阜・三重を代表する東海ご当地スーパーの魅力！

そんな菅原さんがまずお薦めするのが「サンヨネ」（豊橋市）だ。明治25年に海産物問屋として創業し、東三河に5店舗を展開する。「月曜特売」「肉の日」「カレー・シチューの日」など毎日何らかのイベントを開催。曜日ごとにコレが安いと周知させて地元客の来店を習慣化させている。ＰＢ（プライベートブランド）「ハート商品」の充実ぶりもスゴい。野菜や肉などの生鮮品からソーセージやドレッシングといった加工品まで４００種類以上。安い上に生産者の顔が見える安心感が人気の理由。例えば「ミルクはやっぱり香り牛乳」は1リットルパック２０４円（取材時）が店頭に並べるそばから次々に売れ、何度も補充する。「創業以来、チラシを一切出したことがない」といい、宣伝費をかけない分、売値を抑えられるのだという。

「ファミリーストアさとう」（岐阜県高山市）は高山市内に6店舗。ここには菅原さんが大ヒット商品に押し上げたご当地グルメがある。高山の小さな豆腐店がつくる味つけ油揚げ「あげづけ」だ。２０１３年に菅原さんがあるテレビ番組で紹介したところ回線がパンクするほど問い合わせが殺到。同店の売れ行きも2倍以上になり、多い日は一店舗で１日１５０パック以上が売れる。

「マルヤス」（三重県津市）は三重県を中心に12店舗を展開。２０１８年にオープンした「マルヤスメルヴィ芸濃店」はあたかも食のアミューズメントパーク。マグロの解体ショーに先駆けての重さ当てクイズ、シリアルの量り売りマシン、カウンターの寿司店、高級フルーツをふんだんに使った自家製アイスキャンディー…。今流行りのグローサラント（グローサリー＝食料品店＋レストラン）をさらに進化させたエンタメ要素あふれる新時代のスーパーだ。

ご当地スーパー活用法 4つのチェックポイント

菅原さん流ご当地スーパー活用法、そのチェックポイントは次の4つ。

①地元農家の農産物…近郊から入荷するので新鮮。地方ならではの野菜も

②地元の味・調味料…清須の「太陽ソース・ケチャップ」、あま市の「七宝みそ」などその地域産の珍しい商品が見つかる

③品ぞろえの豊富な物…名古屋や知多の「えびせんべい」、美濃・尾張の「角麩」など、やけに商品が充実しているコーナーがあったら、それは大体その地域のローカルフード

④総菜売り場の郷土食…西尾張など木曽三川流域の「ふな味噌」、津島の「もろこ寿司」など見たこともない料理に出会える

　中でも新たな発見があるのが総菜売り場。総菜の市場規模は2013年＝8兆8962億円

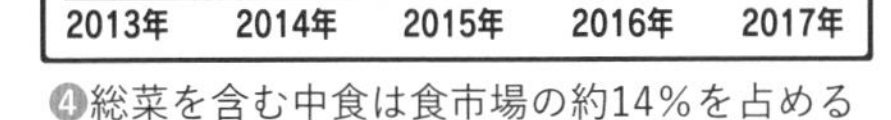

❹総菜を含む中食は食市場の約14%を占める

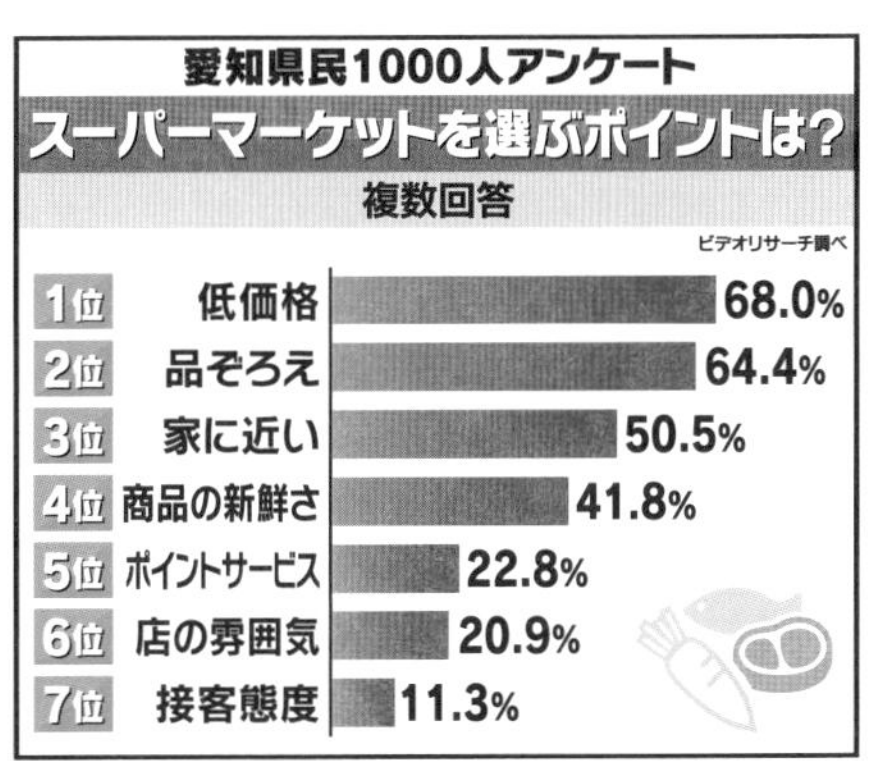

❸値頃さや便利さが重視されるのは毎日のように行く場所だからこそ

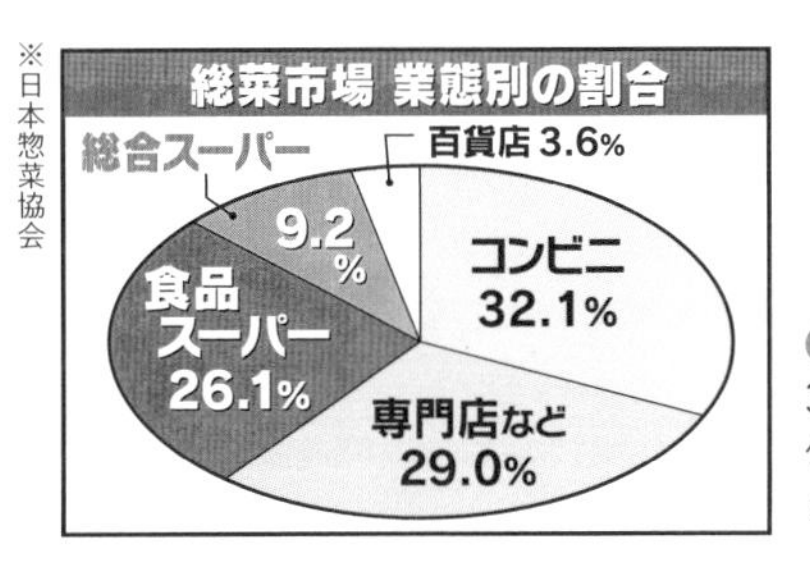

❺コンビニ、専門店、スーパーの3強がしのぎを削る総菜戦国時代。コロナ禍で外食店も参入しさらに競争は激しさを増している

↓2017年＝10兆555億円と近年右肩上がり❹。その要因は高齢化、核家族化、女性の社会進出などが挙げられる。そして、その10兆円市場のうち食品スーパー＋総合スーパーが35・3％を売っている❺。

菅原さんによると総菜の売り上げ構成比は人気のある店では10％以上。「総菜の魅力＝スーパーの魅力。今の時代は〝総菜を制する者がスーパーを制する〟といわれている」ほど重要な要素なのだという。

外食、内食、中食を合わせた食市場全体では約72兆円で、総菜などの中食はその14％ほどだが、コロナ禍の外食控えもあり、その重要性は今後ますます高まりそうだ。

スーパーをうまく活用し心の栄養と新たな発見を

実は、地域によって商品構成や総菜の味つけが異なるのはご当地スーパーに限ったことではない。大手スーパーのイオンでも東京、大阪、愛知の店舗でそれぞれ違いがあるのだ❻。菅原さんの言葉を借りれば「スーパーの売り場は『食文化を映す鏡』。陳列棚を見ればその地域の特徴が分かる」のだ。

愛知県民1000人に尋ねたところ、「食材を買うのに2カ所以上のスーパーを使い分けている人」は45・8％。❸にもあった「低価格」「品ぞろえ」「商品の新鮮さ」など様々な要素を考慮しながら、上手にスーパーを使い分けている人が全体の半数近くいるようだ。

日用使いのスーパーも旅行先のスーパーも、「食の発見は心の栄養になる。いつも買っている物の隣の物を手に取ると新しい発見がある」（菅原さん）、そんな気持ちで商品を見て回れば、より楽しく、賢く買い物ができるに違いない。

三大都市 売れ筋商品の違い

総菜

東京	大阪	愛知
甘味のある味付け	だしの効いた味付け	みそ串カツが人気

すし

東京	大阪	愛知
甘さ抑え酸味	濃い味 酸味く甘味	甘さのたつ味

ジャガイモ

東京	大阪	愛知
男爵いも	メークイン	どちらとも言えない

調味料

東京	大阪	愛知
種類豊富	ソースが充実	みそが充実

※番組調べ

2019年5月26日放送

❻調味料の品ぞろえの違いは、東京は全国から人が集まる嗜好の多様性、大阪はお好み焼きなど粉もんへのこだわり、愛知は食における味噌の重要性が反映されている

「定番」から「驚き商品」まで！ 進化を遂げる愛知の〝お土産事情〟

ういろう、きしめん、えびせんべい、守口漬など古くから親しまれている名古屋のお土産たち。根強い人気の定番に加えて、時代のニーズをとらえた新商品もヒットしている。お土産の果たす役割から最新トレンドまでを調査する！

名古屋の観光客のお土産代約2300円 お土産市場の1／3はお菓子が占める

2294円。これは名古屋を訪れた観光客が使った一人あたりのお土産代（2011～15年平均／名古屋市観光客・宿泊者動向調査）。旅行会社の調査では国内旅行のお土産代に3000円以上使う人が約6割との結果もあり、それと比べるとかなり低い。

とはいえ名古屋では近年観光客が増加傾向にあるだけに、このマーケットは無視できない。何といっても日本のお土産市場は年間およそ2・7兆円の巨大市場なのだ。そして、そのおよそ1／3を占めるのがお菓子。食品が大半を占める中でも特に大きなウエイトを占めている❶。

「お菓子は値段も大きさも手頃で地元感も伝わりやすく、お土産として重宝される」とはスーパーマーケット研究家でご当地の食文化にも詳しい菅原佳己さん。「都市の成長・繁栄のカギを

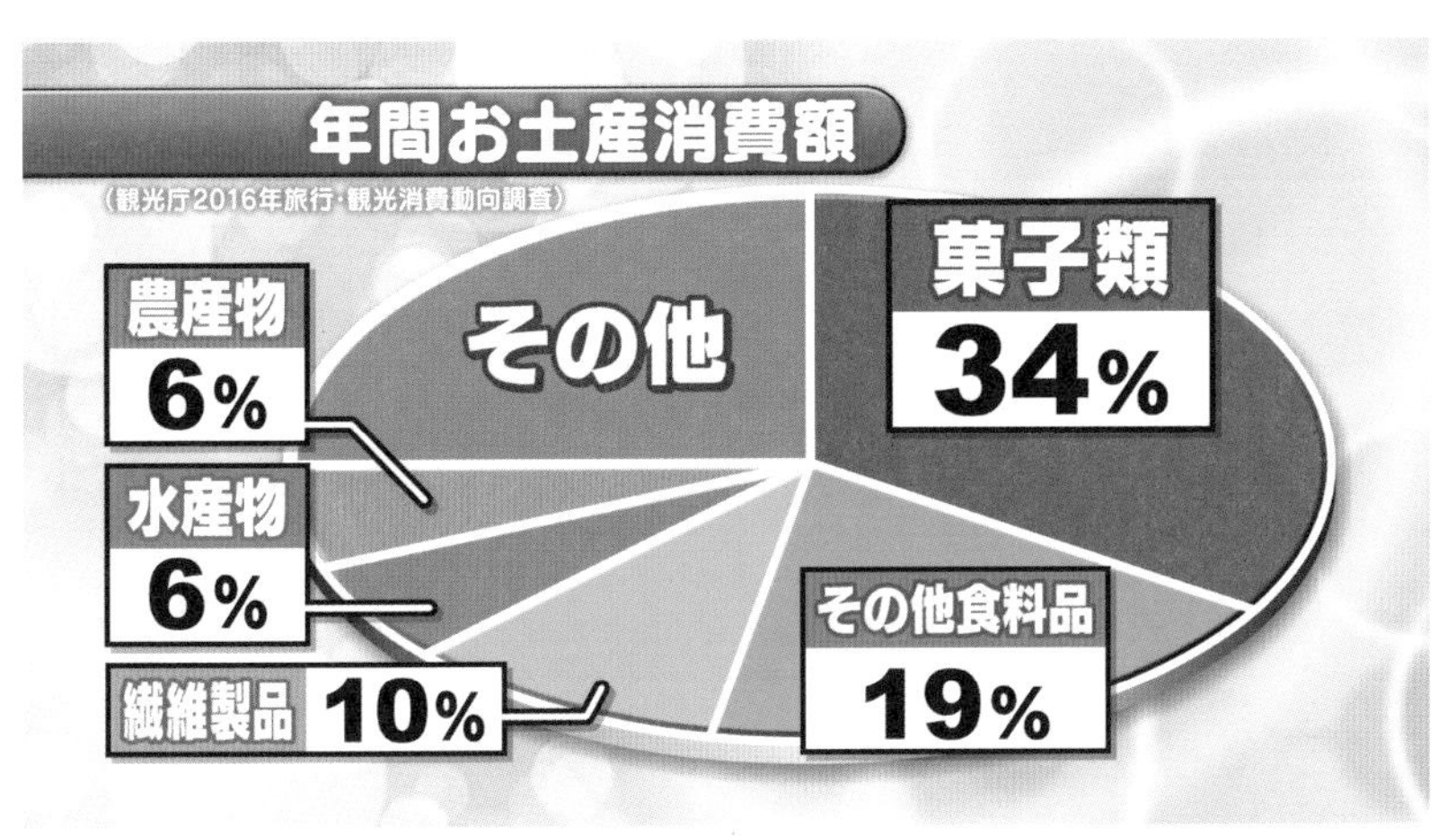

※観光庁の統計を基に番組が作成

❶お土産市場の大半を食べ物が占め、そのうち菓子類が3割以上を占める。有名菓子ブランドもお土産専用のご当地バージョンを次々と出してこの需要獲得に力を入れている

握るのは『観光』。その中で訪問先での最後の消費行動がお土産。しかも買った人が帰ってから勝手にその土地の持ち味を宣伝してくれる。土産物の持つ意義は大きい」というのは商品ジャーナリストの北村森さん。

名古屋駅のキヨスクの人気ランキング定番に名古屋土産の新潮流も

では名古屋ではどんなお土産が人気なのか？「東海キヨスク」の名古屋駅の人気お土産ランキング（2021年1月発表、東海キヨスク調べ）を見てみよう。

第1位　ゆかり（坂角総本舗）
第2位　赤福餅（赤福）
第3位　うなぎパイ（春華堂）
第4位　小倉トーストラングドシャ（東海寿）
第5位　シュガーバターサンドの木

お抹茶ショコラ（グレープストーン）
第6位　青柳ういろう ひとくち（青柳総本家）
第7位　なごや嬢（桃の館）
第8位　さんわの手羽煮
（さんわコーポレーション）
第9位　なが餅（なが餅笹井屋）
第10位　なごや天麩羅（坂角総本舗）

ベスト10は8位を除いて9品が菓子類。「ゆかり」「赤福餅」が安定の強さを誇るなど、定番強し！　という印象のランキングとなっている。

「赤福餅」だけでなく、「うなぎパイ」（静岡県浜松市）、「なが餅」（三重県四日市市）という愛知のお隣県の定番が入っているのも印象的。名古屋駅が東海全域の観光や移動のハブとなっていることが反映された結果といえる。

定番が強い一方で、5位や7位など地元の人にはあまりなじみはなくても、お土産品として高い人気を誇る商品も。

「グランドキヨスク名古屋」の担当者によると「常時約350種の商品を取り扱い、うち3割は新商品。しかもその多くが1～2カ月で入れ替

もともと庶民のお茶うけだったえびせんべいを高級ギフトに押し上げた「ゆかり」

「うなぎパイ」は静岡・浜松で1961年に生まれたロングセラー

伊勢名物だが名古屋駅でも揺るぎない人気を誇る「赤福餅」

「小倉トーストラングドシャ」の大ヒットで小倉トーストテイストが名古屋土産に

わる」とのこと。そんな厳しい競争を勝ち抜いてランクインしている商品の数々は、名古屋土産業界におけるツワモノの集まりだといえる。

そんな中で近年の傾向は「なごやめしの味を再現したもの。手羽先や小倉トースト系のスナックが人気」（グランドキヨスク名古屋）だという。先のランキングには入っていないが、売り場では手羽先味のチップスや小倉トースト味のクッキーなどがズラリと並んでいる。

象徴的な存在が「小倉トーストラングドシャ」（東海寿）。発売は２０１１年で「名古屋の喫茶店文化を伝えたい」との思いから、当時はなかった小倉トーストテイストの菓子として開発された。１日４万枚が売れるヒット商品となり、現在の小倉トースト系お土産ブームの先駆けに。ランキングでも堂々４位に食い込んでいる新定番だ。

１位の「ゆかり」（坂角総本舗）は愛知ならではの高級えびせんべいで、１９６６年発売以来

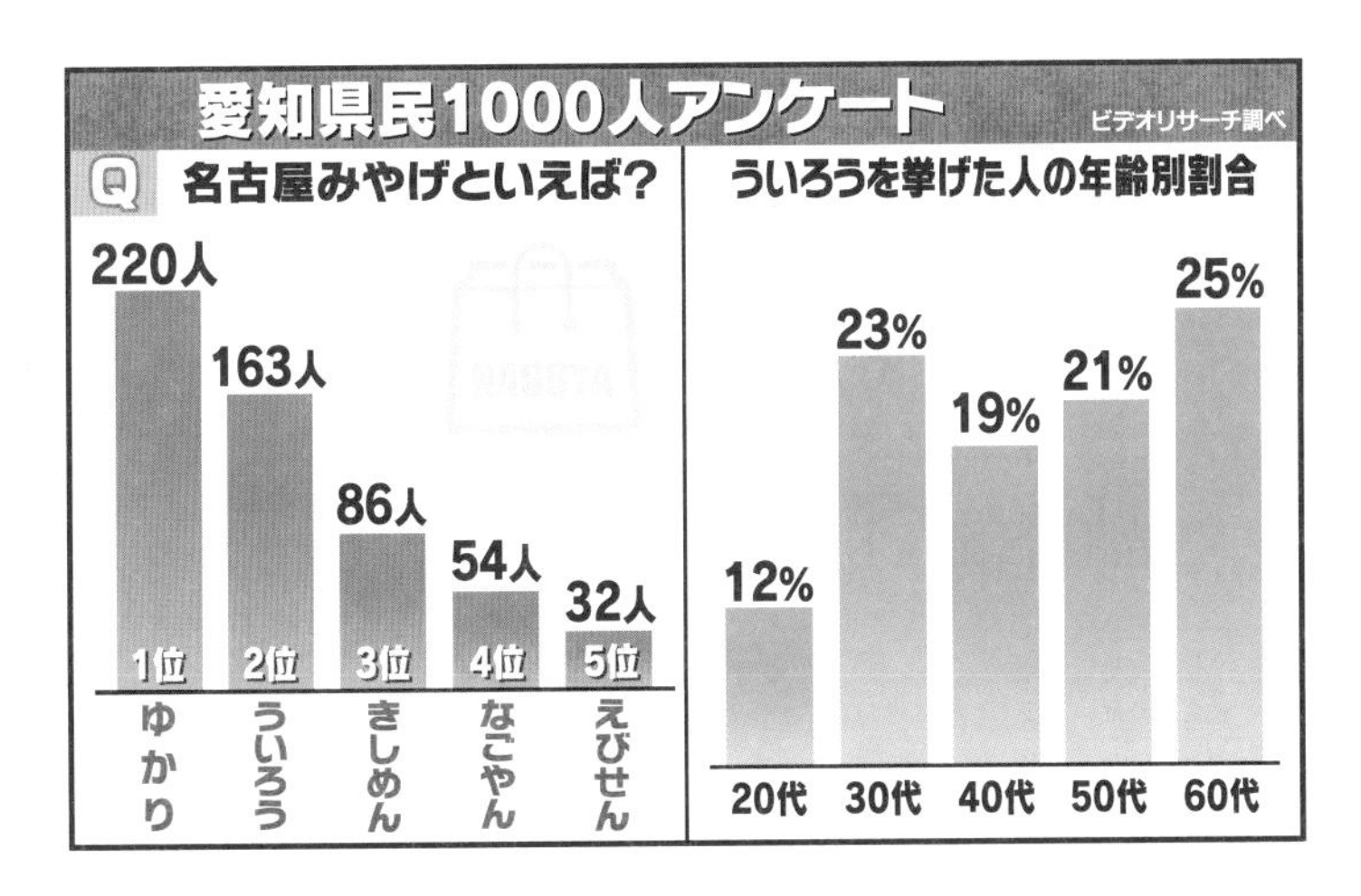

❷ういろうは1964年の東海道新幹線開通に合わせた車内販売で名古屋名物の座を獲得。知名度の反面、定番すぎて新味が薄れ若い世代からの支持が薄れつつあったが…

ロングセラー。2006年に名古屋限定の「ゆかり黄金缶」を売り出すと、レア感やご当地感がグッとアップ。お土産商品としてのブランド力、売り上げがいっそう高まることになった。10位の「なごや天麩羅」も新製法のえびせんべい。2019年に名古屋駅のキヨスク限定で発売し、早くも人気をつかんでいる。

イメージと売り場の動向にギャップ〝ういろう新時代〟の背景にあるもの

愛知県民に「名古屋みやげといえば?」と聞くと、1位=「ゆかり」、2位=「ういろう」、3位=「きしめん」、4位=「なごやん」、5位=「えびせん」と定番がズラリと並ぶ❷。実際に売れている東海キヨスクのランキングに比べると、地元の人ほど昔からのイメージにとどまっていることが分かる。特にういろうは、このアンケートで60代は25%が「名古屋みやげ=う

❹「餅文総本店」の「わらびういろ」はぷるんとしたみずみずしい食感が魅力

❸「青柳総本家」の「ひとくち生ういろう」

いろう」と回答しているのに対し、20代では12%と人気が下がる。

こうした消費者意識の変化に対応し、近年メーカーは斬新な商品を次々と開発。〝ういろう新時代〟が到来している。東海キヨスクでのベスト10にランクインしている「青柳ういろう ひとくち」(青柳総本家)はその象徴。ういろうといえば本来は細長い棹菓子(さおがし)だが、今は食べ切りできるひとくちサイズがウケているのだ。青柳総本家は2017年にオープンしたKITTE名古屋の店舗で「ひとくち生ういろう」を販売❸。豊富なバリエーションやフレッシュでなめらかな食感でプレミアム感を演出している。「大須ういろ」は見た目もパッケージもかわいい「ウイロバー」で若い消費者の心をつかんでいる。「餅文総本店」は伝統的な棹物から近年はひと口タイプを主力にし、「わらびういろ」、「黒ごまわらびういろ」、「蜂蜜わらびういろ」など、年間およそ40種を出している❹。

地元の人が食べている、愛しているものから真のヒット土産が生まれる!

定番が安心感から根強く支持を得る一方で、新しい商品も新・定番の座を虎視眈々(こしたんたん)と狙う。お土産戦線はまさに消費の大激戦エリアだ。その中で消費者の心をつかむのはどんな名古屋土産なのだろうか?

「名古屋の人が普段から食べているものをブラッシュアップさせたもの。例えば県内には大小100社のえびせんべいメーカーがあり、それらを食べ比べできる詰め合わせなら地元の人も食べたいし、他県の人にもオススメしたくなる」(前出・菅原さん)「地元の人が愛しているもの。そうでないと旅行者は振り向いてくれない!」(前出・北村さん)。

名古屋・愛知の人がいつも食べている銘菓・名物。次なる名古屋土産のヒット商品は、意外と身近なところから生まれるかもしれない。

2017年5月14日放送

犬・猫・小動物にペットトラブル 愛知の「ペット事情」を分析

世は空前の「ペットブーム」。もともと高かった人気がコロナ禍による巣ごもりもあってさらに上昇している。愛知ではどんなペットが飼われているのか? また増えているトラブルの事例まで、ペットと暮らしについて考える。

愛知県民は6割以上がペットを飼っている!?

愛知県民がペットを飼っている割合は1500人中957人で63・8%(ビデオリサーチ調べ)。一般的に日本では〝3世帯に1世帯がペットを飼っている〟といわれ、それと比べてもこの地域はペットを飼育する人がかなり多い。

飼っているペットの種類は❶の通り。犬、猫が1、2位に並ぶのは全国で昔から共通するものだ。東京・大阪・愛知で「犬派」か「猫派」かを尋ねてみるとおよそ6：4で犬派が優勢❷。❶の愛知の比率も概ねこれと同様だ。

犬の登録頭数で東海3県は軒並みトップ10入り!

犬の登録頭数(100人あたり)では愛知は6位にランクイン。2、3位には三重、岐阜が並び、東海地方は上位にズラリと名を連ねる❸。

愛知県民1500人 ペットの飼育状況

種類	頭数	種類	頭数
犬	588	ウサギ	112
猫	392	熱帯魚	95
金魚・コイ	201	昆虫	76
鳥類	154	カメ	70
ハムスター	127	両生類・爬虫類	31

※ビデオリサーチ調べ

❶愛知では犬を飼う家庭が依然多いが、全国的には猫派が上昇。さらに住宅事情の影響もあって、小型の動物の飼育数が増加傾向にある

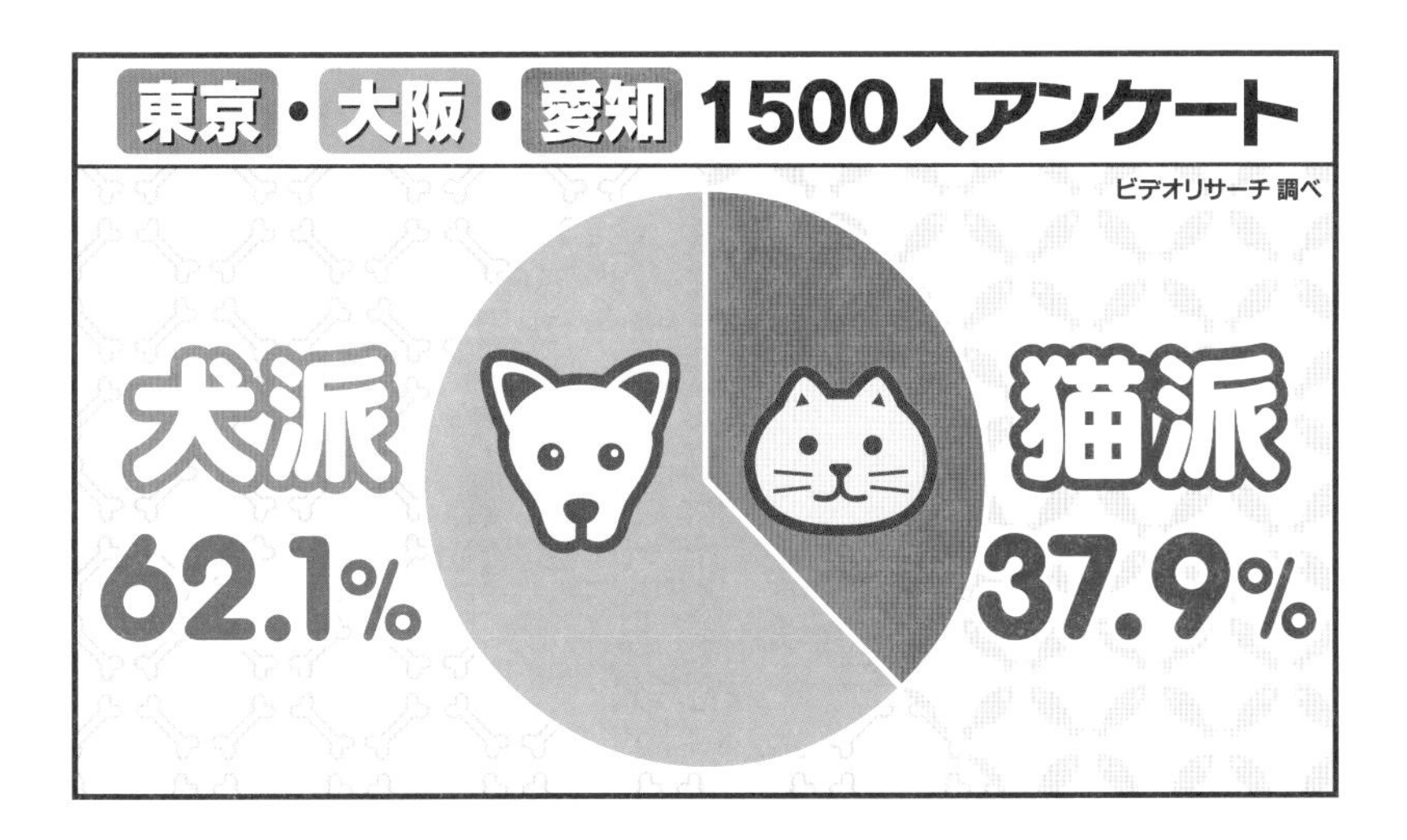

❷飼育頭数では2017年に猫が犬を抜いたがアンケートでは犬派が多い。猫は犬よりも多頭飼いが多い（飼育頭数に比べ飼い主の数が少ない）ことも理由と考えられる

大阪＝39位、東京＝46位と比べても、大都市圏でありながら犬をたくさん飼っている愛知は犬への愛情が深い土地といえる。

犬はペットの中でも手がかかりお金もかかる。愛知は戸建ての持ち家率が高く、所得額も高く経済的・精神的ゆとりがあることなどが犬を飼いやすい理由と考えられる。

また愛知は犬のブリーダーも多く、全国1位の773人（大阪＝652人・4位、東京＝631人・7位）。必然的にペットショップの数も多くなり、すなわち犬に接するチャンスも増えることが、犬の飼い主の多さにもつながっている。

ただし近年はずっと不動だった1位＝犬、2位＝猫の全国の順位がついに逆転。2017年に飼育頭数で猫が初めてトップに立った。これは猫が増えていること以上に犬の減少が大きいことが原因。2013年＝1026・5万頭→2017年＝892万頭とわずか4年で13％も

100人あたりの犬の登録頭数

厚生労働省発表データより番組調べ（2017年10月現在）

順位	県	頭数	順位	県	頭数
1位	香川	7.24頭	6位	愛知	6.04頭
2位	三重	6.97頭	39位	大阪	4.38頭
3位	岐阜	6.29頭	46位	東京	3.84頭

❸地方ほど“飼うなら犬”という昔ながらのペット観が根強い、という意見も。愛知の保守的な県民性も犬の飼育頭数の多さに影響しているのかも（?）

減っている。その遠因が90年代後半の小型犬ブーム。その当時に飼われた犬の寿命と飼い主の高齢化による飼い控えが重なったためだと考えられる。

ハリネズミやミーアキャット人気急上昇中の珍ペット

古くから親しまれている犬、猫の他、人気急上昇の珍ペットも。例えばハリネズミ。「ペットハウス・プーキーアルコ半田店」では、ハリネズミの売り上げが２０１６～18年で3倍も伸びているという。小動物の中では臭いがあまりなく、また夜行性のため独り暮らしの男性に人気だとか。

ミーアキャットも人気が高まっている。集団生活する動物のため、飼い主の家族全員を仲間とみなしてなつきやすいのが魅力。犬と猫のいいとこ取りのような性質で、様々なペットを飼った経験のある人が「一番飼いやすい！」とハマるケースも少なくない。

愛知らしいペットといえるのが金魚。生産量全国トップクラスの産地、弥富市があるからだ。弥富では明治時代から農家の副業として金魚の養殖が始まり、国内で流通する26種がそろうとても全国のショップ、愛好家からの評価が高い。生産者の技術も高く、例えば青らんちゅうは弥富市の「深見養魚場」が交配に成功して開発した新種。高級金魚であるらんちゅうの中でも珍しい品種としてツウの間で人気が高い。

ペット型ロボットも癒やし効果あり生きた動物と比べて費用は…？

動物とのふれあいで心を癒やすアニマルセラピー。そうした心のケアに、ＡＩ（人工知能）を搭載したペットロボットも一役買っている。犬型の「ａｉｂｏ（アイボ）」、アザラシ型の「パロ」が人気を二分し、パロは〝世界で最もセラピー効果があるロボット〟として2002年にギネス世界記録™に認定されている。

購入費用はaiboが約20万円、パロが40万円前後。aiboと値段が同じくらいの小型犬チワワでその後の費用を試算してみる。チワワは登録料や首輪などの初期費用が約2万5000円。エサや消耗品、予防接種、ペット保険などで年間約14万円。一生にかかる金額は200万円を超えるといわれる。aiboは電気代が年間数百円。修理に備えたサービスは年間2万円。成長していくためにインターネットに常時接続が必要で、利用料は月2980円×12カ月=3万5760円。年間でかかる費用は6万円くらいで、生きた動物を飼うのと比べると負担は小さい。このような経済的な利点に加え、ペット禁止のマンションなどの住宅事情、健康面の理由などからペットを飼えない家庭にとってはありがたい存在といえる。

全国で急増するペットトラブル 名古屋でも高額賠償の判例が

ペットを飼う人が増えるにしたがって、こちらも増えてしまうのがペットトラブルだ。近年特に多いのは、交通事故、医療事故、散歩中の事故で、裁判沙汰になることも。国民生活センターに寄せられている相談件数は増加の一途。2012年の約2300件が2017年には3000件超と5年でおよそ3割増えている。犬の咬傷(こうしょう)事故件数は2016年で4000件以上起きているので、事故自体は相談件数の3000件よりもかなり多いことは間違いない。名古屋高裁の判例でも、医療事故や交通事故などでペットが死亡したり大きな怪我をした際に、数十万〜場合によっては百万円超の賠償金の支払いが確定したケースは少なくない。

殺処分ゼロに取り組む名古屋
犬は2017年に目標達成

ペットを飼うことは喜びや癒やしを得られる一方で経済的負担もあり、また思わぬトラブルに巻き込まれるケースもあり得る。飼いきれなくなった飼い主によるペットの遺棄は社会問題になっているが、名古屋市では犬猫の殺処分ゼロへ向けて、飼い主に見放された犬猫の保護、治療、里親探しを粘り強く行っている。犬猫サポート寄付金も募り、2018年は3300万円以上、2019年は4200万円以上が集まっている。こうした取り組みの成果で、2017年には犬の殺処分ゼロを実現した❹。

ペットを飼う人が多い町は、すなわちペットに対する責任も大きく、社会全体のサポート体制も必要とされる。行政の取り組みに頼ることなく、まずは飼い主1人1人の意識によって、真の〝ペットに優しい愛知〟を実現したいものである。

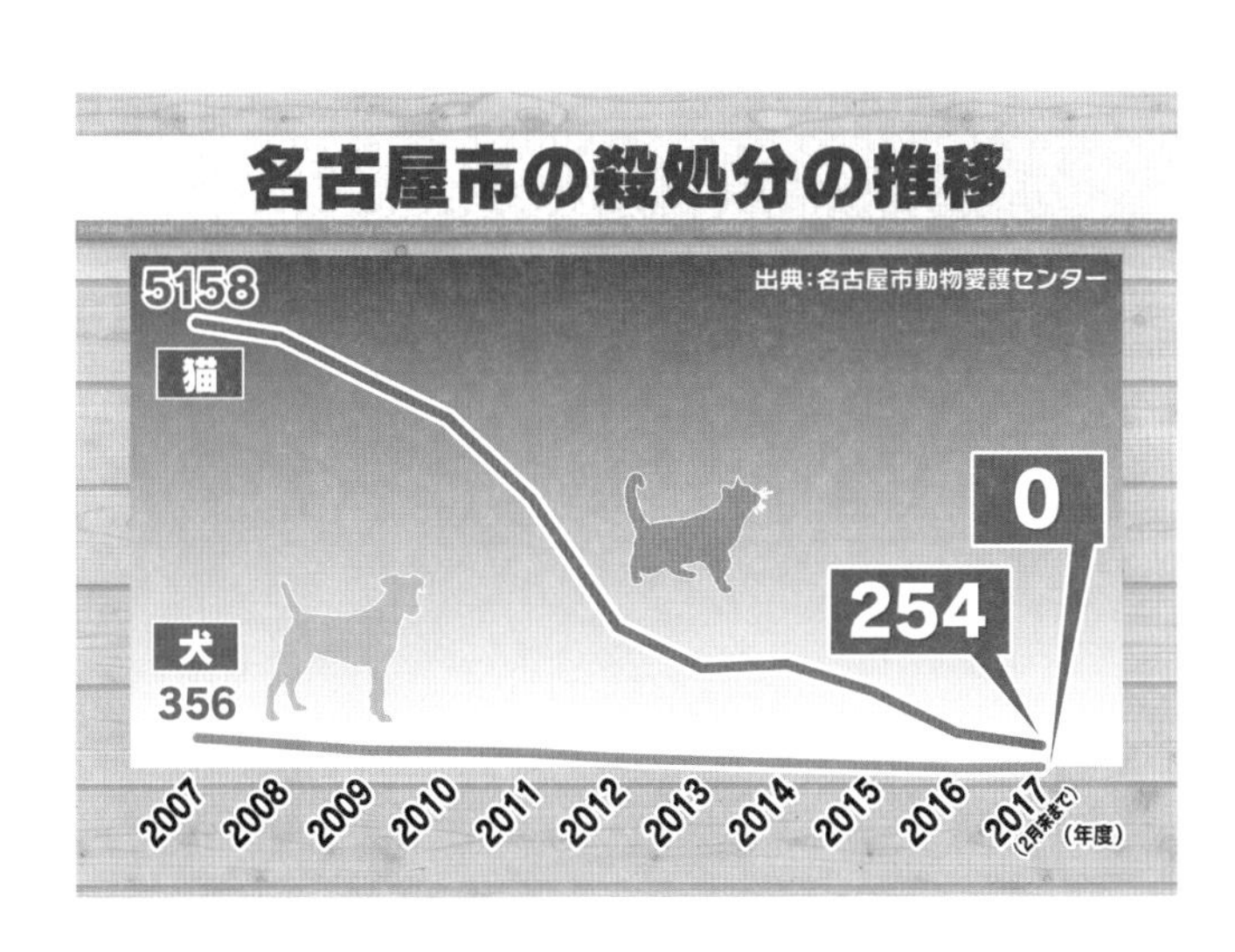

2018年3月18日放送

❹名古屋市では犬猫の殺処分ゼロに向け、譲渡機会の増設、譲渡ボランティアの活動支援、避妊去勢手術による多頭飼育崩壊の防止などに取り組み成果が表れている

クルマ王国 愛知の〝高速道路〟事情

愛知は東名&名神高速が走る日本の大動脈のジョイント地点。名古屋高速は走りやすい？ 渋滞の緩和策は？ 新路線の開通計画やSA・PAの魅力は？ 愛知の高速道路の気になるギモンを徹底解剖。

新東名開通で渋滞はわずか7%に激減！ トラックドライバーの生産性は15%向上

名神高速道路の全線開通は1965年。これを機に名古屋をちょうど真ん中にして広がる日本の高速道路網は劇的な発展を遂げた。愛知の産業の躍進を支え、長距離移動を気軽なものにしてドライバーをワクワクさせてきた。

その高速道路がますます便利で走りやすくなっている。特に新東名高速道路は2016年2月に浜松いなさJCT（ジャンクション）〜豊田東JCTが開通し、愛知県内の流れも大幅にスムーズになった。東名高速道路の渋滞の回数を新東名の同区間開通前後11カ月間で比較すると381回→26回となんと旧来のわずか7%に減少。うちGW・お盆・年末年始期間も48回→3回でおよそ6%と混雑期でも渋滞緩和効果は絶大だ❶。

ドライバーは具体的にどれくらい時間を短縮できているのか？ 御殿場JCT〜豊田JCT

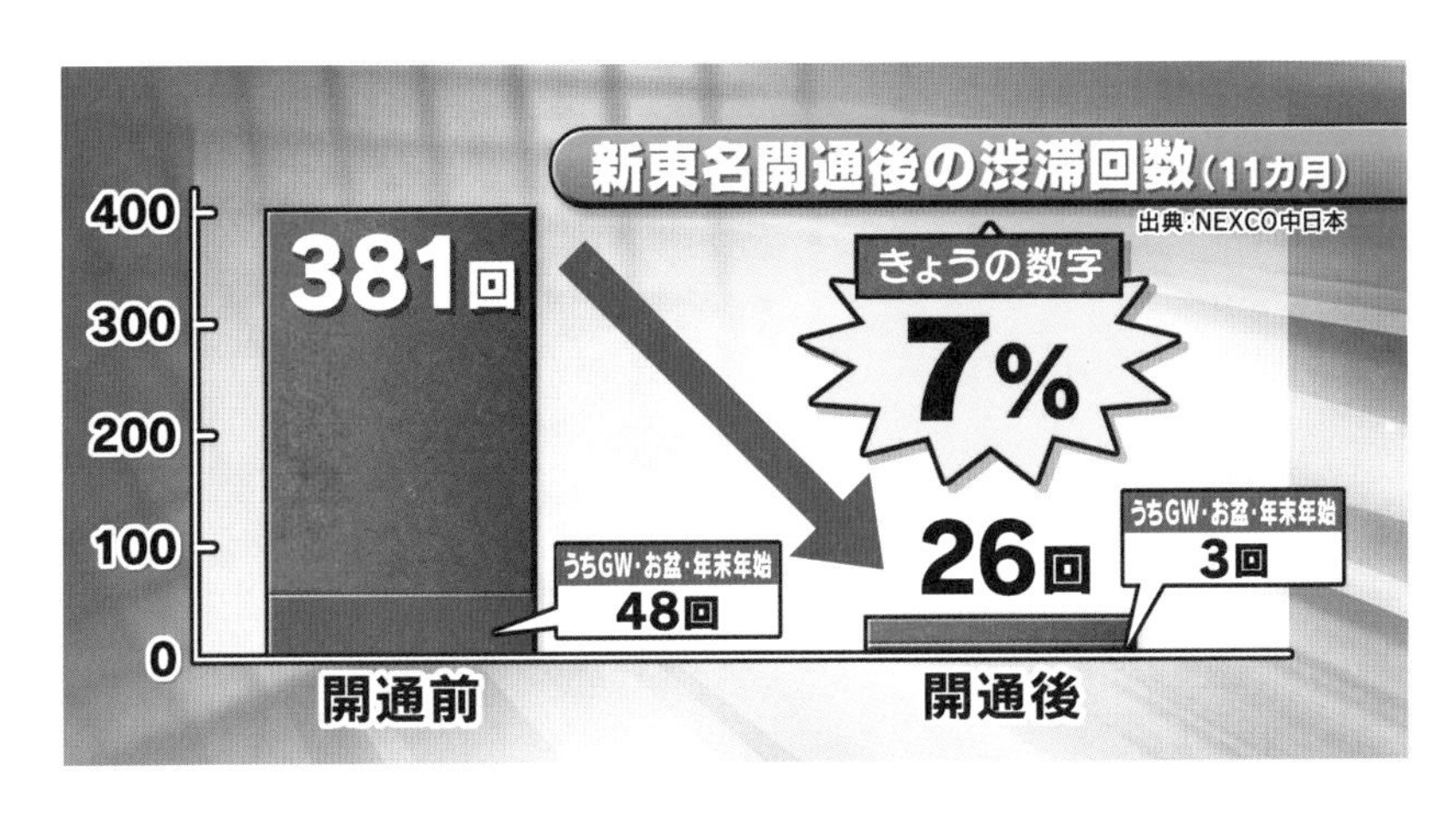

❶流通の大動脈・東名高速は渋滞のメッカでもあった。交通量自体に近年大きな増減はないが、新東名開通でルートが分散されて渋滞は大幅に減っている

では新東名開通前後で145分→123分と22分の短縮。1回だとそれほど大きな差はないようにも思うが、長距離ドライバーにとってこの差は大きい。この区間の大型車の交通量は年間561万台(1日あたり約1万5400台)。1352万時間→1149万時間とおよそ203万時間も短縮され、トラックドライバーの生産性は約15%アップしたことになる。

渋滞メカニズムの解明で渋滞を緩和
新たな道路網整備でさらに移動が快適に

東海地方でも全国ワーストランキング常連の渋滞スポットがあるが、ここ10年ほどは緩和傾向にある。東名高速・豊川IC~音羽蒲郡ICは渋滞率が90%減。東名阪自動車道・鈴鹿IC~四日市ICも渋滞率60%減となっている。緩和の要因は渋滞のメカニズム解明。例えば鈴鹿IC~四日市IC間はドライバーが気づかない程度の1・5度の勾配があり、サグ部と呼ばれる下り坂から上り坂にさしかかる凹部が細かく連続し、無意識に減速することで車の流れが滞る。車間距離の正しい確保などの案内によって、渋滞を軽減することができる。

愛知県内の高速道路、自動車専用道路は合わせて19路線。そのうち名古屋第二環状自動車道の名古屋西JCT～飛島JCT間は2021年5月に開通予定、さらに東海環状自動車道の未開通区間、美濃関JCT～新四日市JCT間も今後全線開通に向けて整備中で、この愛知を中心とした環状高速道路網が完成すれば、流れはいっそうスムーズになり渋滞も緩和されることが期待される。

名古屋高速が一番走りやすいって本当？

東名阪三大都市の都市高速を比較してみる。首都高速道路は1962年、阪神高速道路は1964年、名古屋高速道路は1979年（高辻～大高）にそれぞれ開通。名古屋高速は開通が遅かった分、先行する首都高速、阪神高速の欠点を洗い直し、走りやすい構造を実現できたといわれる。

それぞれ比較してみよう。まず「総延長距離」。首都高速327・2キロ、阪神高速258・1キロ、名古屋高速81・2キロ。名古屋高速はかなり短い（2021年3月現在）。

続いて「渋滞損失時間」。名古屋高速0・4万台・時／キロに対して阪神高速は3・5万台・時／キロと名古屋高速の約8倍。首都高速は7・0万台・時／キロと実に約17倍❷。

「交通死傷事故率」は名古屋高速6・2件／億台キロに対して阪神高速21・8件／億台キロ、首都高速14・3件／億台キロとやはり名古屋高速はリスクが低いという結果が出た❸。

番組では名古屋高速と一般道で比較検証。2台の車で南大高駅（名古屋市緑区）→テレビ愛

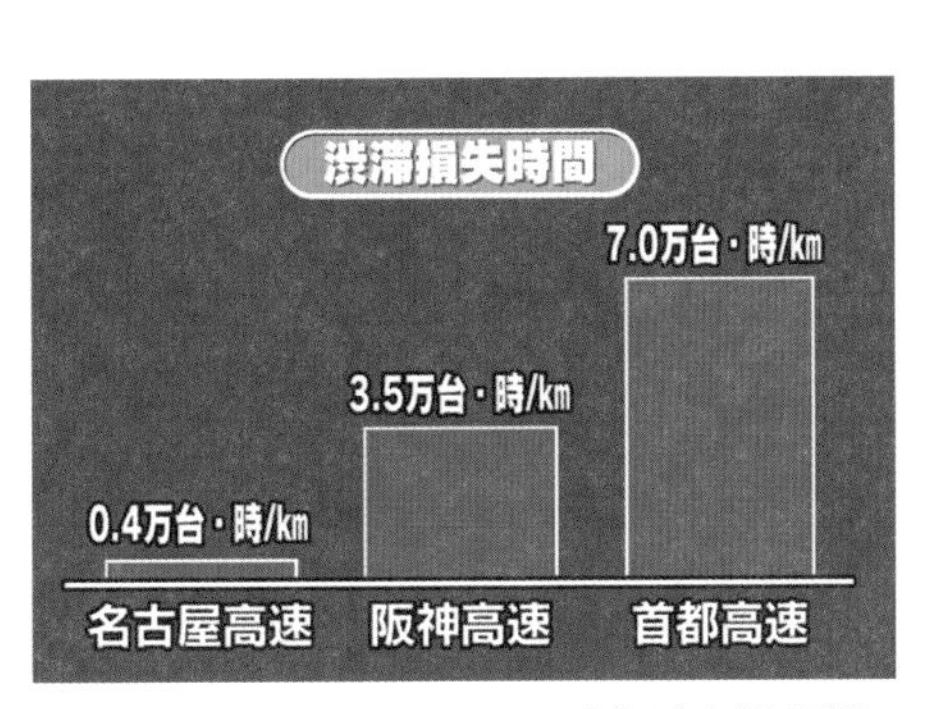

※名古屋高速道路公社調べ

❷渋滞損失時間は日本全体で年間50億人／時間といわれ、1人あたり約40時間が渋滞で無駄になっている（国土交通省発表・2012年）

※名古屋高速道路公社調べ

❸高速道路の交通死傷事故率は低く、名古屋高速9件／億台キロに対し市内幹線道路159件／億台キロというデータもある（2010年の場合）

知本社（名古屋市中区）の14・1キロ間を同時に走行してみた。スタートは通勤時間にあたる平日朝8時15分。名古屋高速ルートは25分4秒で到着したのに対し、一般道ルートは53分52秒。実に2倍以上、28分48秒もの大差がついた。名古屋高速の平均利用距離は乗用車13・4キロ＝一般道での所要時間47分なので、この実証実験は概ね平均的な名古屋高速の時間短縮効果を表しているといえる。

このように確かに走りやすい名古屋高速だが不便なことも。名古屋駅に近い「錦橋出口」「白川出口」「黄金出口」はいずれも名古屋駅を向いていないため、名古屋駅へ向かうには迂回をしなければいけないのだ。そこで愛知県と名古屋市は新洲崎ＪＣＴと丸田町ＪＣＴから名古屋駅方面に出られるようにしようという計画をまとめた。これが完成すれば名古屋高速はますます便利になるだろう。

全国屈指の人気スポットも
愛知の人気SA・PAと新たな取り組み

愛知には東名高速の6カ所をはじめ県内に全18カ所のSA・PA（サービスエリア・パーキングエリア）がある❹。中でも一番人気は「刈谷ハイウェイオアシス」。伊勢湾岸自動車道のPAで、観覧車、遊具施設、天然温泉、林間遊具、産直市場などを備え、一般道からも入場できることもあって、年間実に900万人前後もの入場者を集める。

東名高速上り線の上郷SAは2017年7月にリニューアル。なごやめしが充実のフードコートや地元の特産品が並ぶショッピングコーナーなど、食事や買い物の選択肢が充実している。

高速道路から道の駅へと誘客する取り組みも。新東名・新城ICの乗り降りを自由にし、近隣の道の駅「もっくる新城」への立ち寄りを可能にする社会実験が2017年6月にスタートした。順方向への再流入であれば高速道路を降り

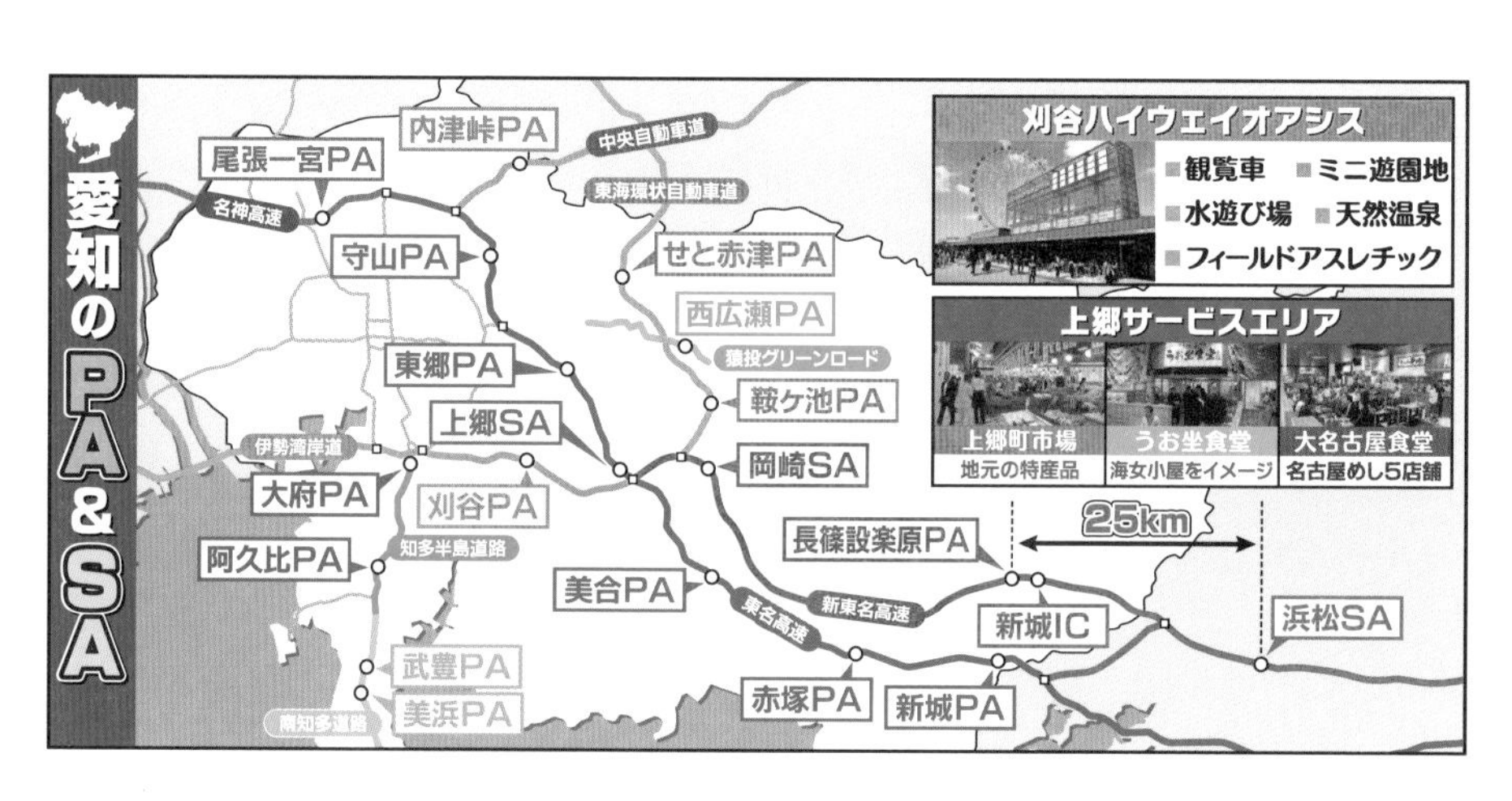

❹愛知のPA・SAは職業ドライバーの利用だけでなくレジャーとしてのドライブ需要も多いこともあり、規模が大きく飲食などの機能が充実した施設が多い

ずに利用した場合と同じに料金調整される（ETC2・0搭載車が対象）。大阪・吹田IC～東京ICまで走行する場合、新城ICで出入りした場合の通常料金は1万1860円だが、このサービスを活用すれば1万700円に料金調整され1160円お得になる。これは新城ICの前後、長篠設楽原PA～浜松SA間は25キロにわたってSA・PAがないため休憩施設不足への対応、地域活性化などを目的とするものだ。

2016年には県内の有料道路8路線（名古屋瀬戸道路、猿投グリーンロード、知多半島道路、知多横断道路、中部国際空港連絡道路、南知多道路、衣浦豊田道路、衣浦トンネル）が民営化された❺。有料道路の運営を民間に委託するのは全国初の試み。これによってサービスの向上などが期待できる。

よりスムーズに、より快適に、より楽しく。自動車先進県である愛知では、高速道路・有料道路もどんどん進化を果たしているのだ。

2017年8月6日放送

❺愛知は道路の民営化でも先進県。より詳しくはP154～の『“お出かけスポット”東海地方の「サービスエリア」徹底調査』参照

子どもから高齢者まで…脳を鍛える！愛知の「習い事」事情

そろばん、習字、ピアノなど子どもの頃、習い事をしていた人は多いだろう。まさに今、子どもたちが習い事に通っている家庭も多いはず。何を隠そう、愛知は全国屈指の習い事王国なのだ。その理由と最新事情に迫る。

習い事にかけるお金は全国2位 書道&そろばん教室の数は全国1位

　愛知県は全国でも特に習い事が盛んな地域。それはデータからも明らか。一世帯が習い事にかける金額は東京に次いで全国2位。しかも、東京、愛知の上位二都市だけが4000円台と他県を引き離している❶。愛知は全国的にも東大や京大への進学率が高く教育熱心。平均所得が高いことも、習い事に力を注ぐことができる理由と考えられる。

　では、愛知の大人たちは子どもの頃にどれくらい、どんな習い事をしていたのか？　県民1000人中87%が「習い事をしていた」と答え❷、さらに2つ以上していた人が半数以上を占める❸。

　そしてその内訳は1位＝書道、2位＝そろばん、3位＝ピアノ…という結果に❹。これは決して過去の話とは限らない。愛知県で群を抜いて体験者が多い書道とそろばんは、現在でも教

習い事にかける月謝額（2014 全国消費実態調査）

順位	都道府県	月謝額
1	東京	4570円
2	愛知	4124円
3	神奈川	3731円
4	千葉	3708円
5	埼玉	3447円
⋮		
10	大阪	3011円

※総務省の統計を基に番組が作成

❶愛知は大人も習い事に熱心。女性は茶道や着付け、琴など和の習い事の人気が根強く、男性はキャリアアップにつながる資格への関心が高いといわれる

❷実に9割近くが習い事経験あり。平均給与が高く家計にゆとりがあることも習い事熱を高くしている

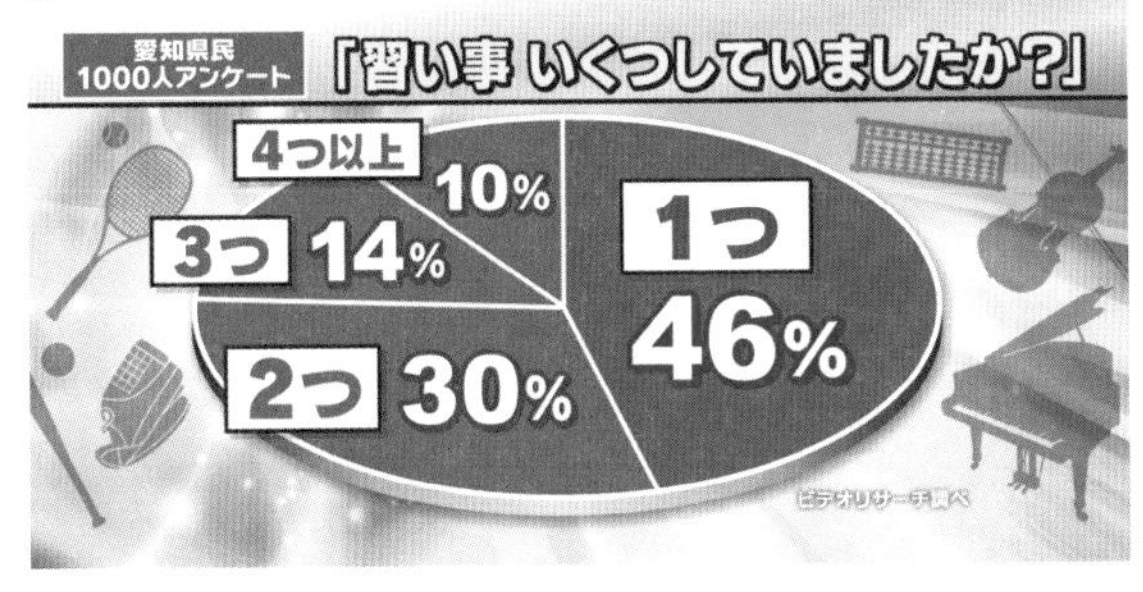

❸愛知は様々なジャンルの教室が豊富にあり、やりたいと思ったらすぐに門をたたけることが習い事を身近にしている

室が多い。書道教室は992件、そろばん教室は719件と、いずれも愛知が全国トップ❺。愛知では現在進行形で書道、そろばんの人気が高いのだ。

全国で減少する書道・そろばん教室 愛知が全国1位の理由とは？

書道、そろばんの習い事市場は全国的に縮小傾向にある。それと比べて愛知での根強い人気は際立っている。これには何か背景があるのだろうか？

書道は文化、産業の両面で理由が。平安時代の書道の名人、小野道風は愛知県春日井市の出身と伝えられる。全国的にも数少ない書専門の美術館「道風記念館」があり、書道展や書道大会も数々開催されている。また豊橋市は書道筆の生産量全国2位。豊橋筆は書道家が使う高級品。このように書道が身近なものであるがゆえ

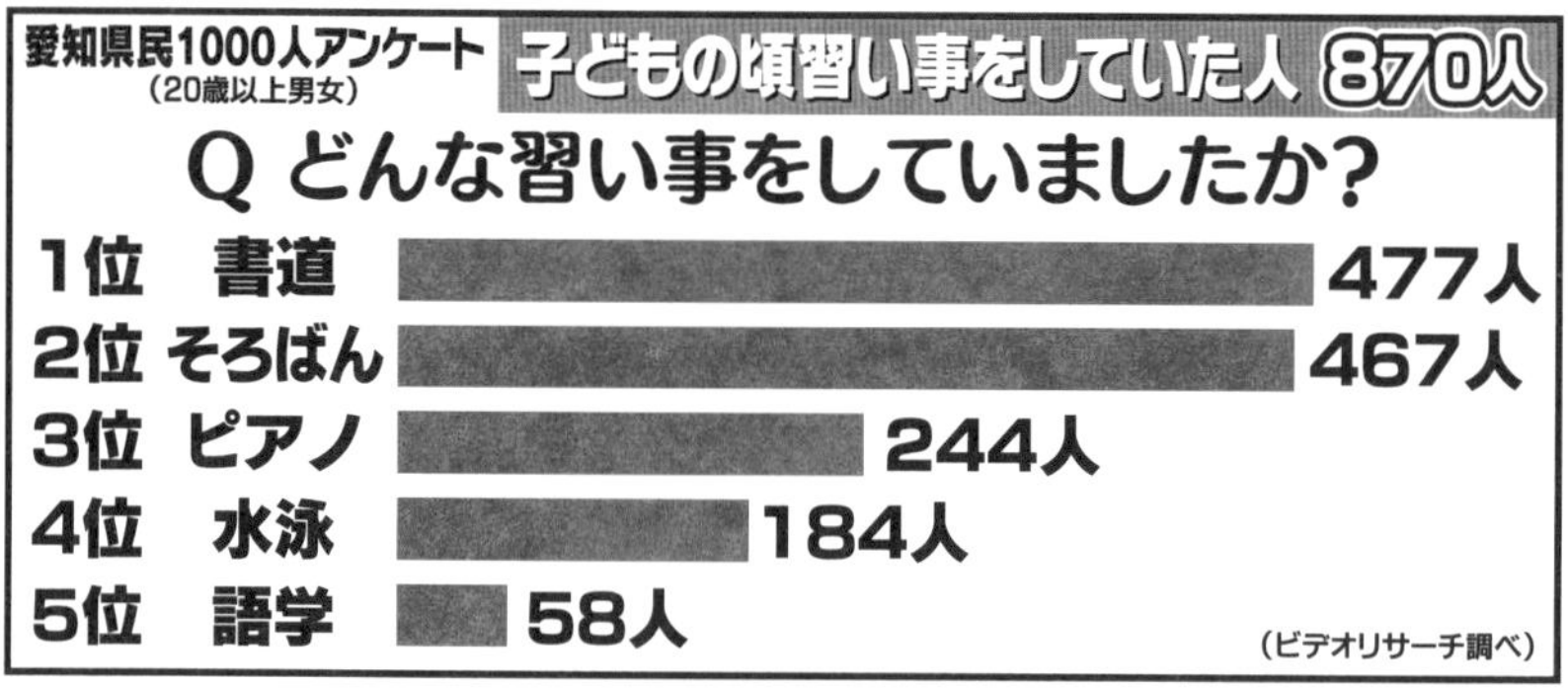

愛知県民1000人アンケート（20歳以上男女）　子どもの頃習い事をしていた人 870人

Q どんな習い事をしていましたか？

1位	書道	477人
2位	そろばん	467人
3位	ピアノ	244人
4位	水泳	184人
5位	語学	58人

（ビデオリサーチ調べ）

❹最新の子どもの習い事ベスト10は水泳、学習塾、通信教育、音楽、英語、そろばん、書道、サッカー、武道、その他スポーツ教室（学研教育総合研究所・2019年）

親しむ人も多いと考えられる。

そろばんには偉大な指導者の存在が。珠算業界のけん引者といわれる井上親亮(しんすけ)の初代が1872(明治5)年、三重県四日市市に百日算稽古塾を設立。3代目は指導者を育成する師範課を設立し、ここから多くの門下生がそろばんの先生として全国へ巣立っていった。愛知は四日市市から近く、商業が盛んだったため、そろばん塾が多くできたのである。

藤井聡太二冠の活躍で愛知の将棋教室の生徒が1・7倍に!

そんな愛知で今、人気沸騰の習い事がある。それは将棋。いうまでもなく〝藤井聡太効果〟である。愛知県瀬戸市出身の藤井聡太二冠(2021年3月現在)は2016年に史上最年少の14歳でプロ入りし、翌年公式戦29連勝の新記録を打ち立てる。このニュースターの登場に将

書道教室の数	
愛知	992
埼玉	659
大阪	608
東京	593
兵庫	521

(2014年 総務省統計局)

そろばん教室の数	
愛知	719
大阪	623
東京	404
神奈川	315
兵庫	274

(2014年 総務省統計局)

※総務省の統計を基に番組が作成

❺全国のランキングではそろばん6位、書道7位。他のジャンルに押され気味とはいえ、まだまだ実際に習う子どもは多い(学研教育総合研究所・2019年)

棋ブームが到来。全国で社会現象となったが、やはり地元・愛知での盛り上がりは特別。名古屋の「と金クラブ将棋教室」では、同年の半年余りの間に会員が75人から127人へと70％も急増。新規入会者は特に小学生以下が半数以上を占める。愛知県はもともと将棋熱が高い土地柄で、指導員の数は147人で全国最多を誇る❻。それでも入門者が急増して先生の人手が足りないというれしい悲鳴が上がっている。

教えたい＆学びたい愛知のシニア
大人も習う書道＆そろばん

シニアも習い事に積極的だ。名古屋市では、新しい生涯学習の仕組みとして2011年から「なごやか市民教室」を開催。教えたい市民が持っている知識や技能を活かしてボランティア講師を務め、15歳以上なら誰でも受講可能。費用は教材費を除いて1回あたり500円。名古屋

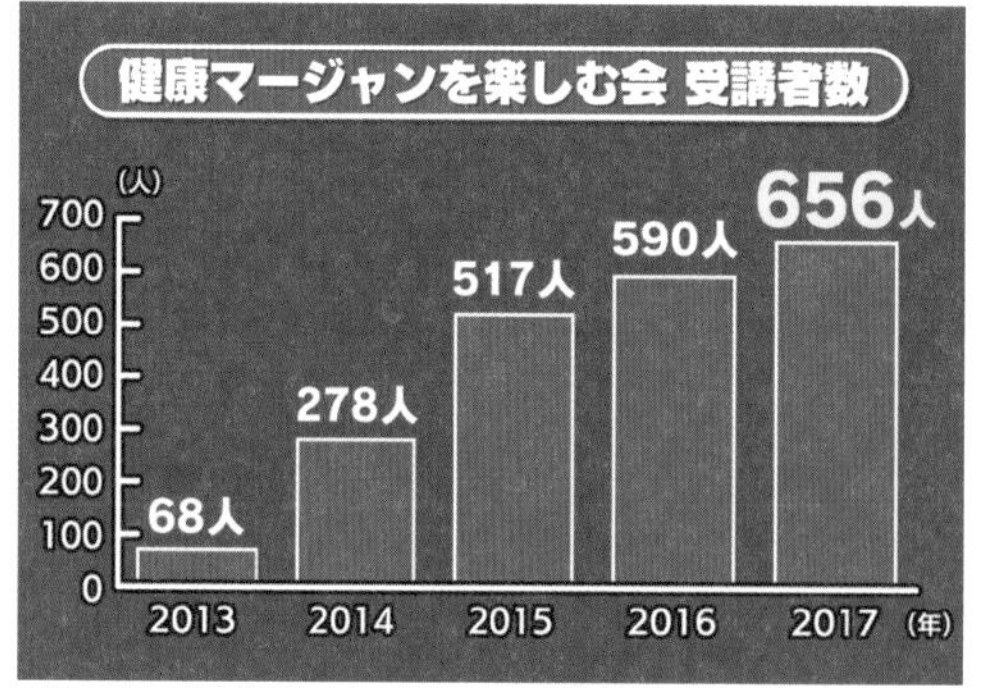

※健康マージャンを楽しむ会調べ

❼健康マージャンは「賭けない・飲まない・吸わない」の“3ない”で、あくまで脳トレゲームとして楽しむ

❻将棋指導員は全国で834人。愛知にはうち約18％がいる

市内16区の生涯学習センターを会場に、2016年度は49講座が開かれ、594人が受講した。

〝頭脳のスポーツ〟として愛好者が増えているのが健康マージャンだ。愛知では2013年に「健康マージャンを楽しむ会」が開講し、県内各所の公共施設で開催。2013年＝68人→2017年＝656人と参加者はうなぎのぼり❼。うち70歳以上は56％を占める。愛好者の脳年齢（脳の動きの活発さ）は平均より3歳若いとの報告もあり、認知症予防にも効果があるとされる。

このように習い事は決して子どもだけがするものではない。20歳以上の愛知県民1000人に「今もやっている習い事は？」と尋ねたところ、男女のベスト3は❽の通り。ここでもそろばん、書道の人気が高く、愛知らしい結果となった。同時に子どもの頃からの習い事をずっと続けている人が少なくないことも、この結果から推察される。子どもも、大人も、シニアも、愛知県民は充実した習い事ライフを送っているのだ。

20歳以上の愛知県民1000人に聞いた
今もやっている習い事は？

男性	女性
1位 そろばん	1位 書道
2位 書道	1位 スポーツ（水泳以外）
3位 語学	3位 ピアノ

※ビデオリサーチ調べ

2017年8月20日放送

❽女性は書道とスポーツ（水泳以外）が同率1位。他に近年大人に人気の習い事にパソコン、投資、料理・菓子教室、ヨガ、パーソナルトレーニング、ボルダリング、ランニング、ゴルフ、テーブルマナーなどがある

健康大国・愛知のカギは「スポーツ」にあり！

愛知は全国屈指の〝健康県〟。その元気さを支えているのがスポーツだ。県民の日頃のスポーツ体験率は全国トップクラス。県民はどんなスポーツを楽しみ健康を維持しているのか？　長寿社会を健やかに過ごすカギは愛知にあり!?

スポーツをしている愛知県民は7割以上 健康寿命は男性3位&女性1位

「1年間に何らかのスポーツをした」愛知県民は71・2%。東京＝75・7%を筆頭に関東の大都市圏が上位を占める中、愛知は6位に入っている❶。健康寿命（寝たきりにならず日常生活を送れる期間）ランキングでは愛知は男性3位・女性1位！❷。中京大学名誉教授でスポーツ科学者の湯浅景元さんは「健康寿命を阻害する3大要因は『認知症』『血管障害』『骨折』で、これらはスポーツでかなり予防できる」といい、愛知県民はスポーツ好きだから元気なおじいちゃんおばあちゃんも多い、といって過言ではないようだ。

愛知はボウリング王国！ 人口、施設、シニアボウラーが多い

では愛知県民はどんなスポーツが好きなの

一年間に何らかのスポーツをした割合
出典：総務省2016社会生活基本調査

順位	都道府県	割合
1位	東京	75.7%
2位	埼玉	72.6%
3位	神奈川	72.4%
⋮	⋮	⋮
6位	愛知	71.2%
⋮	⋮	⋮
23位	大阪	66.9%

❶全国平均は68.8％。同調査は5年ごとで1991年の78％以降2011年61.6％まで下がり続け、2016年は25年ぶりに上昇した

都道府県別 健康寿命ランキング（2016）　出典：厚生労働省

男性			女性		
順位	都道府県	健康寿命	順位	都道府県	健康寿命
1	山梨	73.21歳	1	愛知	76.32歳
2	埼玉	73.10歳	2	三重	76.30歳
3	愛知	73.06歳	3	山梨	76.22歳
4	岐阜	72.89歳	4	富山	75.77歳
5	石川	72.67歳	5	島根	75.74歳

❷愛知の平均寿命は男性81.1歳で全国8位、女性86.86歳で32位。女性の方が平均寿命と健康寿命との差が小さい

か？　全国のデータでは「最近1年間で行ったことがある運動」の1位は「ウォーキング・軽い運動」で約4割を占めるが、種目といえるものは「ボウリング」がトップ。誰でも体験しやすいスポーツであるボウリングだが、愛知は特にその熱が高い。ボウリング人口は全国で約1433万人（2016年　総務省社会生活基本調査）。愛知は約110万人で、東京＝約160万人に次いで全国2位。さらにボウリング場の数は28店で全国1位なのだ。

　全国に100店舗以上を展開し、愛知県内にも6店舗を出店する「ラウンドワン」によると「愛知はかつてのブームの頃からずっと続けている、ボウリングをスポーツとしてやっている人が多い。リピート率も特に高い傾向がある」という。

　ギネスにも認定されている〝世界最大のボウリング場〟もある。「稲沢グランドボウル」（稲沢市）は1フロアのレーン数が世界一の116

レーン。国内のメジャー大会の会場にもなっている。また県立稲沢高校にはボウリング部があり、ここが練習場。１ゲーム１００円の特別料金で、施設が学生ボウラーをバックアップしている。ちなみに愛知には6校（他、中京大中京、清林館、豊川、名古屋工業、愛工大名電）にボウリング部がある。

シニアボウラーは全国的に増えている。日本ボウリング場協会認定の「長寿ボウラー」は２０１０年＝３２１８人→２０１９年＝７８１７人と10年で2・4倍に❸。横綱（男性90歳以上・女性88歳以上）は全国に４０２人いて、愛知は27人で4位に入っている❹。

「サンガーデンボウリング」（津島市）はこうしたニーズに応えて会員向けにハイシニア料金を設定。通常料金１ゲーム大人６００円のところ、80歳で２００円、以降１歳上がるごとに20円安くなり、89歳以上はなんと20円になる。この制度を活かして毎日のように足を運び、90代

横綱	90歳以上 88歳以上	402人
1位	東京	71人
2位	神奈川	41人
3位	静岡	33人
4位	愛知	27人
5位	埼玉	25人
6位	北海道	23人
7位	大阪	20人
	福岡	20人

※日本ボウリング場協会

❹横綱長寿ボウラーの男女の内訳は男性211人：女性191人。愛知は男性18人：女性9人（2019年度）

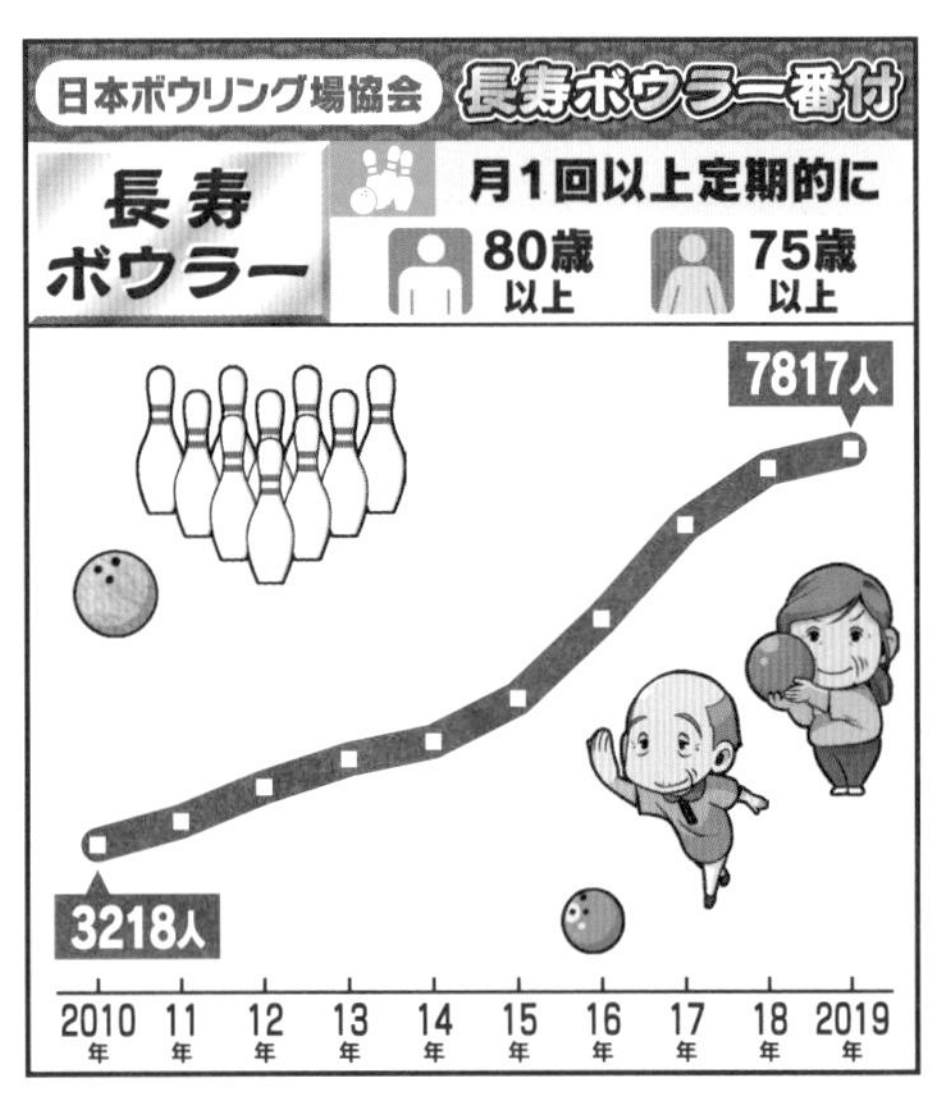

※日本ボウリング場協会

❸月1回以上ボウリングをしていることが条件

でベストスコア230というツワモノもいるという。

愛知でボウリング人口が多い理由を前出・湯浅さんはこう説明する。「ボウリングは特別な専用施設が必要なスポーツ。愛知は施設が多いことに加えて、1人あたりの平均所得、交通利便性ともに全国2位という経済力の高さや社会環境も、ボウリング人口の多さにつながっているのでしょう」。

水泳人口も多い シニアにオススメのアクアビクス

愛知は水泳も盛ん。水泳人口は東京、神奈川に次いで全国3位だ❺。

ここでも目立つのはシニアスイマー。「コナミスポーツクラブ」ではシニア向けプール教室で「アクアビクス」という水中エクササイズを取り入れている。インストラクターによると「水中に肩までつかると体重が1/10に軽減され、膝や腰に不安のある人でも気軽に参加できる。心肺機能向上にも効果がある」ことがシニアに人気の理由だという。

ラケットスポーツは長生きの薬(!?) 愛知はここでも競技人口が多い!

スポーツをする目的として多くの人が挙げるのが「健康・体力づくり」。そこからワンランク上の「長寿」につながるスポーツもある。それはテニスやバドミントンなどのラケットスポーツ。シドニー大学の「普段しているスポーツと死亡率の関連」に関する研究論文によると、ラケットスポーツは死亡率47%〝減〟。スイミング28%減、サイクリング15%減などを大きく引き離している。デンマークの病院の研究でも、テニスは9・7年、バドミントンは6・2年寿命が延びるとされ、スイミング3・4年やジョギング3・2年よりも長寿効果が高いという結果が出ている。

このジャンルでも愛知は盛んで、テニス、バドミントンともに競技人口は全国4位につけている❻。

スポーツ科学の専門家で愛知県立大学教授の稲嶋修一郎さんはラケット競技の特徴や効果をこう語る。

「無酸素運動と有酸素運動がバランスよく融合したスポーツ。精神的、心理的にも効果的で、戦略的なプレーやかけひきはストレス発散効果やストレス対応能力アップにつながり、対戦相手や仲間がいることで心も健康的になれるのです」。

年齢が上がるにつれ高まるスポーツ熱
何才からでも始められる！

「運動・スポーツにかける1年間の費用」は年

	テニス競技人口		バドミントン競技人口	
1位	東京	83.6万人	東京	80.6万人
2位	神奈川	52.6万人	神奈川	63.6万人
3位	大阪	37.9万人	埼玉	50.5万人
4位	愛知	35.4万人	愛知	47.4万人
5位	埼玉	34.7万人	大阪	44.9万人

※総務省2016社会生活基本調査

❻バドミントン競技人口は全国約612万人で種目別6位、テニスは470万人で8位。1、2位はボウリング、水泳（総務省社会生活基本調査2016年）

水泳人口ランキング（10歳以上）

出典：総務省2016社会生活基本調査

1位	東京	約195万人
2位	神奈川	約118万人
3位	愛知	約 89万人

❺愛知は水泳プール施設数でも全国3位の1878施設がある。1位は東京、2位は大阪（出典：水泳プールの施設数2008年）

代が上がるほど高くなり、20代＝1万6560円に対し、70代＝4万6139円（スポーツ庁「スポーツの実施状況等に関する世論調査」2017年）。シニア世代ほど健康に気をつかい、生活の中にスポーツを取り入れようとしているといえる。また、「スポーツ、運動する目的」は「健康・体力作り」が7割以上でトップで、以下「運動不足解消」「楽しみ・ストレス解消」「ダイエット」「仲間との交流」と続く❼。体も心も健康に暮らすためにはスポーツはなくてはならないものといえる。

近年はシニアを意識して考案されたニュースポーツも数々あり、体力や経験に自信がなくても始められる、続けられるものは様々ある。いくつになっても、いつからでも始められるスポーツをして、楽しく、元気な生活を送りたいもの。愛好者が多く、環境にも恵まれている愛知は、スポーツに取り組み、続けやすい町といえるのだ。

スポーツ、運動する目的

複数回答　愛知県民 544人　ビデオリサーチ調べ

順位	目的	割合
1位	健康・体力作り	72.8%
2位	運動不足解消	48.9%
3位	楽しみ・ストレス解消	28.7%
4位	ダイエット	27.8%
5位	仲間との交流	9.4%

2020年2月16日放送

❼「日本人は座っている時間が1日平均7時間と世界一長い。意識的に生活に運動を取り入れる必要がある中、上の結果は好ましい」とスポーツ科学者の湯浅景元さん

「名古屋・愛知の町」をデータで解析！

レジャーにカルチャー、ショッピングと魅力いっぱいの名古屋・愛知。そのスポットやエリア、さらには地名はどのように誕生し、発展を遂げ、現在にいたるのか？その裏には様々な理由、工夫、努力も秘められている。行きたくなる、知りたくなる場所に事欠かないこの町のことを、もう「行きたくない町」なんて呼ばせない！

「東山動植物園」のココがスゴイ!

80年以上の歴史を誇り、いつの時代も老若男女が楽しめる場所として、さらには世界初のゴリラショーや日本初のコアラの繁殖成功など、多大な偉業も成し遂げてきた東山動植物園。全国に誇るべきその〝真のスゴさ〟とは?

「行ったことがある」県民9割も「この10年1回も行ってない」が3割

愛知県民なら遠足などで行く機会も多い「東山動植物園」。事実、県民1000人に尋ねると「行ったことがある」人が87・3%。

しかし、この10年間での来園回数を尋ねると「1回も行っていない」人が32・9%も。子どもの頃に行ったきり、あるいは子どもが小さい頃に連れて行ったきり、という人が少なくないようだ❶。

だが、この10年、東山動植物園は大きく変化し進化を遂げている。「昔、行ったから」と敬遠しているのはとてももったいないことなのだ。

東山動植物園再生プランという長期的なリニューアル計画が策定されたのが2006年。2010年は運動場修繕、2018年はゴリラ・チンパンジー舎のオープンなど次々と新しい施設がオープン。現在も順次リニューアルが進められている。

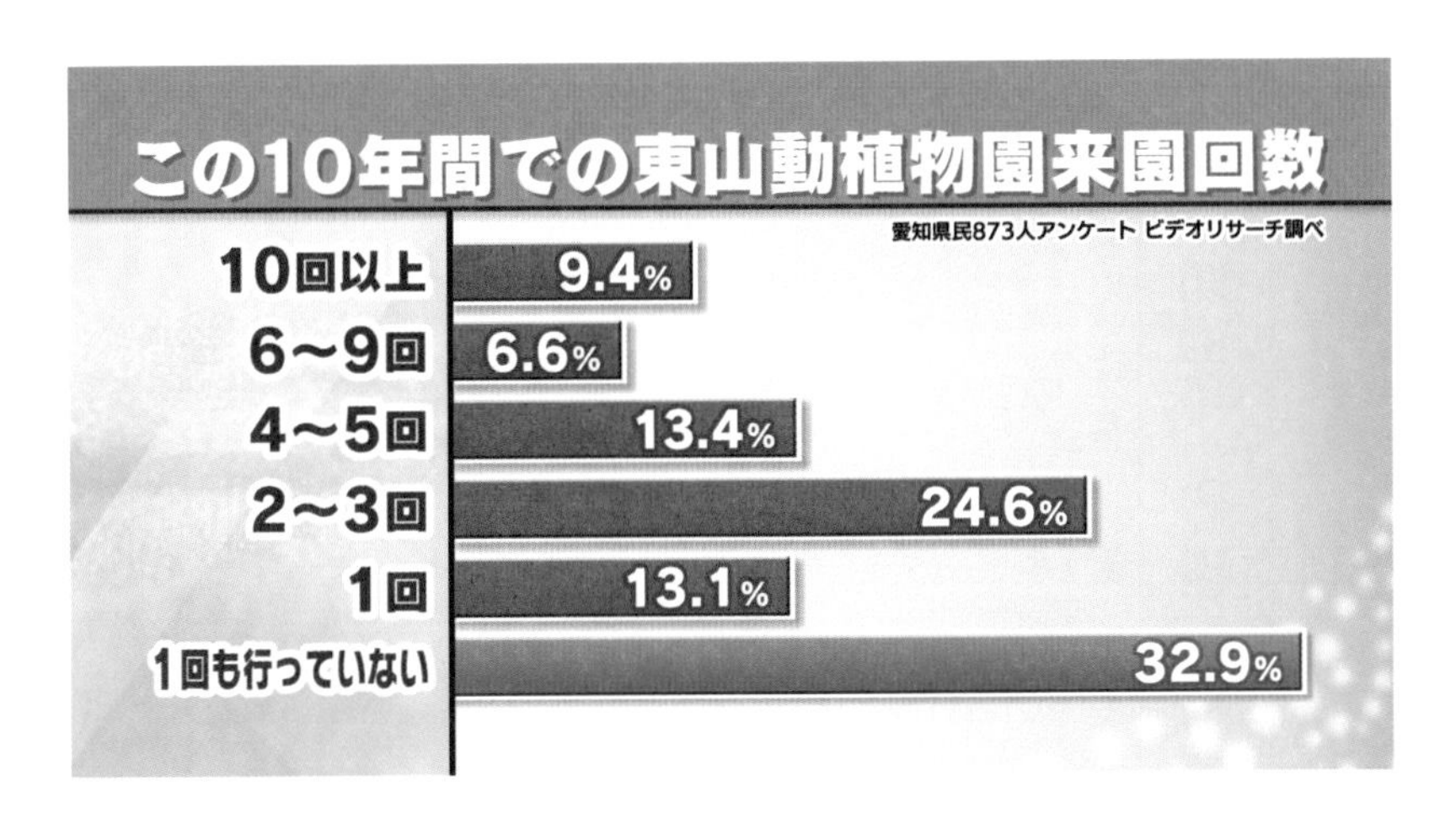

❶愛知県民に聞いた調査では10年間で２回以上のリピーターは54%。中には10回以上という強者も9.4%

入園者数は上野動物園に次ぐ国内２位 動物の種類・数、そして広さはダントツ

まずは基本的なスペックから東山動植物園のスゴさを紹介しよう。東京・上野動物園、大阪・天王寺動物園と比べて広さ、動物の種類・数は圧倒的。入園者数こそトップは上野動物園にゆずるが、堂々国内第２位❷。人口、観光客とも愛知より圧倒的に多い東京の上野動物園を向こうに回しての入園者数第２位は、展示内容の魅力で来場者のハートをつかんでいる証といえるだろう。

ゾウ、ライオン、ゴリラなど 飼育舎は本来の生活環境を再現

東山動植物園再生プランの一番のテーマは繁殖数の向上。そのために図られているのがその動物が本来暮らしている環境の再現だ。

	上野動物園	天王寺動物園	東山 動植物園
開園年	1882年 (明治15年) 日本最古	1915年 (大正4年) 3番目に古い	1937年 (昭和12年) 前身の市立動物園は 1918年(大正7年)開園
面積	約14.3ヘクタール	約11ヘクタール	約60ヘクタール
動物の種類	約350種	約180種	約500種
動物の数	約2500点	約1000点	約1万9000点
入園者数 2017年度	450万414人	173万6686人	260万684人
入園料	大人 600円 中学生 200円 小学生以下 無料	大人 500円 小中学生 200円	大人 500円 中学生以下 無料

※それぞれの団体の発表データ

❷東山動植物園の年間来園者数は、2015年以降250万人前後で推移し（コロナ禍の2020年を除く）、全国２位をキープ。開園100周年の2036年度には350万人を目標としている

アジアゾウを飼育展示するゾージアムは2013年完成。アジアゾウは1日の大半を移動しながら過ごすことから、旧舎の約4倍の広さに改修。水浴び用のプールは自然の川を模して浅場と深場を設置。泥浴び・砂浴び用の泥と砂、体をこすりつけて角質を除去しマッサージ効果もある凸凹の壁を用意するなど、様々な工夫を凝らしている。

このような本来の生息環境にのっとった設計思想は、開園当初から一貫している。ライオン舎は開園当時から檻(おり)ではなく当時まだ珍しかった濠(ほり)を採用。自然に近い環境でライオンが動く姿を見学できるようにしている。高台にライオン舎、手前の低い場所にシマウマ舎を配置する構造も、アフリカの自然にならい食物連鎖をイメージしやすくするものだ。

ゴリラ舎は樹上で活動することが多い生態に合わせて高さ8メートルのゴリラタワーを国内で初めて設置。隣にはチンパンジータワーもあり、自然環境と同様にゴリラとチンパンジーの視線が合う構造となっている。このように種(しゅ)ごとの展示だけでなく、同じテリトリーに生息する種の関係性が分かる設計がなされているのだ。

コアラの繁殖実績でも全国をリード 観察・記録&エサの栽培が成功の秘策

東山動植物園といえばコアラが屈指の人気を誇るが、その飼育繁殖においても国内の動物園をリードする役割を担っている。1984年にオーストラリアから2頭のコアラが来園。2年後には日本で初めての赤ちゃんコアラが誕生し、以後毎年のように赤ちゃんが生まれ、現在までに約50頭の繁殖に成功している。

コアラの繁殖実績のカギは「観察・記録」「エサの栽培」の2本柱にある。飼育員は多数のモニターで24時間体制でコアラの行動を観察。1分刻みで記録している。これによってオス、メスの発情期の行動が明らかになったという。エサは同じ千種区内の平和公園にユーカリ畑を持ち、3人の専門スタッフが30種1万本を栽培。個体の好みや体調に合わせてユーカリを選び与えている。飼育員とユーカリ班がタッグを組んでコアラの生育を管理する、この連携が繁殖成功の秘策なのだ。

「世界のメダカ館」は文字通り世界一

「世界のメダカ館」もメダカ類3000匹を飼育展示する世界一の施設。単に飼育するだけでなく、飼育員が調査を目的に海外へ行ってメダカを採取している。展示用の水槽は170本だが、バックヤードには800本もの水槽がある。現地の生息環境の調査を活かし、例えばアフリカ・サバンナに生息するメダカの卵は、サバンナの乾季にならって乾燥した泥の中で育て、雨季になる3カ月後に水に戻してふ化させる。自

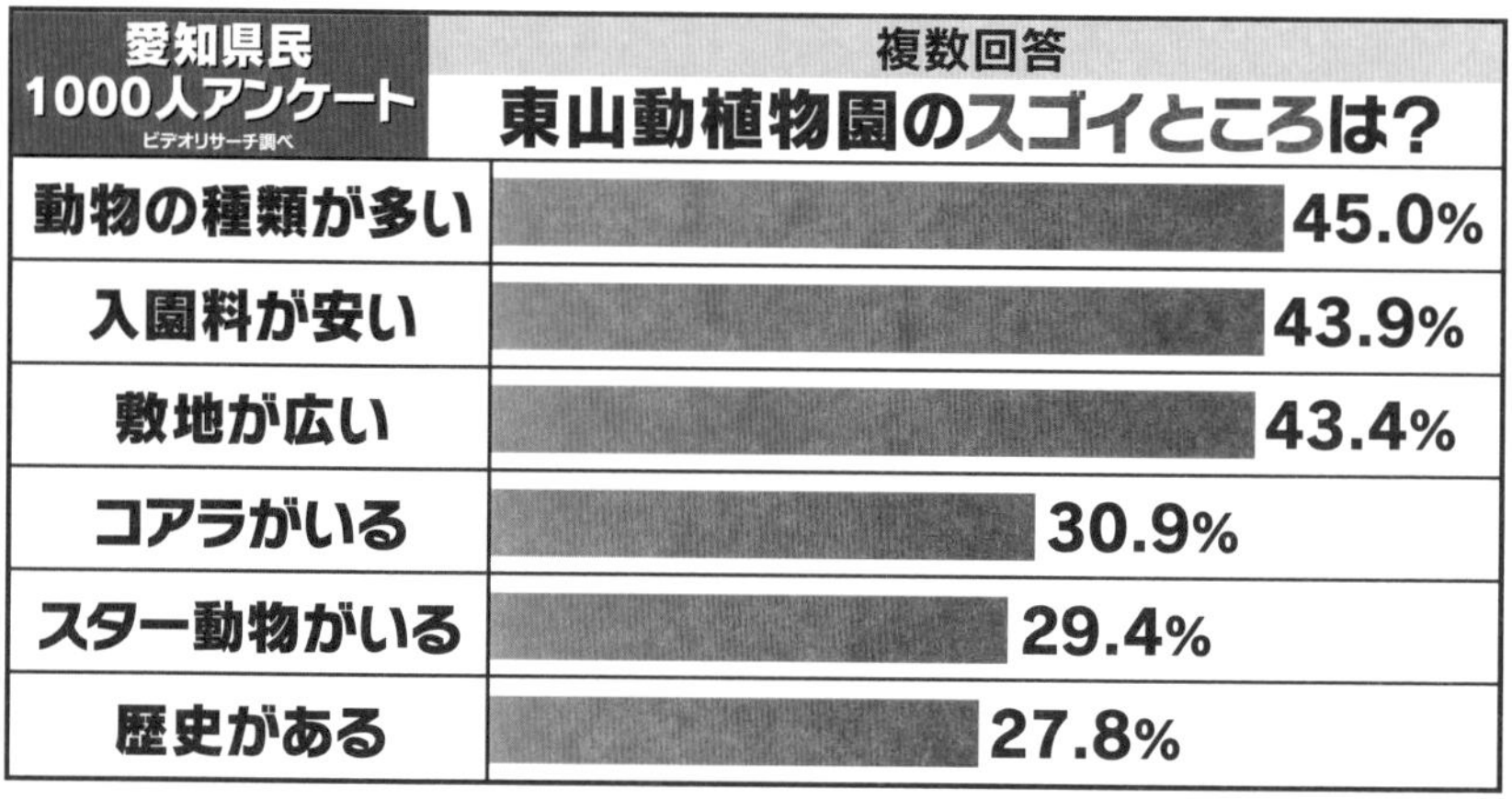

愛知県民 1000人アンケート ビデオリサーチ調べ	複数回答 東山動植物園のスゴイところは?
動物の種類が多い	45.0%
入園料が安い	43.9%
敷地が広い	43.4%
コアラがいる	30.9%
スター動物がいる	29.4%
歴史がある	27.8%

❸スケールが大きい上に入園料は安くコスパ抜群。子連れファミリーで1000円（大人500円・中学生以下無料）で済む施設は今時なかなかない

然の摂理に沿った形で作り上げたシステムで繁殖を実現している。

真のスゴさは「絶滅危惧種約130種」！

「東山動植物園のスゴイところは？」のアンケートで1位は「動物の種類が多い」❸。確かに約500種という動物の種類は国内随一だ❷。動物園と聞いてイメージされる人気者のゾウ、キリン、ライオン、トラ、サイ、ゴリラ、オランウータン、チンパンジー、コアラがそろっている施設は国内でも珍しく、いないのはジャイアントパンダくらい。

ちなみに2020年11月に発表された一般投票による第24回「東山動植物園人気動物ベスト10」は次の通り。

第1位　コアラ
第2位　キリン
第3位　ゾウ
第4位　ライオン
第5位　ゴリラ
第6位　ペンギン
第7位　コツメカワウソ
第8位　トラ
第9位　ユキヒョウ
第10位　サイ

この投票は2年に1度行われていて、コアラは2012年以来8年ぶり（4回ぶり）に1位に返り咲き。イケメンゴリラ・シャバーニの人気で前回トップだったゴリラは5位に陥落という波乱のランキングとなった。このように自分の〝推し〟動物に投票してランキングに一喜一憂するのも楽しみ方の1つといえるだろう。

2019年9月1日放送

水中世界は〝大人の空間〟水族館王国・愛知の魅力とは？

水族館先進国といわれる日本。その中でも愛知は魅力的で個性あふれる施設が目白押し。圧倒的スケールの名古屋港水族館にユニークなアイデアでV字回復を果たした竹島水族館など、その魅力や取り組みに迫る！

愛知全体で飼育する生き物は約8万点 名古屋港水族館は不動の全国トップ3

7万8062点。これは愛知県内の6つの水族館（名古屋港水族館、世界のメダカ館、碧南海浜水族館、南知多ビーチランド、竹島水族館、赤塚山公園ぎょぎょランド）の生き物の展示総数（2017年4月現在。※翌年にはレゴランド®・ジャパン・リゾートにシーライフ名古屋が開業。飼育点数は約3500点）。都道府県別で水族館が最も多いのは北海道と東京の11施設。次いで神奈川の9施設、静岡の7施設と続き、愛知は全国的にみても水族館が多い。

入館者数ランキングでは沖縄美ら海（ちゅらうみ）水族館がトップ、大阪・海遊館、名古屋港水族館が続き、このトップ3は近年ほぼ不動となっている❶。

東京、大阪、愛知でそれぞれ入館者数トップの水族館を比較すると、入館者数は大阪・海遊館がトップだが、生き物の種類、展示数では名古屋港水族館が他に大きく水をあけている❷。

2015年 水族館入館者数ランキング

①	沖縄美ら海水族館	340万8521人
②	海遊館	244万9376人
③	名古屋港水族館	205万1785人
④	新江ノ島水族館	184万6003人
⑤	横浜・八景島シーパラダイス	159万4056人

※日本動物園水族館年報より

❶2019年のデータでも1位＝沖縄美ら海水族館・332万人、2位＝海遊館・263万人、3位＝名古屋港水族館・200万人とトップ3の順位は変わらず

三大都市比較

日本動物園水族館年報より

		入館者数	生き物の種類	展示数
東京	すみだ水族館	158万7365人	248種	5441点
大阪	海遊館	244万9376人	495種	2万9645点
愛知	名古屋港水族館	205万1785人	616種	3万8014点

❷都市型でありながら圧倒的スケールを誇るのが名古屋港水族館の大きな魅力。名古屋駅から地下鉄で乗り換え1回およそ30分でアクセスできる

右肩上がりの水族館人気
動物園と比べて多い大人のファン

　国内には約１２０の水族館があり、２０１５年には仙台うみの杜水族館やアクアパーク品川がオープンするなど水族館ブームが続いている。全体の入館者数も近年右肩上がり。２０１０年から２０１５年の５年間でも20%以上伸ばして３６８２万人と過去最高を記録している❸。名古屋港水族館もほぼ同様の上昇曲線を描き、２０１５年は２０５万人。同年の比較で東山動植物園２５８万人には及ばないが、名古屋城１７４万人を上回っている❹。

　ちなみに全国の入館者数平均を動物園と比較してみると、動物園が51万８６９１人なのに対して水族館は60万３６０４人で、水族館の方が多い。水族館プロデューサーの中村元（はじめ）さんによると「動物園は大人：子どもの比率が５：５なのに対し、水族館は大人８：子ども２。ファミ

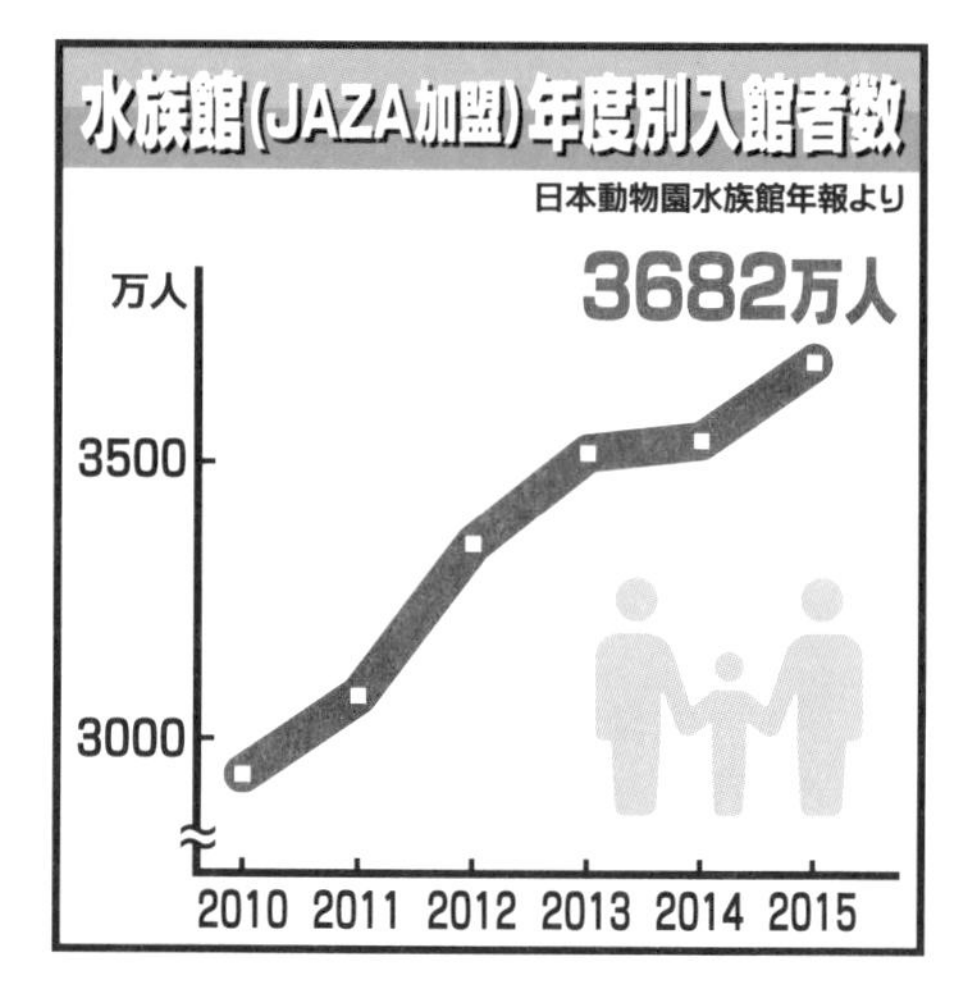

❸日本動物園水族館協会（JAZA）には約150施設が加盟し年間入館者数は8000万人超

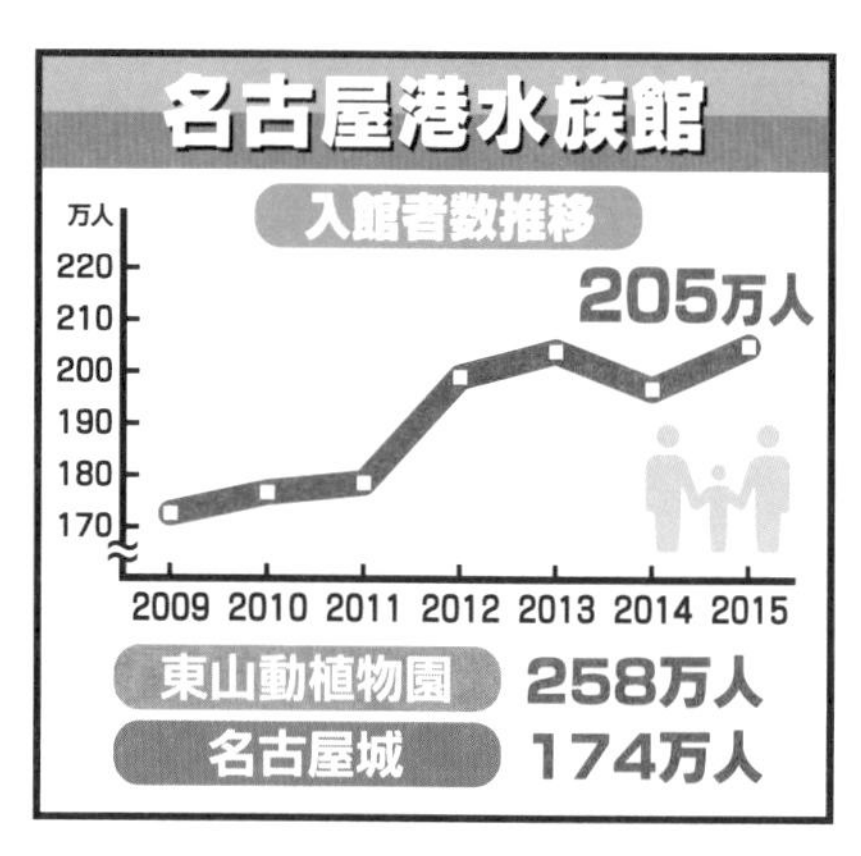

※それぞれの団体の発表データ

❹名古屋市の観光地で東山動植物園のトップは不動。水族館と名古屋城が毎年2位を争う

リーだけでなくカップルや大人だけのグループなど客の構成が幅広い」ことが高い集客力につながっているという。

名古屋港水族館のスケールは世界最大級 コストパフォーマンスは日本一!

愛知の中で全国を代表する施設といえるのが名古屋港水族館だ。そのスゴさはまずスケール。延べ床面積3万9900平方メートル、メインプールの大きさ(60メートル×30メートル×最大深度12メートル)1万3400トンは堂々国内1位。沖縄美ら海水族館のジンベエザメが泳ぐ水槽が巨大なイメージがあるが、同館の全水槽を合わせても約7500トン。名古屋港水族館のメインプール1つに沖縄美ら海水族館の水が全部入るほどで、世界最大級のプールなのだ。

そのスケールを存分に堪能できるのがシャチの展示。シャチが見られるのは国内では名古屋港水族館と鴨川シーワールドのみ。国内7頭のうち3頭が名古屋港水族館で飼育され、そのうちの1頭「アース」は国内で飼育されている唯一のオスのシャチだ。

飼育面での実績もスゴい。1995年に世界で初めてアカウミガメの室内人工砂浜での産卵・ふ化に成功。2015年までに9008匹がふ化し、1匹で2728匹も産んだ母カメもいる。

ペンギンの水槽は南極の自然環境を再現して室温2度・水温8度に保たれている。アデリーペンギン、ジェンツーペンギン、ヒゲペンギン、ケープペンギンの4種類が繁殖に成功。うちヒゲペンギン、アデリーペンギンの2種類は国内初成功している。

2007年から始めているマイワシのトルネードも当時日本初の試みだった。迫力満点のこの見せ方は今では全国各地に広まっている。

　このようにスケールが大きく、展示、飼育の方法を世界に先駆けて築いてきた名古屋港水族館。前出・中村さんは「非常にコストパフォーマンスがいい！」と評価する。「日本一（もしかしたら世界一）建設費をかけた水族館で、約４００億円という他を圧倒する投資が行われている。にもかかわらず入館料大人２０３０円は安い！　近隣の大規模水族館の海遊館は２００億円で２４００円、鳥羽水族館は１００億円で２５００円。建設費／入館料のコスパは倍以上です（入館料は２０２１年2月現在）」。

お金はないけどアイデアで勝負！
V字回復を果たした竹島水族館

　名古屋港水族館の真逆を行く、予算の少なさを逆手にとった展示でブレイクを果たしたのが竹島水族館（蒲郡市）だ。１９５６年開館の同館は、国内に現存する中で一、二を争う古い水族館。予算もなく老朽化が進むにつれて客足が遠のき、２００５年には年間12万人まで落ち込んだ。

　しかし、ここで開き直って展示スタイルの改革に着手。他の施設では脇役に過ぎない深海生物を主役に引き上げ、全国でも珍しいこれらにさわれる「さわりんぷーる」を開発すると、他ではあまり見られない生き物とふれ合えると評判になり、人気回復の起爆剤になった。深海生物は１００種類以上と日本一。オオグソクムシやヒラアシクモガニ、オキナエビなど他ではあまり見られない貴重な生物も多い。

　魚の生態などを説明する解説板はすべて飼育員の手書きにし、ユーモアや愛情もたっぷり。全部読みたい！　とリピーターも続出して人気を底上げした。２０１５年には10年前の3倍近い34万人に達し、V字回復に成功したという話題性でもさらに注目度が高まっている。

ふれあいをキャッチフレーズに入館者20％アップした南知多ビーチランド

南知多ビーチランドも〝ふれあい〟をテーマに人気を浮上させた水族館だ。１９８０年の開業当時は60万人以上だった入館者が２００５年には40万人まで下がり、一時は閉鎖の危機に。そこから上向きに転じ、２０１５年には48万人と10年で20％増加している。

人気の秘密は「ふれあい日本一」を謳（うた）う取り組み。イルカやセイウチなど1日最大約３００人が参加できるふれあいイベントを各所で随時開催している。２０１５年に登場した「つながるすいそう」もやはりふれあいが魅力で、水槽の横についているポケットから手を入れて水中の魚に直接エサをやることができる。イルカのパフォーマンスもレベルが高く、イルカとアシカの共演は中部ではここだけ。種類が異なる動物を共演させるのは非常に難しく、飼育技術の高さが発揮されている。

飼育面でもワールドクラス。１９９３年1月生まれのプリンちゃんはハンドウイルカのママとハナゴンドウのパパから生まれた交雑種としては世界最長飼育記録を更新中だ。

「日本の水族館は水槽のガラス1つ取っても透明感があって非常に見やすく、水族館大国といえる。その中でも愛知は名古屋港水族館のような王道もあれば、竹島水族館のような〝しょぼさ〟をアイデアで魅力につなげた施設もある。もっと日本中の人に見てもらわないともったいない」と中村さん。

本稿の入館者数データは平常時のもののため、コロナショックによってここからどこも大きく減ってしまっているが、世の中が平静を取り戻した折には是非また多くの人に足を運んでもらいたい。そして、愛知県民は地元の水族館を胸を張って自慢し、全国にアピールしたいものである。

２０１７年４月９日放送

ジブリパークから最新遊具まで 進化する愛知の〝公園〟事情

愛知は公園が充実した地域。昭和生まれのオリジナル遊具もあれば最新遊具も進化中。ジブリパークの誕生も間近に迫る。お手軽かつお出かけしやすく幼児からシニアまでが楽しめる、日々進化する公園へ行こう！

公園の数は東京の半分だが敷地は同等 〝広くて家族で遊べる〟愛知の公園

愛知県内の都市公園の数は4695カ所。都道府県別では全国9位で、東京＝8168カ所と比べると半分程度。しかし、公園の総面積では5715ヘクタールで全国4位と順位が上がり、東京の5869ヘクタールとほとんど変わらない。さらに人口1人あたりの公園面積は東京＝4・3平方メートルに対して愛知＝7・6平方メートル。愛知の公園は東京よりも広くて充実しているといえる。

利用法にも特徴がある。「公園を利用する目的」を東京・愛知・大阪の三大都市で比較すると、東京・大阪では「散歩」が最も多くそれぞれおよそ30％、「遊ぶ」は約11％。対して愛知は「遊ぶ」が「散歩」とともに約28％で並ぶ❶。「誰と公園に行きますか?」でも違いは顕著で、東京・大阪は「1人」が半数以上なのに対して、愛知は「家族」が約55％でトップ❷。愛知では

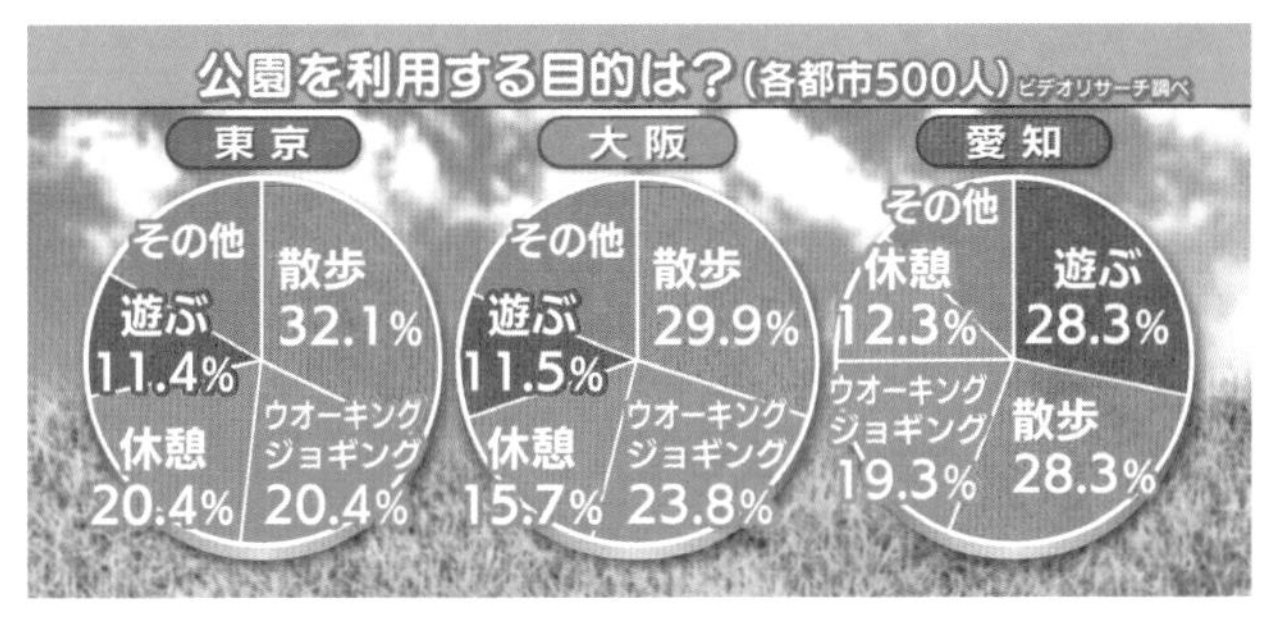

❶車社会の愛知では郊外の公園へ家族でドライブがてら遊びに行くことも多い

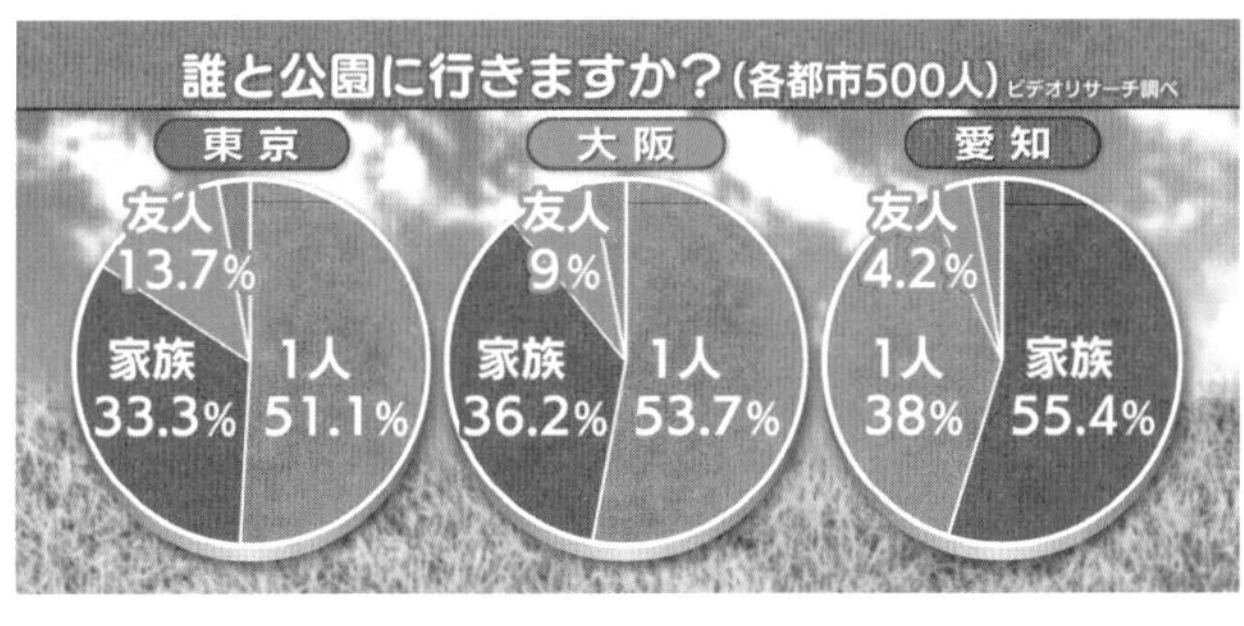

❷愛知県民にとって公園は家族で安上がりに楽しめるレジャー施設の1つといえる

公園は家族で遊びに行く場所で、それだけ広くて遊具なども充実した公園が多いのだといえる。

歴史・運動・動植物公園の数で3位以内 野球場並の公園も多い

都市公園には、誰もが知る大規模なものから近所の人しか知らないごく小さなところまで様々なタイプがある。比較的規模が大きく利用者も多い「歴史公園」「運動公園」「動植物公園」の都道府県ランキングで、愛知はそれぞれベスト3以内に入っている。

「歴史公園」(土地固有の歴史的資産を活かしている公園)の数は21カ所で全国3位。岡崎公園、古戦場公園(長久手市)などがこれにあたる(名古屋城は名城公園に含まれ「総合公園」)。

「運動公園」(運動することを目的として作られた公園)は48カ所で2位。パロマ瑞穂スポーツパークなどがある。愛知は「日常的にスポーツをする人」の割合が71・6％＝全国6位と多く、運動公園の多さもこれに貢献しているといえそうだ。「動植物公園」（動物園、植物園など特殊な利用に供される公園）は5カ所で3位。東山動植物園が代表的なものだ。

その他では「地区公園」（住民の徒歩圏内にあり4ヘクタール以上の面積を持つ公園）も多く、89カ所で北海道に次ぐ全国2位。名古屋の白川公園などがこれにあたる。4ヘクタールとはバンテリンドーム ナゴヤよりやや小さいくらいの規模で、つまり愛知には野球場並の広さを持つ公園がたくさんあるということになる。また100メートル道路の中央の緑地帯を活かした久屋大通公園、若宮大通公園といった大通公園が都心部にあるのも愛知ならではの特徴といえるだろう。

公園が大変身！ 民間のアイデアとノウハウで魅力アップ！

公園は〝公〟とつく通り公共の空間であり、これまで国や地方自治体が管理してきた。しかし近年、従来のあり方を大きく変える出来事が。2017年に都市公園法が改正され、公園の開発や運営に民間企業が参入できるようになったのだ。名古屋では名城公園内の「ｔｏｎａｒｉｎｏ」もこの法改正に合わせて2017年4月にオープンした民間による複合施設。カフェやレストランの他、ランナーが多い利用者向けにシャワールームやロッカールーム、スポーツショップなどを完備している。

この他、民間のノウハウや活力を活かした公園整備の例では、大高緑地内の恐竜アトラクション「ディノアドベンチャー名古屋」、県営新城総合公園内の森林アクティビティー「フォレストアドベンチャー・新城」、名古屋城の正門・東門周辺に人気飲食店を集めた「金シャチ横丁」、2020年9月にリニューアルオープンした「ＲＡＹＡＲＤ Ｈｉｓａｙａ-ｏｄｏｒｉ Ｐａｒｋ」

(レイヤードヒサヤオオドオリパーク=久屋大通公園)などがある。「RAYARD Hisaya-odori Park」は北側の広大な芝生広場が大きな魅力で、青空の下で開催されるイベント会場としても好評。都心の真ん中でピクニック気分でくつろぐ、これまでになかった公園での過ごし方、楽しみ方を生み出している❸。

ジブリパークの誕生で公園の魅力も愛知の観光客もアップ!

「ジブリパーク」の開業も待ち遠しい。愛・地球博記念公園(長久手市)内に2022年秋に開業する「青春の丘」、「ジブリの大倉庫」、「どんどこ森」の3エリアなど、計5エリアで構成され、ジブリ作品の世界観を体感できる。日本中に多くのファンを持ち、世界的評価も高いスタジオジブリの大規模な施設だけに、公園の活性化は、観光客の誘致にも期待がかかる❹❺。

❹ジブリパーク「ジブリの大倉庫エリア」デザイン画©Studio Ghibli

❺「青春の丘エリア」デザイン画©Studio Ghibli

❸都心のど真ん中とは思えない開放感が好評のRAYARD Hisaya-odori Park

民間企業による公園再生が進む背景を、万博の会場整備も担当した元国土交通省公園緑地・景観課長の町田誠さんはこう解説する。

「全国の都市公園整備事業費は1995年＝1兆2600億円→2016年＝3955億円と20年で1／3に縮小している。少子高齢化で税収が減り、以前ほど予算を投入できなくなっているが、全国には12万ヘクタールも公園があり、今後も有効に活用していくべき。そのためには民間の力を投入し、魅力やサービスを高めていく必要がある」。

富士山すべり台は名古屋オリジナル
今も100基以上が残る公園の花形

子どもたちを楽しませてきた遊具にも意外な地域の独自性がある。

名古屋の人なら懐かしく感じるであろう富士山型のすべり台❻。実はこれ、名古屋オリジナルで、市内および近郊でしかほぼ見られない。昭和40年代に市の職員が引いた図面が基で、市内を中心におよそ140基がつくられた。破損や公園の縮小で少しずつ数を減らしているが、今なお100基以上が現存する。

「名古屋市の職員に〝大きく面白い遊具をつくろう〟という気概があった。コンクリート製で1つ1つ現場での手づくりなので、優れた設計と腕のいい職人の組み合わせがあって初めて可能になった」とは岐阜県立国際園芸アカデミー学長で、名古屋市職員時代に公園緑地行政を担当した今西良共さん。

アマチュア写真家で20年にわたって富士山すべり台を撮影し続けている牛田吉幸さんは「子どもが多かった時代に大勢で遊べる遊具として重宝されたので

❻昭和41年を皮切りに公園の目玉として作られた。正式名はプレイマウント

しょう。身近で面白い名古屋名物として今後も愛されていってほしい」と語る。

乳児からシニアまで素材も目的も進化する公園遊具

公園遊具を数多く手がける内田工業（名古屋市）によると、近年増えているのは①プラスチック・ゴム製遊具②複合遊具③乳児用遊具④健康遊具の4つのカテゴリー。①旧来の木材や鉄に比べて安全性・耐久性が高い上に造形や色彩の自由度も広がる②限られた敷地でも多様な遊びができる③かつては3〜6歳（幼児用）までだったが、つかまり立ちやひとり歩きの練習にもなる3歳未満用の遊具のニーズが高まった④高齢者の健康増進のための公園利用の増加…というのがそれぞれ増えている理由だ。

特に健康遊具を充実させた施設は増えている。1998年＝4821カ所→2016年＝2万6040カ所とおよそ20年の間に、全国でなんと5倍に急増している（国土交通省都市局）。

防災拠点の役割も担う公園市民も一緒に進化させる時代に

もう1つ増えているのが災害に対応する設備。座面を外すとかまどになるベンチ、シートで覆えば救護スペースに早変わりする日陰棚など。自然災害のリスクが高まる中、公園の防災拠点としての役割も大きくなっているのだ。その方向性について前出・町田さんはこう提言する。

「かつての公園整備は〝数〟を用意するという考えだった。しかし、公園は使われてこそ意義がある。そのために設備も利用目的もバリエーションは広がっていく。管理者任せではなく、これからは市民も一緒になって公園の使い方を進化させていく時代です！」。

2018年7月29日放送

〝お出かけスポット〟東海地方の「サービスエリア」徹底調査

グルメ、産直、アミューズメントと充実度が高まる高速道路のSA・PA。かつての〝目的地までの休憩場所〟から今や〝旅の目的地〟に。なぜこんなに進化したのか？　東海のSA・PAからその魅力と秘密を探る。

愛知はSA・PAの数で全国10位
東京、大阪と比べて大型の施設が多い

全国の主要高速道路・都市高速道路にあるサービスエリア&パーキングエリア（SA・PA）は897カ所。もともと高速道路の移動中の休憩場所だったが、近年はグルメ、ショッピング、アミューズメントの要素が充実し、旅の目的地になるほど進化をしている。

ちなみにSAとPAの違いは、高速道路を運営するNEXCO（ネクスコ）中日本の基準では、SAは給油所があり人と自動車が必要とするサービスを満たす休憩施設とされ、約50キロに1つSAを置くことが決まっている。PAは原則、給油所のないSAの補完的施設。とはいえ最近はSAに負けないくらい充実した施設も増えている。

愛知のSA・PAは26カ所（上りと下りを別々に集計）で全国10位。全体的に地方部に多い傾向にあり、東京、大阪に比べると都市部としては多い。東京や大阪は都市高速にPAが多いの

に対し、愛知は大型のSAが多いのが特徴だ。

愛知県民1000人に尋ねると「高速道路を利用する」人は72・8%。かなり多くの人が高速道路を活用していることが分かる。

東海3県には72カ所のSA・PAがあり、立ち寄り人数のランキングは❶の通り。6～10位は岐阜が多く、1位には上下線が集約している愛知の岡崎SAが入った。刈谷PAと御在所SAは上下線を合わせれば岡崎SAを上回り、1、2位にランクアップする。

魅力的なSA・PAのキーワードは「〇〇つくし」!!

魅力的で人気の高いSA・PAにはそれぞれ特徴がある。そのキーワードは「〇〇つくし」だ。

「鈴鹿PA」（上り・下り／新名神高速道路・三重県鈴鹿市）の特徴は〝地元づくし〟。ここは

東海3県 立ち寄り人数ランキング

※ 週末1日あたり

順位	SA・PA	方向	県	人数
1	岡崎SA	集約	愛知	約4.4万人
2	刈谷PA	上り	愛知	約2.9万人
3	御在所SA	上り	三重	約2.8万人
4	刈谷PA	下り	愛知	約2.5万人
4	御在所SA	下り	三重	約2.5万人
6	養老SA	下り	岐阜	約2.2万人
7	恵那峡SA	下り	岐阜	約1.8万人
7	養老SA	上り	岐阜	約1.8万人
9	恵那峡SA	上り	岐阜	約1.6万人
10	上郷SA	下り	愛知	約1.5万人

※NEXCO中日本管轄の高速道路にあるSA・PAから算出

❶養老SAはビーフシチューや牛めし（上り）、ハンバーグ弁当（下り）など飛騨牛グルメが充実

世界最高峰のモータースポーツの舞台でもある鈴鹿サーキットのお膝元だけあって、レースにも実際に出場した本物のF1マシンやバイクレース用スーツなどを展示。トイレのエチケット用音声発生器はなんと「ブォォ〜ン！」と車のエンジン音が流れる。フードコーナーでも地元の特産品に力を入れ、地域の伝統工芸品である墨を食用に改良してブレンドした「鈴鹿墨味噌らーめん」も食べられる。

「川島PA」（上り・下り／東海北陸自動車道・岐阜県各務原市）は〝遊びつくし〟できる大人気スポット。高さ70メートルの大観覧車、全長65メートルの巨大遊具、巨大迷路などがあり、さらには屋外バーベキューコーナー、世界最大級の淡水魚水族館、コマやけん玉など昭和の遊び体験、木船での川の遊覧と楽しめる要素が詰まったまさにテーマパーク！　奇しくも敷地面積53・4万平方メートルはUSJ＝54万平方メートルとほぼ同等だ。

SA・PAの施設はなぜこれほど充実したのか？　きっかけは2005年の高速道路の民営化だ。日本道路公団が分割民営化され、NEXCO中日本など3社で管理運営を行うことになった。「それ以前は競争の原理が働かないため、カレーとうどんとアメリカンドッグがあればいいという感じでどこも変わり映えしなかった。対して一般道では道の駅が充実してきて食事はそちらでとるというドライバーが増えてきた。SA・PAも道の駅に負けない施設づくりをしなければ、と考

愛知県民1000人アンケート

サービスエリアにほしいサービス、施設は？

男性		女性	
1位	温泉・足湯	1位	温泉・足湯
2位	休憩・仮眠施設	2位	子どもの遊び場
3位	宿泊施設	2位	マッサージ
4位	マッサージ	4位	休憩・仮眠施設
5位	コンビニ	5位	きれいなトイレ

※ビデオリサーチ調べ

❷男性は疲れを癒やす、女性は家族での過ごし方を重視

え方が大きく変わった」。そう評するのは高速道路愛好家で全国約850カ所のSA・PAを訪問している佐滝剛弘さん。

コンシェルジュに忘れ物発見センサーサービスはよりきめ細かく

愛知県民がSA・PAにほしいサービス、施設のランキングは❷の通り。男性は運転の疲れを癒やせる施設、女性は子どもを遊ばせる施設やトイレに対する要望が高い。

施設が充実するのに合わせて利用者の要求も高くなっている。このような声に応えて、SA・PAでは、いっそうきめ細かいサービスも取り入れられている。例えばエリア・コンシェルジュ。ホテルの総合案内係のように専門のスタッフが、施設内の案内や拾得物の受付はもちろん、近隣の観光施設の情報提供、提携する周辺施設のチケット販売や近隣ホテルの予約にも対応してくれる（サービス内容はSA・PAにより異なる）。NEXCO中日本が管轄する中では、東海3県では「上郷SA」、「岡崎SA」、「養老SA」、「御在所SA」、「恵那峡SA」、「安濃SA」（以上すべて上り・下り）、「関SA」（上り）、「長良川SA」（下り）に設置されている。

愛知から新たに広まろうとしているサービスが、AIがトイレでの忘れ物を発見してくれる「アウトラインセンサー」。天井に設置されたセンサーがトイレ内の人や物のシルエットを検知し、入室前と後で違いがある場合は音声で知らせてくれる。2018年6月から「鞍ヶ池PA」（内回り、東海環状自動車道／豊田市）で検証実験を行い、その後精度が高まったため、今後全国で導入される計画となっている。

日本初の方式で建物もグルメも魅力的になった知多半島道路のSA・PA

愛知には〝日本初〟の試みから生まれたSA・PAもある。国内の道路では初めてコンセッション方式によって生まれ変わった知多半島道路の「阿久比PA（下り）＝愛称・大地の種」と「大府PA（上り）＝愛称・華の種」だ。コンセッションとは自治体などが運営していたものを所有権は残し、民間に運営を委託する仕組み。

新国立競技場も手がけた建築家の隈研吾さんの設計で改修された建物は、SA・PAとは思えないほどモダンでおしゃれ。飲食店のメニューやお土産商品は、人気パティシエの辻口博啓さんら有名シェフと地元食材のコラボで同PA限定の逸品の数々を開発。リニューアルオープンは2018年7月で、初年度は改修前より20％多い立ち寄り客を集客した。

道路のコンセッションが愛知で初めて導入された理由を前出・佐滝さんはこう解説する。「地域住民以外にも知多方面への観光客、中部国際空港 セントレアの利用客など多様な人が利用する道路で、県営の道路としては比較的長距離。国営以外の高速道路で集客力のある魅力的な道路が残っていたのが愛知だということ」。

通行料収入よりSA・PAの売り上げが高速道路の収益の柱に

SA・PAの売上高は近年増加傾向にある。高速道路を管理するNEXCO中日本の事業別利益でも、2015〜2017年度のデータでは、サービスエリア事業の方が高速道路事業による収入よりも大きく、しかも安定している❸。このような収益構造から、運営側もSA・PAの売り上げは経営を支える重要な柱だと考え、様々な戦略に取り組んでいる。

【SA・PAの戦略1】一般道から客を呼び込む

近年増えているのが「ぷらっとパーク」。これはもともと従業員用の駐車場だったスペースなどを開放し、一般道からもアクセスできるSA・PAの駐車場としたもの。今ではNEXCO中日本のSAの9割に設置されている。

【SA・PAの戦略2】客を引き寄せる売り場をつくる

　ウリにする新商品は専用ディスプレイを通路側の目立つ場所などに設置。小売業界では当たり前のことだが、SA・PAにとっては新しい試みだ。

【SA・PAの戦略3】商品の魅力を直接売り込む

　売り場に販売員を配置し、試食販売で積極的に売り込む。これも百貨店はじめ小売業界ではおなじみの方法だが、SA・PAではスタッフの数が限られるためほとんど行われていなかった。

【SA・PAの戦略4】地元参加型の商品開発

　地元の老舗メーカーや学生とのコラボで限定商品を開発。ここでしか買えない希少性や地域性を打ち出す。

　かつてSA・PAは車で遠出をする際に立ち寄る場所だった。しかし、今や身近な近場ドライブの目的地になり、その魅力もどんどんアップしている。特に愛知、東海は車社会だけあって、その進化は全国に先んじている。便利に、上手に活用して、ドライブライフを楽しみたい。

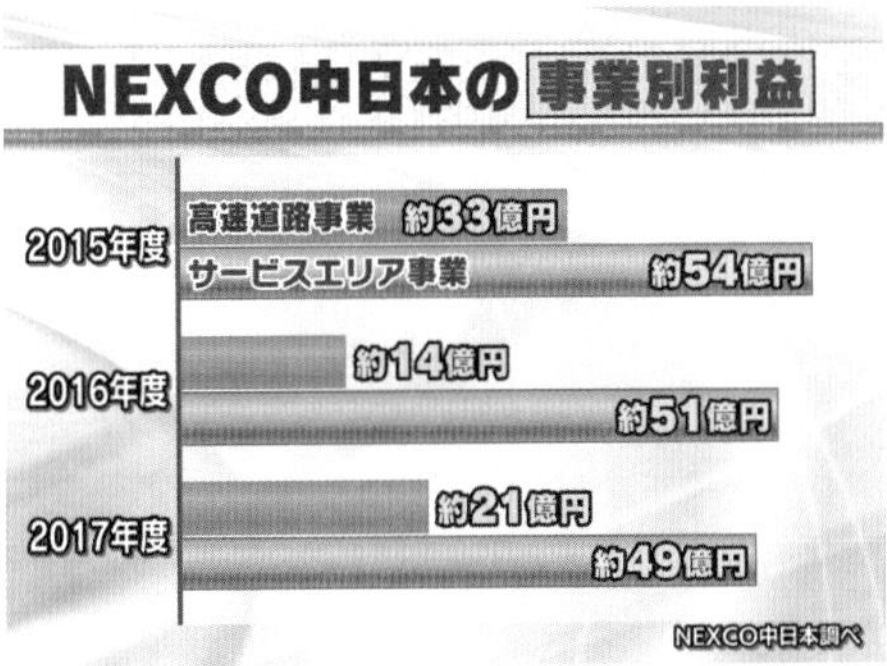

2019年4月21日放送

❸「通行料収入はこの先大きな増収を見込めず不安定。今やSA・PAの売り上げで高速道路を維持管理しているとさえいえる」と高速道路愛好家・佐滝剛弘さん

都市はどこまで進化した!? 徹底分析! 名古屋の「平成30年史」

「失われた30年」とも称されとかく暗い話題が目立つ平成時代。名古屋・愛知にとってはどんな時代だったのか? 愛知万博に沸き、超高層ビルや新名所が次々と誕生し、都市整備も進んだこの地域の変遷をふり返る。

日本の平成＝「混乱の時代」 名古屋の平成＝「進歩的な時代」

平成の30年の間に日本、そして愛知で起こった出来事、あなたは何を思い浮かべるだろう?

愛知県民1000人に尋ねた「平成の愛知で印象的な出来事」のベスト5は次の通り。

第1位　愛・地球博開催（平成17年）
第2位　中部国際空港 セントレア 開港（平成17年）
第3位　東海豪雨（平成12年）
第4位　JRセントラルタワーズ竣工（平成11年）
第5位　中日ドラゴンズ 53年ぶり日本一（平成19年）

平成時代全体に対するイメージはどうか?「あなたにとって平成はどんな時代だったか」を尋ねると、「混乱の時代」と答えた人が最も多

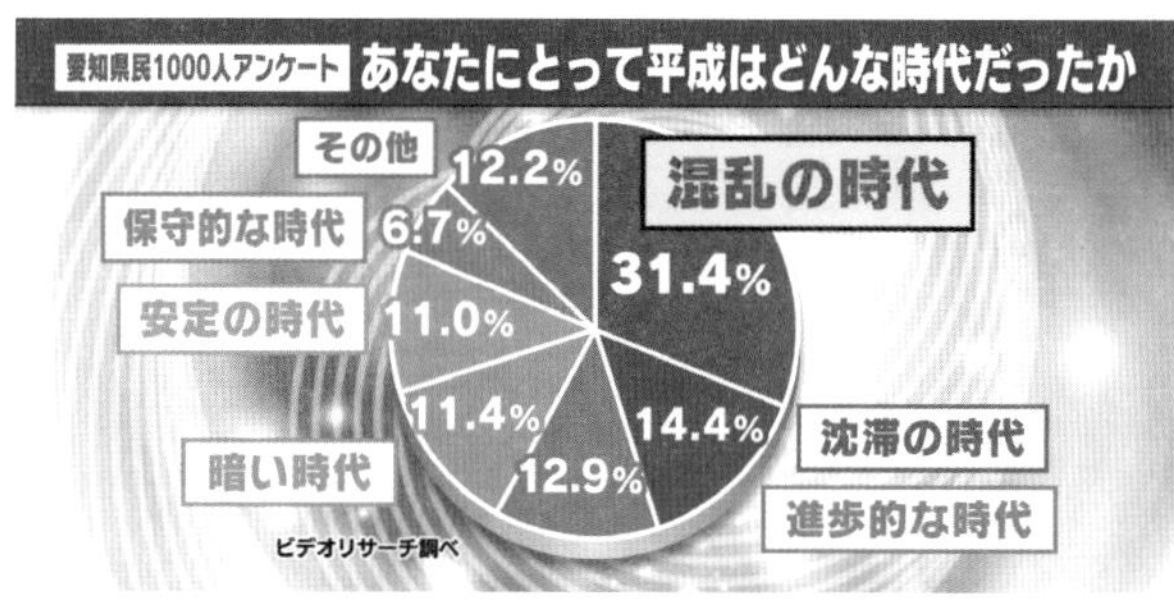

❶「平成」＝消費税導入、バブル崩壊、自然災害、テロなどネガティブな印象が強い

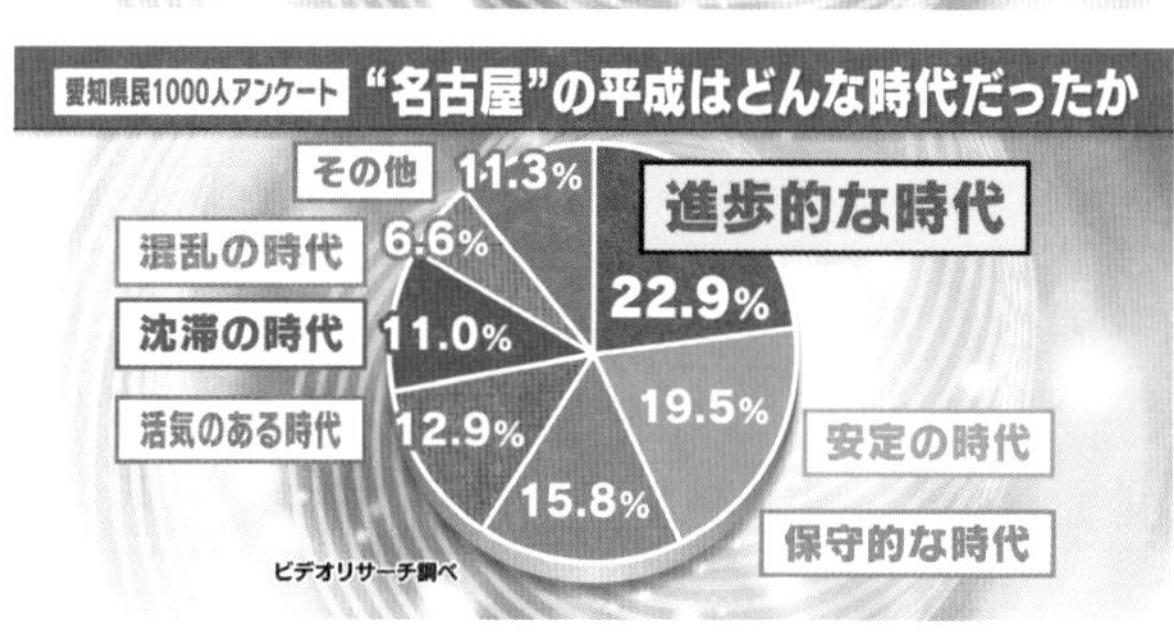

❷「名古屋の平成」はポジティブな回答がズラリ。平成の日本と名古屋はパラレルワールドだった!?

く、全体の3割を占めた❶。消費税導入に始まり、バブル崩壊、自然災害、テロなど社会が混乱する出来事が次々と起こり、そんな社会情勢を反映した結果といえる。

ところが、「〝名古屋〟の平成はどんな時代だったか」の問いに対しては「進歩的な時代」の回答が最も多く、「安定の時代」「活気のある時代」などポジティブにとらえる回答が多数を占めた❷。〝日本〟と〝名古屋〟は異なる平成時代を送っていたのだろうか？

高層ビル建設ラッシュの時代
100メートル超え2棟→28棟へ

平成における名古屋の〝進歩〟を象徴するのが「2棟→28棟」という数字。これは市内の高層ビルの数。昭和の時代には、高さ100メートル以上の高層ビルは名古屋国際センタービル（102メートル）と住友生命名古屋ビル（10

２メートル）の２棟しかなかった。しかし、平成の時代になると名古屋駅周辺の開発が進み、ＪＲセントラルタワーズ（１９９９（平成11）年・２４５メートル）、ミッドランドスクエア（２００６（平成18）年・２４７メートル）など超高層ビルが次々と誕生。１００メートル超えは合わせて28棟と珍しいものではなくなった。

平成元年～10年は新名所誕生で名古屋が観光都市に

平成元年＝名古屋市制１００周年で幕を開けた平成最初の10年は、今も全国から多くの人が訪れる名古屋の二大人気スポットがデビューした時代。１９９２（平成４）年にオープンしたのが名古屋港水族館。年間２００万人以上、全国でも動員数トップ３に入る大人気水族館だ（詳細は１４２ページ～参照）。

１９９７（平成９）年にはナゴヤドーム（現・バンテリンドーム ナゴヤ）が開業。東京、福岡、大阪に続く日本で４番目のドーム球場だ。いうまでもなく中日ドラゴンズの本拠地だが、実はこの年、中日ドラゴンズのオープン戦よりも早く会場を一杯にした人気者がいる。それはロックアーティストのＢ'ｚ。大阪ドームとナゴヤドームがこの年開業したのに合わせて四大ドームツアーが開催されたのだ。コンサートは例年約30回。中日ドラゴンズの主催試合60数試合に対して、その半分にあたる数がライブ会場となり、音楽ファンにとっても熱い視線を注がれるスポットとなっている。

他にも平成の間には愛知県内に新名所が次々に誕生。１９９６（平成８）年＝ナディアパーク、２００１（平成13）年＝豊田スタジアム、２０１１（平成23）年＝リニア・鉄道館、名古屋市科学館のリニューアル、２０１７（平成29）年＝レゴランド®・ジャパン、２０１８（平成30）年＝名古屋城本丸御殿などが話題と人気を集めた。

名古屋の観光客は1・8倍に急増

こうしたスポットの増加にともない、名古屋市内の観光施設を訪れる人の数も急増している。1989(平成元)年には1566万人ほどだったが、2017(平成29)年には2884万人に。平成の間に観光客は1・8倍にも増えている❸。

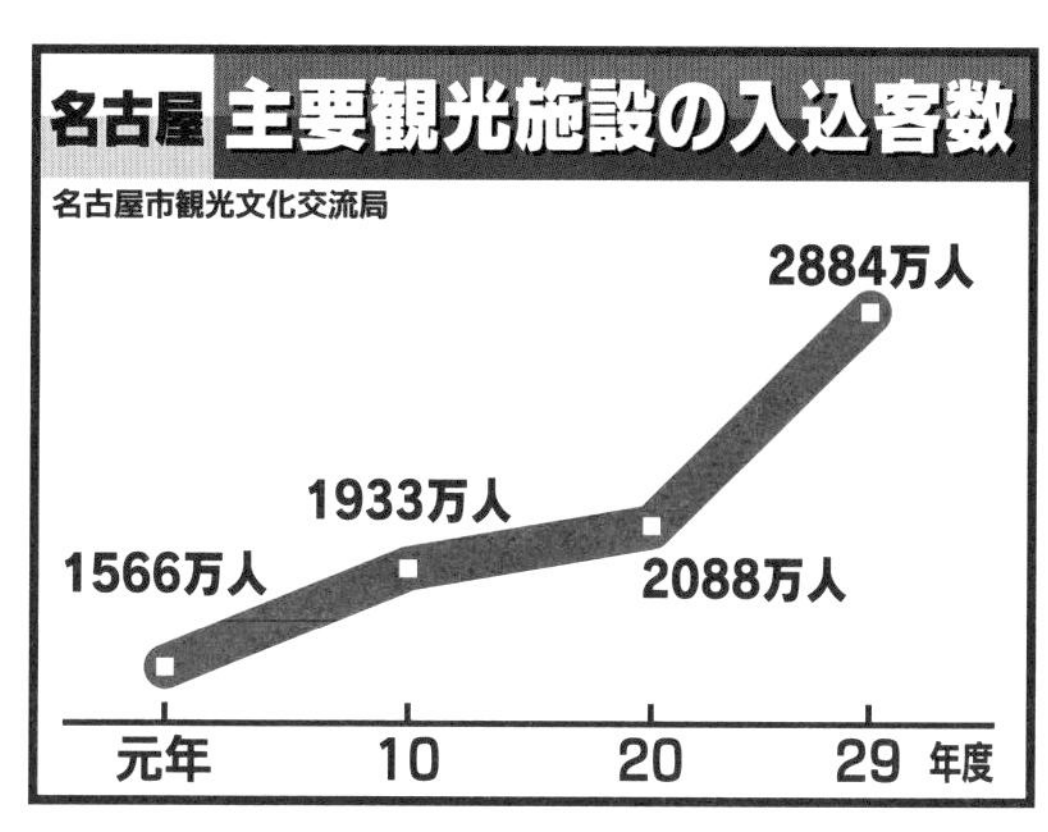

❸2005(平成17)年の「愛・地球博」は半年で2200万人以上を集客。上グラフの名古屋だけでなく、愛知全体の観光客も平成終盤の10年で約4割伸びている

来訪者の増加に合わせて宿泊施設も充実。愛知県内のホテルは1990(平成2)年＝152カ所→2017(平成29)年＝301カ所とほぼ倍増している。

一方で、名古屋にはまだ魅力に欠けているという見方もある。名古屋市が全国8都市を対象に「買い物や遊びで訪れたいか?」と聞いたアンケートでは、名古屋が他の都市と比べて、訪れたいという気持ちを持っている人が極端に少ないという結果となった。

平成11～20年は交通網の発達で名古屋が国際都市に!?

交通網の発達も平成の名古屋・愛知の大きな変化。中部国際空港セントレアの開港は2005(平成17)年。1997(平成9)年に万博の愛知開催が決定したことで急ピッチで進められ、新技術の積極的な導入などで万博初日の1カ月前のオープンを実現した。

鉄道網の整備も大きく進んだ。平成元年までは名古屋の地下鉄は3路線（東山線、名城線、鶴舞線）しかなかったが、その後、桜通線、城北線、上飯田線の開通、名城線の環状化、あおなみ線、リニモの開通とネットワークが次々と整備されていった。

高速道路も平成の間に名古屋高速道路が全線開通。名二環の延伸、伊勢湾岸自動車道、東海環状自動車道が開通するなど、名古屋圏の自動車専用道路ネットワークがほぼ完成した。

極めつけは２０２７年以降開業予定で進められているリニア中央新幹線の開通。完成すれば品川〜名古屋間が40分で結ばれることになる。

愛知の都市整備に詳しい岐阜大学客員教授の加藤義人さんはそのインパクトをこう評する。

「2時間マーケット＝2時間で到達できるエリアの人口規模は、現状では東京が４１００万人で国内最大。しかしリニアが開通すると名古屋の2時間マーケットが約５０００万人となり国内最大となる。このように、開通後の名古屋の立地条件は飛躍的によくなるため、一般の消費者が名古屋へ来やすくなると同時にビジネスの分野でも〝名古屋をもっと活用しよう〟という動きが加速する。外国人からは品川から40分圏内ということで、東京と名古屋をセットと考えられることになり、よりお値打ちな名古屋に投資をしようという動きも出てくるはず」。

平成21〜31年 新商業施設で名古屋色倍増

平成後期は引き続き名駅周辺の再開発ラッシュ。２０１６（平成28）年＝大名古屋ビルヂング、シンフォニー豊田ビル、２０１７（平成29）年＝JRゲートタワーと商業施設をともなう高層ビルの開業が相次ぐ。

栄から名駅へ商業の中心の移行も進んだ。２００８（平成20）年に名駅地区の地価が栄地区を

※日本百貨店協会統計年報を基に番組が作成

❹平成29年にJRゲートタワーが開業し、大幅増床でジェイアール名古屋タカシマヤの売り上げが躍進。平成30年には栄の丸栄が閉店した

❺同調査でなごやめしは満足度や目的などの項目で平成22～29年まで連続トップ。名古屋の観光をけん引してきた

初めて逆転し、2018(平成30)年に主要百貨店の売り上げでも名駅が栄をついに上回ったことは、この変化を象徴するトピックだった❹。

新たな名所となった商業施設が、強力な集客コンテンツとしたのが「なごやめし」だ。愛・地球博をきっかけに認知度を高めたご当地グルメ、なごやめしは、他地方の人の「名古屋を訪れた目的」でトップに輝くほどになっている❺。

名駅に話題を独占されてきた栄だが、2020年には名古屋テレビ塔周辺の久屋大通公園がリニューアル。さらに2022年以降には、中日ビルの建替や丸栄跡地の新商業施設建設の計画も進められている。令和の時代は栄の巻き返しの動きが活発化しそうだ。

日本全体の停滞に反してイケイケだった名古屋の平成30年史。このアドバンテージを有効に活かせるかは、令和の町づくりにかかっていることは間違いない。

2019年3月17日放送

“地上”と共に進化中!? 愛知の“地下事情”を分析

名古屋名物の1つ、地下街。規模は全国でも有数で地域ならではの特色もある。なぜ名古屋で地下街がこれほど発展したのか？　そして関係者しか知らない意外な地下の活用法とは？　愛知の地下事情を深～く掘り下げる！

名古屋の地下街の総面積は全国3位 東名阪で店舗構成に大きな違いが

名古屋の地下街の総面積は16万9700平方メートル。これは東京、大阪に次ぐ全国3位で、人口比では全国トップ。名古屋と栄でほぼ同じ面積を分け合い、個々の地下街の広さランキングでは全国4、5位に並んでいる❶。ちなみにこの広さは、「バンテリンドームナゴヤ」3・5個分に相当する。

東京、名古屋、大阪の地下街の特徴がはっきりと表れるのが店舗の種類。東京・新宿駅は半数以上がファッション関連の店で、続いて多いのが外貨両替、チケットセンター、靴修理、占いなどのサービス。飲食店は意外やわずか5％しかない。名古屋駅はファッション関連と飲食店が3割前後でほぼ同じくらい。大阪・梅田駅も内訳は名古屋駅とほぼ同じだ。しかし、飲食店の種類を比較してみるとこれまた特徴的な違いが。カフェ・喫茶店が一番多いのは名古屋駅、大阪・梅田駅とも同じだが、名古屋駅では二番目に多いのが日本食で、きしめんや味噌カツ、ひつまぶしなどなごやめしの店が相当数ある。一方、梅田駅で二番目に多いのは居酒屋・バーで、名古屋駅の地下にはない立ち飲み店が多い❷。

地下鉄、駅ビル、駐車場
都市の開発と合わせて地下街も発展

名古屋の主要地下街の発展の歴史をざっと紹介しよう。

名古屋で地下街が発展したきっかけは地下鉄。地下鉄の開通を見越して、1957年3月18日、日本初の本格地下街として開業したのが「ナゴヤ地下街」（現・サンロード）。地上と地下鉄の間をぬうように建設されたため、線路のカーブに沿って地下街の通路もカーブしている。地下鉄東山線の名古屋駅〜栄駅の開通は同年11月で、実は地下鉄よりも地下街の方が半年あま

※番組調べ

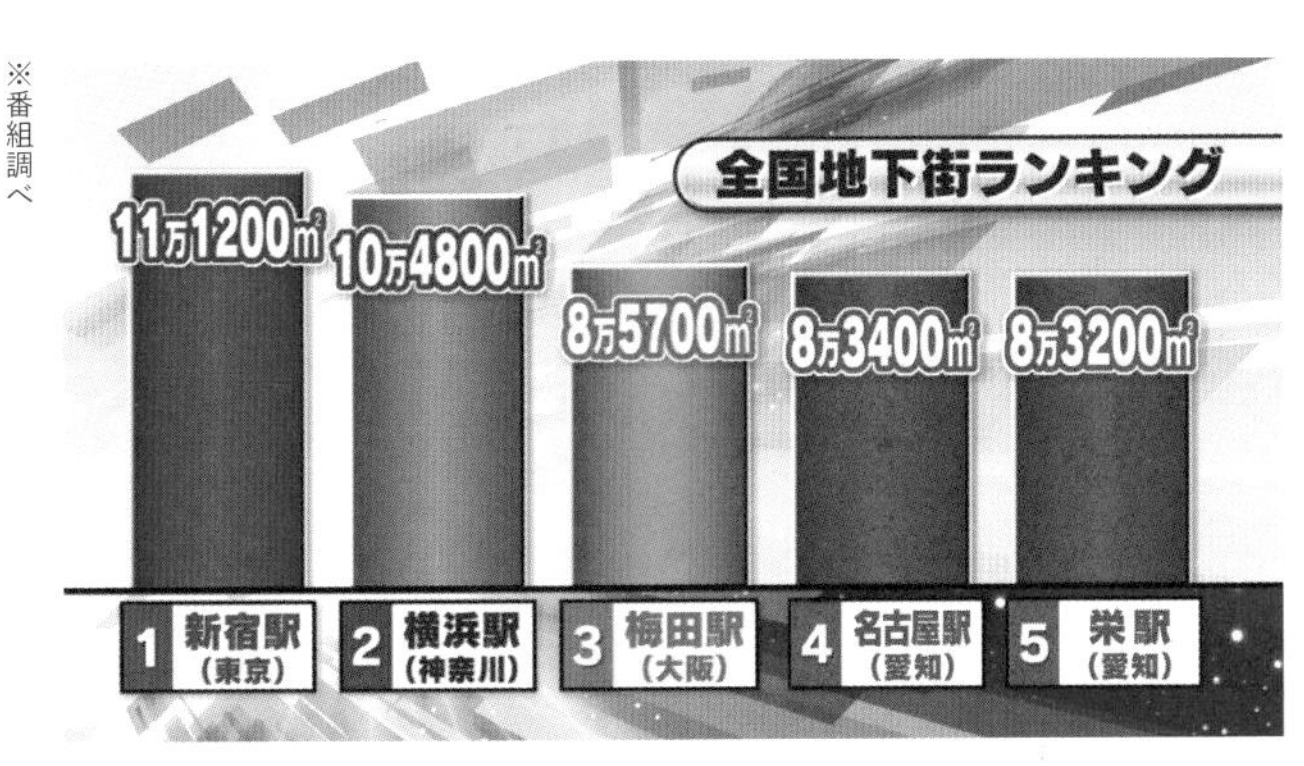

❶名古屋駅、栄駅共にいくつもの地下街が連なり合って一エリアの地下街を構成している

※番組調べ

地下街店舗の内訳

凡例：ファッション／飲食店／サービス／ビューティー&リラクゼーション／生活用品

新宿駅：ファッション 53%、サービス 23%、10%、6%、5%

名古屋駅：ファッション 34%、飲食店 28%、11%、11%、8%

梅田駅：ファッション 33%、飲食店 30%、15%、11%、7%

名古屋駅	
カフェ・喫茶	26%
日本食	24%
そば・うどん	9%
ラーメン	7%
テイクアウト	5%

梅田駅	
カフェ・喫茶	28%
居酒屋・バー	24%
そば・うどん	7%
カレー	4%
テイクアウト	4%

❷名古屋駅と栄駅、名古屋の地下街はいわゆる飲み屋がほとんどないのも特徴

り歴史が古い。サンロードの開業時には20万円（現在の200万円相当）が当たる抽選券も配られ、盛り上がりにいっそう拍車をかけた。

地下鉄開通と同じ同年11月には「新名フード地下街」、「メイチカ」が開業❸。「メイチカ」は「両口屋是清」や「大和屋守口漬総本家」「廣寿司」などこの当時から続く名古屋の名だたる老舗が多いのが特徴。当時の最先端スポットだった地下街に店を構えることは、企業にとってはステイタスであり、そこで買い物することは消費者にとってはトレンディで憧れのことだったのだ。

1960年代は名古屋駅前でビルの建設ラッシュが起き、そのビルの地下を活かす形で地下街も建設される。

1970年代は自動車で買い物に訪れる人が増えて駐車場不足が深刻化。これに対応して、「ユニモール」❹や「エスカ」❺、栄の「セントラルパーク」など駐車場併設の地下街が建設されるようになる。

❸名古屋を代表する老舗の名店が多い「メイチカ」

❺「エスカ」はなごやめしの店が人気を集める

❹「ユニモール」はファッションの人気店が連なる

❻“飲める地下街”「チカマチラウンジ」

交通戦争から歩行者を守る地下街 市民の意識も根づいた要因

名古屋で地下街が発達した一番の理由は、車社会に対応する安全対策。1950年代当時、既に名古屋駅周辺では自動車の交通量が非常に多く、車道も歩道も混雑が激しかった。市電は1分に1台、市バスは1分に3台運行し、停車場付近では乗客が車道にまであふれ返り、交通事故が多発。そこで「車は地上、人は地下」という考え方が生まれ、安全性が高い地下街が相次いで建設されることとなったのだった。

名古屋駅で地下街が発達した要因は市民の意識にもあると、地下空間利・活用研究所所長の粕谷太郎さんは語る。「もともとJR、名鉄、近鉄が乗り入れる大型駅として、地下鉄が乗り入れる以前から地下ターミナルが発達していたことが背景になっている。そのため市民の理解度も高く、とらえ方も肯定的だったと考えられる」。

今も進化する地下街。名駅地下は回廊化 栄の地下街はよりおしゃれに

1978年のセントラルパークの完成によって、ほぼ現在の形に整備されることとなった名古屋の地下街だが、開発はさらに続いている。

名古屋駅周辺では、2012年完成の名古屋クロスコートタワーの地下に、バーや居酒屋など11店舗を集めた「チカマチラウンジ」❻が登場。名古屋にはそれまでなかった〝飲める地下街〟として差別化を図っている。

2016年9月にはシンフォニー豊田ビルがオープンし、地下に「メグルメガーデン」が開業。「チカマチラウンジ」も「メグルメガーデン」も既存の地下街と通路で結ばれていて、ぐるりと一周できる名駅地下回廊が誕生した。

栄駅では2019年にサカエチカが明るくおしゃれに。翌年にはセントラルパークも約120店舗中14店舗がニューオープンまたはリニューアルした。

リニア開業に向けて進む巨大地下工事
未来の鉄道はなぜ地下を走る？

地下の開発は地下街だけではない。今、名古屋で最も大規模な地下開発がリニア中央新幹線関連だ。２０２７年以降の開業を目途に進められているリニア中央新幹線は、名古屋と品川を結ぶと全長２８６キロ。そのうち愛知を走るのは24・8キロで、名古屋市内がおよそ8キロ、春日井市内がおよそ17キロ❼。この区間はすべてトンネルなので、リニアが地上を走っている姿を見ることはできない。その分、今現在地下での工事が進められている。

リニア中央新幹線の名古屋駅は、既存の新幹線やJR在来線のホームと直角に交わる形で建設され、新幹線から3～9分でスムーズに乗り換えができることが想定されている。

これに合わせて名鉄名古屋駅も2倍以上に拡張される予定。地下にある名鉄名古屋駅は面積

❼リニア中央新幹線では、およそ５kmごとに非常口を設置。県内では名古屋市の名城非常口、春日井市の勝川、神領、坂下、西尾の各非常口の合わせて5カ所が建設される

が狭いためにホームが3つしかなく、同じホームからひんぱんに異なる方面へ電車が出発しているが、拡張すれば豊橋や中部国際空港 セントレア、岐阜など行先ごとにホームをつくることが可能となる。

地下開発は鉄道関連だけじゃない 市民の安全を守る知られざる地下空間

2000年のある出来事を機に、名古屋市内で大々的に建設された地下施設がある。市内に現時点でおよそ100カ所建設されているその施設とは雨水調整池。下水管だけでは処理しきれない雨水を一時的に貯めておく施設だ。他に中川運河上流部では深さ約65メートルの大規模なポンプ所も建設されている。これらがつくられるきっかけとなったのが東海豪雨だ。

この他にも、バンテリンドーム ナゴヤの地下には長さ570メートル×幅40メートルの地下鉄186両を留められる地下鉄用車庫が、名古屋城の駐車場地下には地下5階づくりの高圧変電所などがある。

「日本の大都市では、地上の空間はほとんど市街地になっていて空閑地がない。そのため新規に必要となるインフラや交通施設などは地下空間を利用することになるのです」と東京都市大学大学院教授の宇都正哲さん。

現在、名古屋の地下鉄の駅の中で最も深い場所にあるのは地下鉄桜通線・丸の内駅。その深さは地下23・9メートル。今から数年後に完成予定のリニア中央新幹線の名古屋駅は地下30メートルで、名古屋一深い地下駅が誕生することになる。名古屋の町の発展を支えてきた、そしてこれからも支えていく地下。知れば知るほど深いその存在から、これからも目が離せない。

2017年6月25日放送

〝なごや〟の由来に〝難読地名〟名古屋の「地名」は謎だらけ!?

「名古屋」はなぜ「なごや」なのか？　私たちの周りの地名の由来とは…？実は難読地名や不思議な地名の宝庫である名古屋。その謎から浮かび上がってきたいにしえの名古屋の姿。地名の裏にひそむ歴史や文化が明らかに──！

平安時代にはあった「那古野」の地名　今とは異なるかつての風景が由来!?

名古屋市内にある町名の総数は23314。町名の数を三都市で比較してみると、東京23区が最も多く3079、次いで名古屋、大阪の順になっている❶。

さて、私たちが日頃当たり前のように使っている「名古屋」という地名だが、その意味や由来をご存じだろうか？

伝承文化研究センター所長の文学博士・林和利さんによると、鎌倉時代末期のものと推定される古文書（尾張国那古野荘領家職相伝系図）に、平安時代末期の荘園名として「尾張国那古野」と記されているのが最初の記録。850年以上前には既に「那古野」＝「なごや」と呼ばれていたのだ。

では「那古野」とはどういう意味なのか？濃尾平野の平坦な熱田台地を表現した「なごやかな台地説」が最も広く知られている。もうひ

とつが戦国時代の豪族や武士の集落を意味する根古屋が転じたとする「ナゴヤ＝ネゴヤ説」。しかし、平安時代から既に「那古野」なので、この説では時代のつじつまが合わない。

そこで林さんが注目する第3の説が「〝なご＝霧〟の名古屋弁説」。『随筆　名古屋言葉辞典』（1961年発行）には「霧をナゴという」と名古屋弁だと記されている。名古屋城が建つ場所はもともと台地の端で低湿地が広がっていた。江戸時代の文献『金城温古録』に「今になお時ありて早朝　大廓の堀中より霧おびただしく蒸出」つまり〝昔から名古屋城の周辺は時折おびただしい霧に包まれる〟とある。名古屋地方気象台の記録によると、1930年代の霧の出た日数は年間平均30日以上。対して2000年代以降は平均2・5日。今から90年ほど前は今の10倍以上も霧の日があった。現在は都市化によって乾燥し霧が出にくくなっているが、昔の名古屋では今とは違った景色が広がり、それが地

❶近年はどの地域も区画整理によって地名が整理されている。愛知県の市町村も1999年から2019年の間に88→54に減っている

名に結びついたとも考えられるのだ。

全国の「ナゴヤ」はどこも海の近く

「ナゴヤ」という地名は実は全国各地にある。佐賀の「名護屋」、福岡の「名護屋神社」、大分の「名護屋村」（現・佐伯市）、静岡の「奈古谷」、千葉の「名古屋」、新潟・佐渡島の「名古屋」❷。これら全国の「ナゴヤ」の多くは海の近くに位置する。そのため海に関する言葉が語源との説もある。

海にまつわる地名が多い名古屋
由来はかつての地形にあり

名古屋には、海から離れたところに海にまつわる地名がいくつもある。これはかつて海岸線が内陸深くまで来ていた名残。名古屋駅周辺の「笹島町」「亀島」「牛島町」はかつて本当に海に浮かぶ島だったことを示し、緑区の「鳴海町」は波の音が聞こえたところ、千種区の「吹上」は浜の砂が風で吹き上げたところ。熱田区の金山駅の裏には「波寄町（なみよせちょう）」という地名も残っている❸。南区の「千竈通（ちかまどおり）」は塩を煮詰める竈がたくさんあったことから、「雁道町」は水鳥の雁の飛来地だったことから名づけられたとされる。

難読地名クイズ！
あなたは何問読める？

名古屋には難読地名が多い（?）。地元では慣れ親しまれているが、県外の人がほとんど読めないのが次の地名。

①御器所（昭和区）
②新瑞橋（瑞穂区）
③東片端（東区）
④千種（千種区）

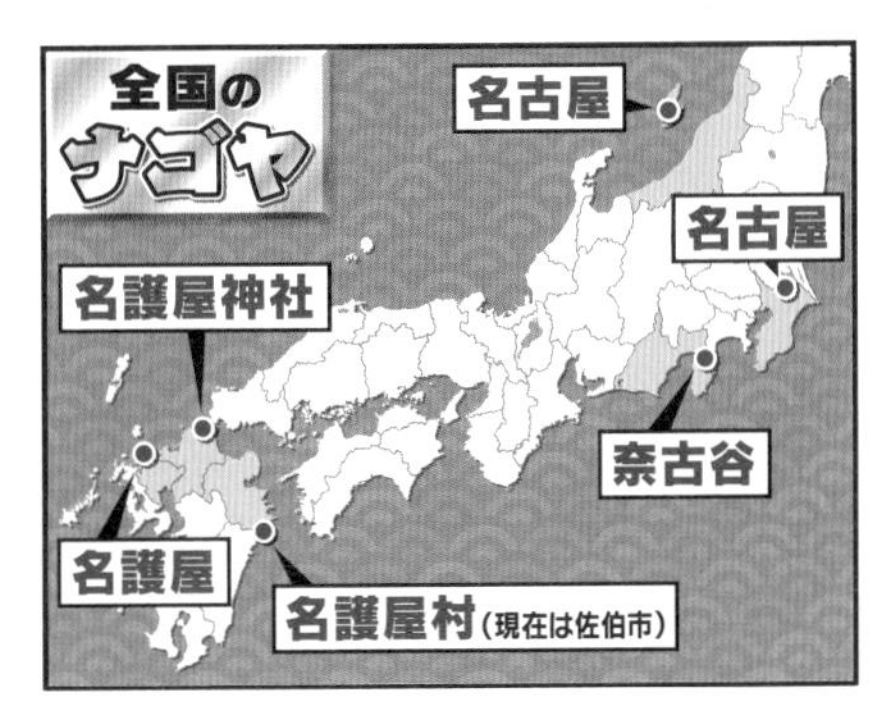

❷全国各地のナゴヤはどこも海の近く。愛知の「名古屋」も「浪越」「魚小屋」など海に関する言葉が語源だとする説がある

❸江戸初期の海岸線は東海道（現在の国道1号線）付近だったが、江戸後期には現在の国道23号線付近まで干拓が行われていた

⑤高岳（東区）

答えは①「ごきそ」②「あらたまばし」③「ひがしかたは」④「ちくさ」⑤「たかおか」。駅や大きな交差点があるところばかりで、名古屋人なら読めて当然。しかし、県外の人15人に尋ねたところ①②③に関しては正解者はゼロだった。

「鶴舞」は異なる読み方が混在する地元っ子泣かせの地名。町名や駅名、地下鉄の路線は「つるまい」、公園、小学校、図書館は「つるま」だ。混乱の発端は公園がつくられた1909（明治42）年までさかのぼる。水が流れる場所を指す「水流間」という地名があり（これにも諸説あり）、これに「鶴舞」（つるま）という字をあてた。ところがほぼ同時につくられた町名は「鶴舞」（つるまい）に。地名が生まれた時から既に2つの読み方が混在しているのだ。

まだまだ読めそうで読めない難読地名がある。

⑥神戸町（熱田区）
⑦栄生（西区）
⑧土古町（港区）
⑨十六町（瑞穂区）
⑩大蟷螂町（中川区）
⑪吉根（守山区）

⑥「ごうどちょう」、⑦「さこう」、駅名は「さこう」だが町名は「さこ」。⑧「どんごちょう」。〝同じ組〟を意味する〝同伍（どうご）〟が起源ではないかとされている。町名は「どんご」だが、バス停、郵便局、公園など他のほとんどの場合は「どんこ」と読む。⑨「そろちょう」。「娘十六そろそろ嫁に…」という言葉の〝十六〟と〝そろ〟をかけたとされる。⑩「だいとうろうちょう」⑪「きっこ」もかなり難読だ。

上級編！　ひと筋縄ではいかない地名の読み方、そして由来は？

さらに難易度を上げてみよう。

⑫御莨町（瑞穂区）
⑬五女子（中川区）
⑭城西・城西町（西区）

答えは⑫「おたばこちょう」。御上に献上する煙草をつくっていた場所とされる。⑬は東側の「五女子1・2丁目」は「ごにょうし」、西側の「五女子町」は「ごにょしちょう」と2通りの読み方がある。由来はその昔、7人の娘がいた領主がそれぞれの嫁ぎ先の村に一女子村〜七女子村までの村名をつけた名残といわれる。周辺には「二女子町」（ににょしちょう）、「四女子町」（しにょしちょう）もある。⑭は名古屋城のすぐ北西の町名は「じょうさい」、庄内川の北にある町名は「しろにしちょう」とこれまた読み方が異なる。

「駅名」が「地名」になった激レアケース「名駅〇丁目」

地名から駅の名前がつけられることは一般的だが、名古屋ではその逆の、駅名が地名になったケースがある。「名駅一丁目」〜「名駅五丁目」という中村区と西区にまたがるエリアの地名である。

名古屋駅周辺では戦後の戦災復興で区画整理が進められ、1977年、住居表示の実施に合わせて新しい町名をつけることになった。当時、このエリアには27もの町があり、旧町名を残した名前を望む声も多く協議は難航。地域の中心である「名古屋駅前」という案が出るも、該当エリアには含まれない駅西も名古屋駅前なのだからふさわしくない、とボツに。最終的に分かりやすく響きがいい「名駅」で落ち着いた。略称、いわばニックネームである「名駅」を地名にしたという点でも非常にユニークだ。

最終問題！ 名古屋の地名で一番使われている漢字は？

最後にもう1つ、名古屋の地名にまつわるクイズを。名古屋市内の町名で最も多く使われている漢字は何だろう？

答えは、「田」。223カ所あり、全体の23 14カ所のおよそ1割の町で使われている。ちなみに2位は「山」＝156カ所、3位「大」＝112カ所。この結果について名古屋の地名に詳しい名古屋学院大学教授・井澤知旦さんは「愛知は肥沃な土地柄で、江戸時代から干拓などの新田開発を積極的に行い、農地を広げてきた。『田』がつく町名が多いのはそんな歴史や土地柄があるからこその特徴」という。

地名をより深く知れば、名古屋・愛知への愛着がいっそう深くなるはずだ。

2020年3月29日放送

〝奇跡の商店街〟「大須商店街」人気の秘密に迫る

名古屋屈指の人気スポット・大須。最新グルメもあれば庶民的な老舗、サブカル、エスニック、イベントと何でもあり。全国で商店街が活気を失う中で、なぜ大須は多くの人を引き寄せられたのか？　その変遷と魅力を調査した。

店舗数は約１２００店　国内の商店街の20倍以上！

約１２００店。これは「大須商店街」の店舗数。万松寺通、新天地通、東仁王門通、仁王門通、大須観音通、門前町通、大須本通、赤門通の合わせて８つの商店街をメインに構成されている。

大須商店街はしばしば〝ごった煮〟〝カオス〟と称される。最新のスイーツあり、多国籍のグルメあり、メイドカフェやフィギュアなどのサブカルチャーあり、古着などのファッションあり、パソコンなどの電脳系あり、呉服店や食堂などの老舗もありと、居並ぶ店舗も雑多でバラエティに富んでいる。「何よりその規模が国内の商店街の中でも突出している」というのは中京大学客員教授の内田俊宏さん。「日本の商店街の店舗数は平均54。１２００店舗はその20倍以上です。百貨店などの大型店を含まない地域商店街で、店舗数が２００を越える商店街は３・

4%しかない。大型店なしで圧倒的な集客力と店舗を持つ商店街は全国でも他にほとんどありません」。

東京、大阪の人気商店街と比較

東京都品川区の「戸越(とごし)銀座」は全国に300以上ある「○○銀座」の第1号。関東大震災でがれきとなった銀座のレンガを譲り受け、水はけが悪かった通りに敷き詰めたことに由来する。全長約1・3キロで店舗数は約400。東京で一番長い商店街だ。B級グルメや下町グルメブームの波に乗り、「食べ歩きの町」として知られるようになった。

大阪の「天神橋筋商店街」の歴史は江戸初期、青物市から始まり、その後大阪天満宮の参道としてにぎわった。全長は約2・6キロ。日本一長い商店街だ。アーケードがある部分だけで2キロもあり、店舗数は約600。毎年夏の天神祭女性御神輿、通称〝ギャルみこし〟が有名だ。

大須商店街も始まりは江戸時代の初期。現在の岐阜県羽島市にあった大須観音が移転してきたことからこの界隈が〝大須〟と呼ばれるようになり、門前町として栄えた。江戸時代から芝

メインストリート	東西	南北
	約600m×3	約400m×2
店舗数	約1200	戸越銀座の 3倍 天神橋筋商店街の 2倍

❶大須商店街にはメインストリートが5本あり、一本の筋を行ったり来たりするのではなく広い面をぐるぐる回遊できるのが魅力

居小屋など遊興施設が集積し、大正時代になると映画館や遊技場などが続々オープンしてにぎわった。店舗数約1200は戸越銀座商店街の3倍、天神橋筋商店街の2倍にあたる❶。

グルメ、ファッション、物販のバランスがとれた構成。店舗は1割が入れ替わる

大須商店街にはどんな店が多いのか？　飲食店が最も多くおよそ3割。古着やアメカジなどのファッション関係、リサイクルや雑貨などの物販が続く。大須は観光スポットである一方、地元の人の生活の場でもあるため激安スーパーや銭湯などもある。

〝ごった煮〟〝カオス〟といわれるが、特定のジャンルに偏りがない非常にバランスの取れた店舗構成であることは、❷のグラフからも一目瞭然だ。

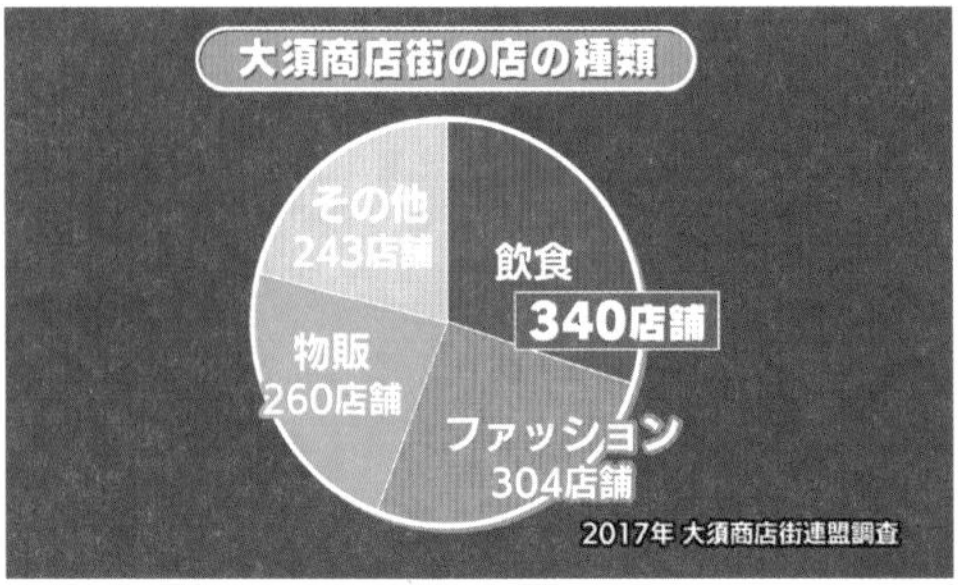

大須商店街の店の種類

飲食 340店舗
ファッション 304店舗
物販 260店舗
その他 243店舗

2017年 大須商店街連盟調査

❷店舗も客層もバラエティに富んでいるので独自性を打ち出しやすい。学生お断りのファッションのセレクトショップなどこだわりの店もある

大須で良いと感じたこと

順位	項目	割合
1	街の雰囲気	53.8%
2	買い物	48.9%
3	食べ物	31.5%
4	店の数・種類	30.8%
5	店の商品・サービス	19.1%

※地域問題研究所 調べ

❸東京でいえば秋葉原、アメ横、浅草、巣鴨、原宿などの要素が1カ所に凝縮。魅力が多彩なので、よいと感じるポイントも人それぞれになる

訪れた人が「大須で良いと感じたこと」も、「街の雰囲気」「買い物」「食べ物」とやはり大きな偏りがない❸。

最も店舗数が多い飲食店の中でも、目立つのが世界各国の料理だ。特に東仁王門通は様々な国や地域の料理がズラリ。中でも人気は「李さんの台湾名物屋台」。本場・台湾仕込みのスパイシーな味わいの唐揚げは、大須の食べ歩きグルメブームの火付け役となった。他にもナポリピッツァ、トルコのチキンケバブ、ブラジルの鶏の丸焼き、ベトナムのフォー、インド・ネパールのカレー、メキシコのタコスなどの店が軒を連ね、食べ歩きしながら世界一周の気分を楽しむことができる。

市内の中心部にあることも魅力の1つ。交通の便もよく、大須観音駅、上前津駅、矢場町駅と3つの地下鉄駅からアクセスできる。繁華街・栄の隣でありながら、町のカラーが異なるのもまた面白い。

「栄は非常に整然としているが、大須は都市計画から外れたため混とんとしていてそれが町の個性になっている。店舗の新陳代謝も激しく新しいトレンドがどんどん取り入れられている。年間1割弱の店が入れ替わっていて、理論上は12年でまったく違う店ばかりになっていることもあり得る。アメーバのように時代に合わせて形を変え、全部回ろうとしても永遠に追いつかないところが魅力」と前出・内田さん。

陸の孤島と化しシャッター商店街に復活ののろしとなった「大須大道町人祭」

活気あふれる大須商店街だが、かつて長く厳しい〝冬の時代〟があった。

「週末でもガラガラで、人出は今の1/10…いや1/100くらい」と昭和40〜50年代頃の様子をふり返るのは大須商店街連盟の石原基次さん。

戦前は名古屋一の歓楽街としてにぎわったが、戦時中の空襲で状況が一変。戦後は復興を目指して町の整備に取り組んだものの客足は戻らなかった。１００メートル道路＝若宮大通ができたことで、栄からの人の流れが分断されて〝陸の孤島〟に。さらに「赤門通」「大須」「西大須」「上前津」と4つの停留所があった路面電車の廃止が追い打ちをかけた。何十軒とあった娯楽施設は次々に取り壊され、往年の活気を失いシャッター街寸前となってしまっていたのだ。

そこから奇跡のV字回復を果たす原動力となったのが「大須大道町人祭」だ❹。１９７８（昭和53）年、娯楽の町らしく原点回帰をテーマに全国から大道芸人を集めて開催し、２日間で50万人を動員して大成功。その前年には地下鉄鶴舞線が開通して大須観音駅と上前津駅が完成して人の流れが変わった。同年の大須アメ横ビルのオープンには4万人が押しかけた。この３つの要素が重なったことで上昇気流に乗った。

「オール大須でみんなで知恵を出し、汗をかいて祭りをつくろう！　と取り組んだことで連帯感が生まれた」と前出・石原さん。

コスプレパレードに商店街アイドル 多彩な企画で集客アップ

「大須大道町人祭」の他にも大須は多彩なイベントで話題づくりに取り組んできた。今や夏の風物詩となった「世界コスプレサミット」のコスプレパレード❻、大須観音境内で盆踊りや手筒花火を行なう「大須夏まつり」。毎月18・28日に開かれる「大須観音骨董市」は古くからの恒例行事だ❺。

ご当地アイドルグループ「ＯＳ☆Ｕ」も商店街の盛り立て役だ。結成は２０１０年。商店街にある８つの通りにメンバーがそれぞれ「○○推す推す隊」として配属され、自ら取材・撮影して店のＰＲに努める。ＹｏｕＴｕｂｅでの動

❻2003年に始まった世界コスプレサミット

❹「大須大道町人祭」の目玉、大駱駝艦（だいらくだかん）の金粉ショー

❺毎月18・28日に開かれる大須観音の骨董市

画配信、商店街のプロモーションビデオの制作など地域密着の手法で集客アップを目指している。

近年、日本のいたるところで商店街の活性化の取り組みが行われているが、中小企業庁「商店街実態調査報告書2015年度版」によると繁盛しているのは全体のわずか2・2％しかないという。その中で大須商店街は貴重な成功例といえる。

しかし、外国人をはじめ観光客がにぎわいの中心をになっていただけに、コロナ禍の影響は大きい。先に紹介した祭り、イベントも2020年はほとんどが中止となってしまった。平日3万人、休日7万人といわれたにぎわいを取り戻すにはまだしばらく時間はかかりそうだ。通りという通りが観光客でごった返し、毎日のようにイベントがにぎやかに開催される、そんな〝大須商店街の日常〟が戻って来る日が待ち遠しい。

2018年9月1日放送

「名古屋・愛知の産業」をデータで解析！

ものづくり王国と呼ばれる愛知だが、その産業は自動車関連だけじゃない！　歴史のあるもの、最先端のもの。日常に密着したもの、暮らしにうるおいを与えるもの、社会を支えるもの…。そこには他にない技術、個性、強み、そして思いがある。地域住民から全国、さらには世界の人の生活を豊かにする愛知の産業力を検証する。

〝瀬戸焼〟から〝美濃焼〟まで！ 東海地方の「やきもの」を徹底調査

日本のものづくりをけん引する愛知の中でも、やきものは代表的な産業だ。ここでは愛知とも密接なつながりをもつ岐阜、三重を含む東海3県に視点を広げ、それぞれの魅力や、将来へ向けた新たな取り組みについて調査した！

窯業・土石製品なら圧倒的トップ 愛知で「やきもの」文化が盛んな理由とは？

窯業・土石製品製造品出荷額で愛知は全国トップ！　しかも2位以下にダブルスコアをつけるほどで、全国シェアの10%以上を占めている❶。これはいわゆる「やきもの」だけでなく、ガラス、セメント、ファインセラミックスといった建築材料も含まれる。愛知は世界最大のセラミックス企業グループの「森村グループ」（ノリタケカンパニーリミテドなど）に代表される陶磁器をルーツとする世界的企業を擁し、その業績が出荷額を押し上げている。

国内には中世から現代まで生産が続く〝日本六古窯（ろっこよう）〟があり、うち2つが愛知の瀬戸と常滑（他は越前、信楽、丹波、備前）。東山動植物園には鎌倉時代の登り窯跡が残り、名古屋もまた六古窯よりも古い古墳時代～鎌倉時代まで陶器の産地だった。古代から現代にいたるまで、なぜ愛知はやきもの文化が盛んなのだろうか？

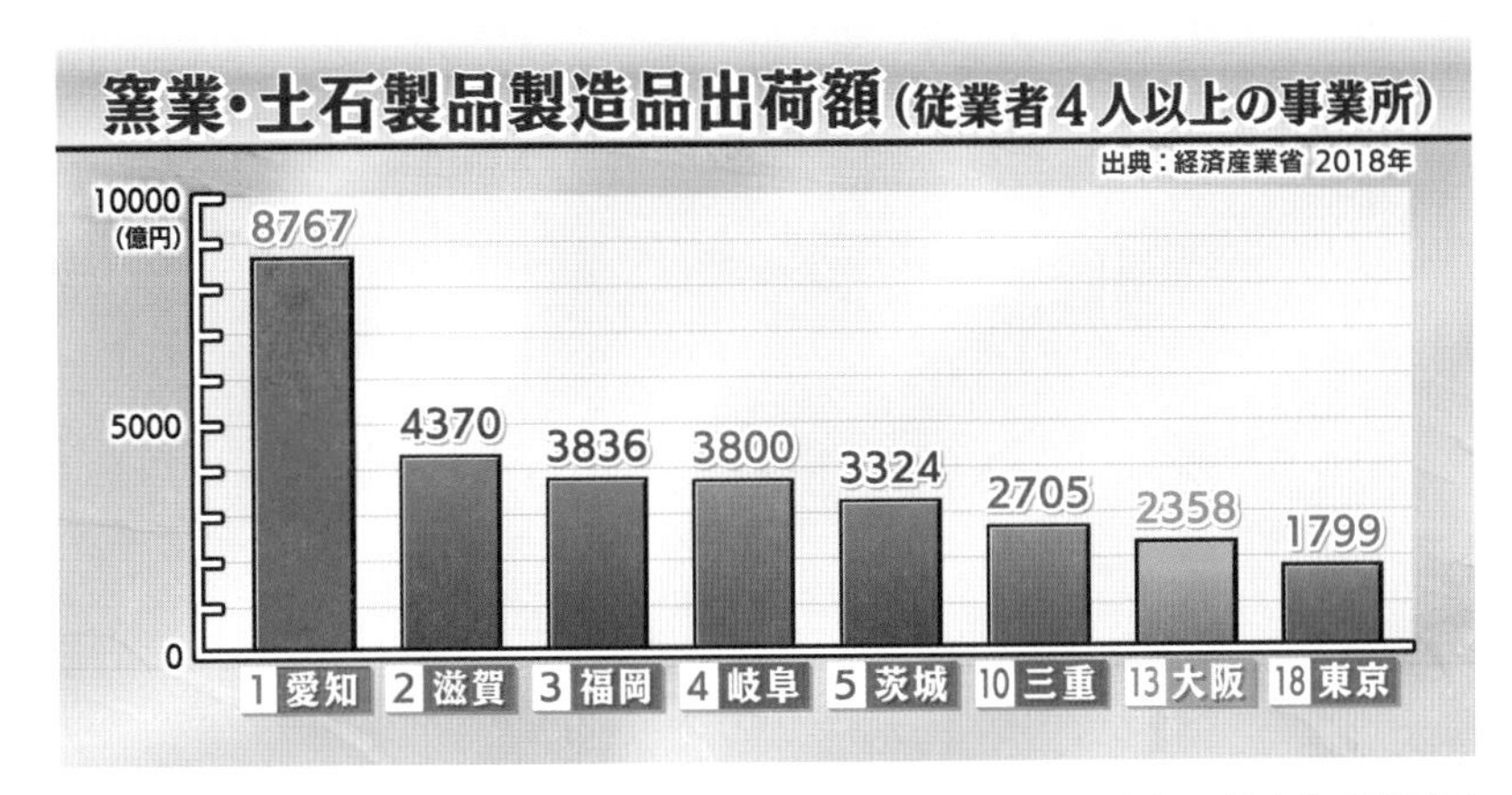

※経済産業省 工業統計調査（2018年）を基に番組が作成

❶愛知の全国シェアは約11％。売り上げが大きな世界的メーカーがある一方で、小規模の事業所の数も多く、大小の両輪が産業を引っ張っている

ズバリ「土がいい」というのは瀬戸市美術館館長の服部文孝さん。「やきものづくりに適した優秀な粘土が豊富にあった。成形しやすく高温で焼いても歪みにくいことに加え、色が白いのでそれぞれの時代に合った多種多様なやきものをつくることができたのです」。

日本一の陶都・瀬戸 陶器も磁器もお任せ！

「瀬戸物」がやきものの代名詞になっている通り、瀬戸は全国にその名を轟かす陶都。瀬戸焼は1000年以上の歴史があり、200年ほど前に磁器を開発。明治時代には万国博覧会に出品して世界でも評価を得る。戦後の最盛期には窯業関連の工場が500以上を数えた。前出・服部さんのいう〝白い粘土〟が豊富に採れることから種類もバラエティに富んでいる。六古窯の中で唯一、釉薬（ゆうやく）を伝統的に駆使していて、緑、青、黄などの美しい色を出すのが特徴だ。

　陶器と磁器の両方をつくっているという点も珍しく、しかもそれぞれに伝統的工芸品に指定されているものがある。陶器では赤津焼。特徴は何といっても多彩な釉薬で、1つの地域では珍しく7種類もある。この多彩な釉薬を活かすため、装飾技法も12種類があり、華やかな茶道具から家庭用の器まで幅広くつくられている。陶磁器で伝統的工芸品に指定されているのが瀬戸染付焼。藍色を基調とし、繊細な自然な鳥や花を筆で描く。

　もう1つ世界的に有名なのが瀬戸ノベルティ。ノベルティとは陶磁器製の置物や装飾品のことで、特に戦後に数多く輸出され、かわいらしい人形の置物などが欧米の家庭で愛された。

常滑焼に犬山焼
名古屋には洋食器の二大ブランドが

常滑焼の代表的な技法は朱泥焼。原料の陶土に含まれている鉄分を赤く発色させる技法だ。常滑焼はこの朱泥焼で主につくられる急須をはじめ、招き猫、盆栽鉢の3品目で、生産量日本一を誇っている。

　犬山焼は2つの絵柄が特徴。雲錦手は桜と紅葉を同時にあしらい、赤絵は中国から伝わったといわれ鳳凰や草花をあでやかに描く。

　さらに名古屋には「ノリタケカンパニーリミテド」、「鳴海製陶」の2社があり、両社は高級洋食器ブランドの「Noritake」と「NARUMI」を擁し、洋食器の売上高国内1、2位に堂々並ん

常滑は招き猫の生産全国1位。目のくりっとした常滑型は招き猫のスタンダードだ

でいる。

このように愛知ではいくつもの産地でそれぞれ特徴をもったやきものがつくられているのだ。

国内随一の食器産地・岐阜の美濃焼
どんぶり、盃など町ごとに専門化

岐阜県は和洋の食器の国内ナンバー1の産地。出荷額は和洋どちらも国内で圧倒的なトップだ❷。

その中心的存在が美濃焼。可児市、多治見市、土岐市、瑞浪市の東濃地方が主な産地で、決まった様式はなく多種多様なデザインがあるため〝特徴がないのが特徴〟ともいわれる。

美濃焼は約1300年前の奈良時代に始まったとされ、隆盛を誇るようになったのは安土桃山時代。華やかな桃山文化の気風と茶の湯の流行を取り入れた個性的なやきものが次々と誕生。〝美濃桃山陶〟と称された。代表的なものが

陶磁器製和食器出荷額

順位		主な焼き物	出荷額
1位	岐阜	美濃	124億9600万円
2位	佐賀	唐津・有田	61億500万円
3位	長崎	波佐見・三川内	53億4100万円
4位	愛知	瀬戸・常滑	14億3600万円
5位	石川	九谷	9億8800万円
6位	京都	京	8億4600万円
7位	三重	伊賀・萬古	5億9900万円
8位	栃木	益子	5億8900万円
9位	滋賀	信楽	4億200万円
10位	山口	萩	3億5800万円

岐阜のシェア 40.7%

陶磁器製洋食器出荷額

順位		主な焼き物	出荷額
1位	岐阜	美濃	104億1200万円
2位	石川	九谷	16億5400万円
3位	三重	伊賀・萬古	7億5700万円
4位	佐賀	唐津・有田	5億3900万円
5位	愛知	瀬戸・常滑	4億8900万円

岐阜のシェア 70.7%

※2017年経済産業省 工業統計票

❷美濃焼は和食器も洋食器も他の追随を許さないダントツのトップ。時代のニーズに合わせて柔軟に変化することで圧倒的シェアを獲得してきた

志野、織部、黄瀬戸、瀬戸黒で、この4種を含む15品目が伝統的工芸品の指定を受けている。

こうした芸術性の高い名品をつくっている一方で、普段使いの食器も大量生産していて、それが和食器・洋食器ともに非常に高いシェアを誇っている理由。地域ごとに専門化を進めることで品質・競争力を高め、多治見市の市之倉町はさかづき、土岐市の駄知町はどんぶりがそれぞれ生産量日本一だ。

さらに近年は新感覚の美濃焼も生まれている。土岐市の宗山窯は陶器に漆を塗る陶胎漆器という技法を用いて、つややかな器のシリーズを開発。多彩な器を取り扱うカネス（岐阜県土岐市）が企画した美濃焼ストロー「マイストロ」はエコなギフトグッズとしても注目を集めている。

その他、岐阜県では高山市がやきものの産地で、渋草焼、小糸焼、山田焼といったやきものがある。

シェア80％の萬古焼の土鍋 伊賀焼は日用器から伝統技法の銘品まで

三重のやきもので全国一のシェアを誇るのが萬古焼（ばんこやき）の土鍋。シェアは実に80％に上る。1959年に高熱を加えても割れない陶土を開発したことから国内トップの座をゆるぎないものにした。昨今の住宅事情に合わせてＩＨ調理機に対応した土鍋も生産。また、鍋料理だけでなくごはんをおいしく炊けるというコンセプトを打ち出すなどしてニーズをつかんでいる。

伊賀市、名張市でつくられているのが伊賀焼。釉薬をぬらない焼き締めという製法による土の風合いが魅力で、耐熱性が高いため土鍋にも向いている。また、伝統的な古伊賀の作品は、薪の灰がガラス質となって緑がかった光沢を放つビードロ釉が特徴的だ。

岐阜、愛知が絶対的ワンツー。三重もベスト10入り。東海はやきもの集積地

愛知にある窯業・土石製品の製造所事業所数は692カ所。これは全国2位で、1位は岐阜の711。さらに9位に三重が入っている❸。この数字からも東海地方は全国屈指のやきものの産地であることが分かる。先に挙げたような日本を代表する陶磁器の町が集積しているという点でも稀有な地域といえる。それだけ多様な魅力を持ったやきものと出会える機会も多く、やきものを通して生活にうるおいをもたらすことができる。愛知、そして東海のものづくりの魅力を、やきものから日々の暮らしに取り入れてみてはいかがだろう。

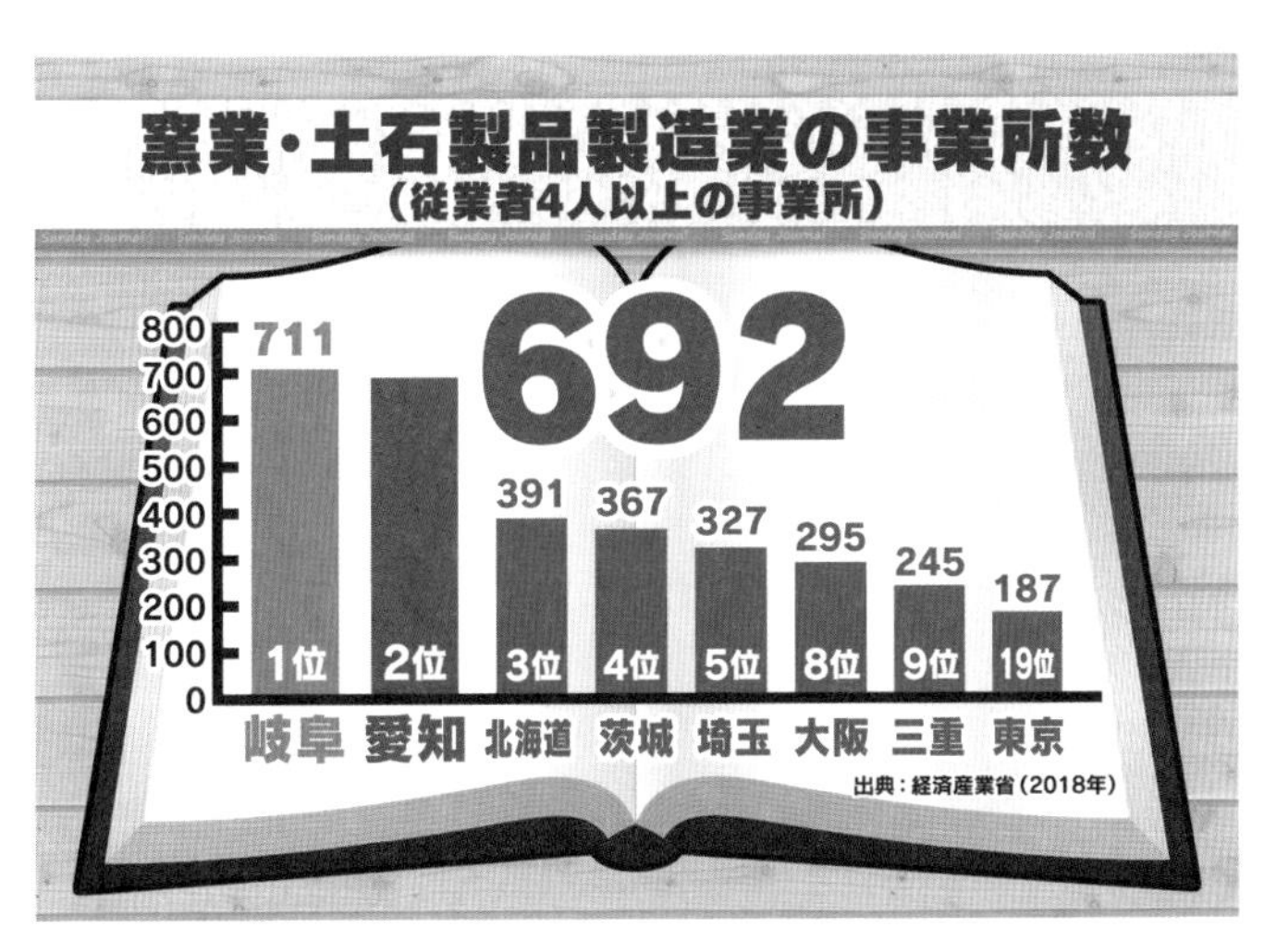

※経済産業省 工業統計調査2018を基に番組が作成

2020年5月10日放送

❸シェアは圧倒的な東海3県。実用的なやきものが多いため観光にはあまり結びついてこなかったが、ブランドイメージを高めれば産業自体もより活性化されるはず

嫁入り家具にイマドキ家具まで！
愛知の家具〝今昔物語〟

家具生産が盛んな上、持ち家率が高く家具への関心も高い〝家具王国〟愛知。最近は新店舗のオープンも目立つ。愛知はどんな家具をつくり、またどんな家具を好んでいるのか？　愛知の家具事情から住まいのトレンドも見えてくる!?

家具購入額は減少傾向にあるも家具消費に関心が高い愛知

名古屋市民が年間で家具に費やす金額は５８９５円（総務省統計局家計調査 ２０１６年）。２０００年＝1万72円と比べると半分程度に減っている❶。これは全国的な傾向でもあり、少子化や新設住宅着工戸数の減少によって、家具を購入する機会が減っているのが要因だ。

それでも愛知県の家具普及率は73・４％と高く（全国消費実態調査 ２０１４年）、これは一住宅あたりの延べ床面積が三大都市の中でとりわけ高いという住宅事情が反映されている。家具を置けるスペースが十分にある愛知は、東京や大阪と比べて家具の消費に関心が高いといえる。

そんな事情も反映してか、愛知ではここ数年新しい家具店のオープンが目立つ。２０１７年10月に「ＩＫＥＡ長久手」がオープンして話題になったのも記憶に新しい。

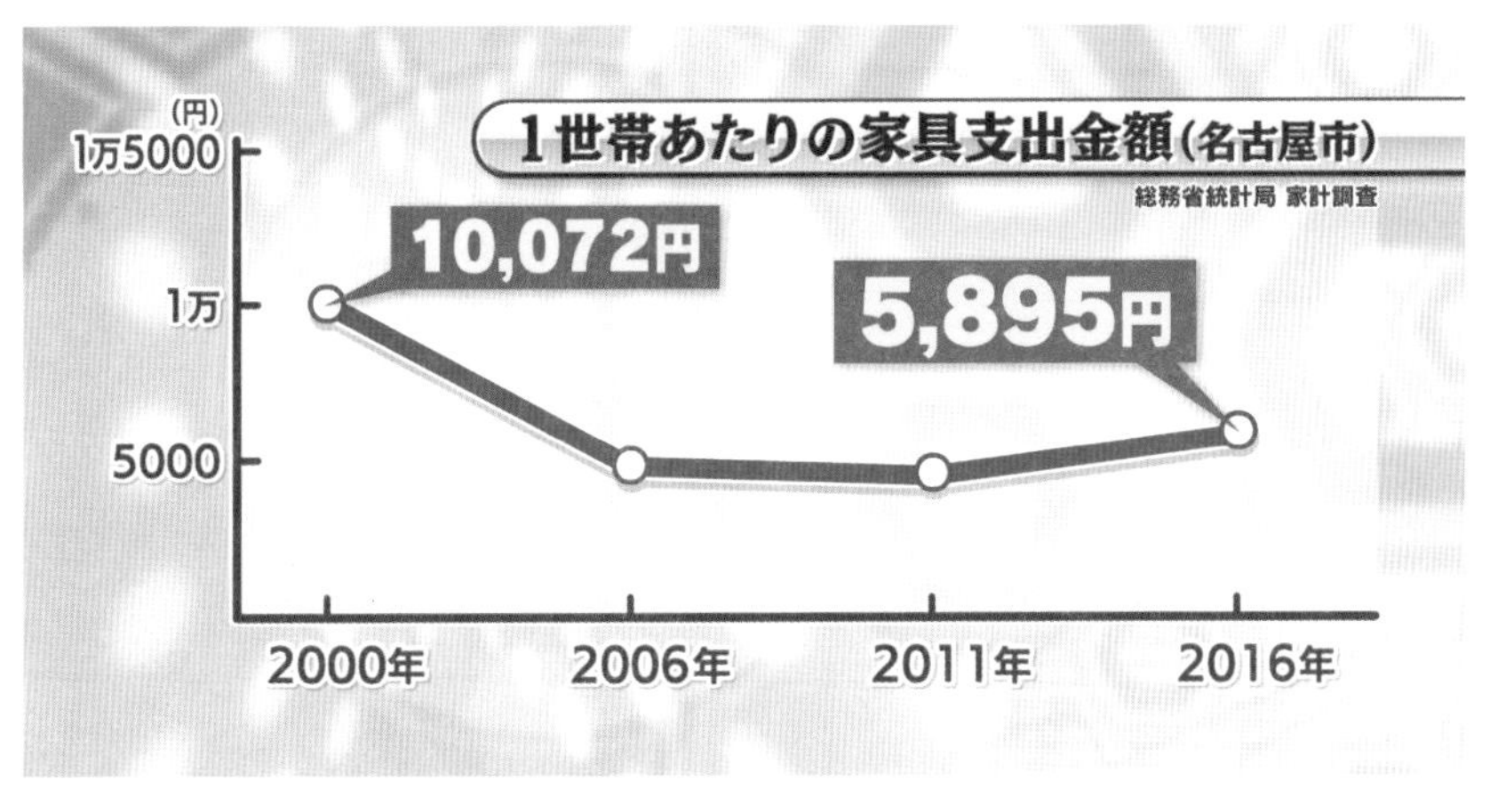

※総務省の統計を基に番組が作成

❶全国の支出額は2000年＝9236円→2016年＝6034円を名古屋とほぼ同じラインで推移。2020年は7640円とコロナ禍の巣ごもり需要もあって上向きに転じている

愛知県民はダークな色の家具が好き ＩＫＥＡがリサーチした愛知の志向

スウェーデン発祥の家具業界の〝黒船〟ＩＫＥＡ。北欧ならではのシンプルでおしゃれなデザイン性とリーズナブルさで人気を博している。同社は長久手出店に先駆けて周辺の住宅事情やインテリアの志向をリサーチ。その結果、愛知は「ダークな色合いの重厚な家具を好む」「長久手周辺は広めの家が多い」「子どもがいる家庭が多く、子ども用家具にお金をかけている」「三世代同居が多い」「家に友人を招く機会が多い」と分析。同社は家族構成・年齢・シチュエーションなどを細かく設定して家具を部屋のように展示する「ルームセット」という売り場づくりが特徴で、ＩＫＥＡ長久手では先の特色を反映した愛知県人好みのルームセットを見ることができる。

ファストファニチャー隆盛も高いものも売れる家具の二極化

国内の家具小売業の売上高はニトリが４５８１億円と2位以下にダブルスコアの大差をつけるトップで、ＩＫＥＡも７６８億円で4位に入る（２０１６年、東洋ファニチャーリサーチ調べ）。この現状を日本経済新聞編集委員の田中陽さんはこう分析する。「洋服に例えるならニトリやＩＫＥＡはファストファッションのようなもの。従来の嫁入り道具のような一生モノの家具と、引越しやライフステージごとに気軽に買い替える家具の〝二極化〟が進んでいる」。

家具メーカーで業界3位のカリモク1人用の高級チェアが大ヒット

家具の二極化が進む中、愛知の老舗メーカーはどのように対応しているのだろうか？

愛知を代表する家具メーカーが売上高業界３位のカリモク家具（東浦町）。60年代にオリジナルの家具製造を開始。洗練されたデザインと素材の持ち味を活かした木質感で評価されている。

現在の主力はソファとダイニング家具で、売り上げの60％を占める。家族や親しい人たちとリラックスするために、使いやすく使い心地のよいものを購入する人が増えている。この志向にマッチした大ヒット商品が高級リクライニング＆パーソナルチェア「ザ・ファースト」だ。一脚19万円台～と値は張るが、「自分の時間を楽しみたい」という50～60代を中心に人気を獲得。このようにライフスタイルの変化に合わせた、材質や機能性を重視した商品開発が、カリモクの高いブランド力につながっている。

家具王国・愛知の象徴「名古屋桐たんす」優れた機能性で再評価の気運

愛知県民にとってこだわりの家具といえば「名古屋桐たんす」だ。名古屋城築城を機にこの地に移った職人らがつくり始め、伝統的工芸品に指定されている。

一棹数十万～100万円以上もする総桐たんすは今でも一定の需要があり、優れた機能性で再評価もされている。桐は湿気が多いと引き出しが膨張し、内部の湿度を一定に保つ性質をもつ。優れた職人技によって気密性が高く、中の湿度変化がほとんどないのだ。一生モノといわれるだけにリペア技術も確立されていて、〝洗い〟と呼ばれる作業を施せば、何十年と使ったたんすが新品同様によみがえる。

伝統的なものだけでなく新感覚の製品もある。名古屋桐たんす工房出雲屋（春日井市）では、洋間にも合うデザインを取り入れた総桐漆革のリビングチェスト、湿気に強い特徴を活かした小物用のたんす、桐の軽さを活かしたいすなどを開発。こうした取り組みもあって、名古屋桐たんすの出荷額は近年、回復傾向にある❷。

パイプいすは名古屋が生んだ業務用家具の大ロングセラー

愛知はデータから見ても家具づくりが盛んであることは明らか。家具や装備品を製造する事業所の数は全国1位❸、出荷額でも全国1位だ❹。

そんな家具王国・愛知から、誰もが使ったことがある家具も生まれている。それはスチール

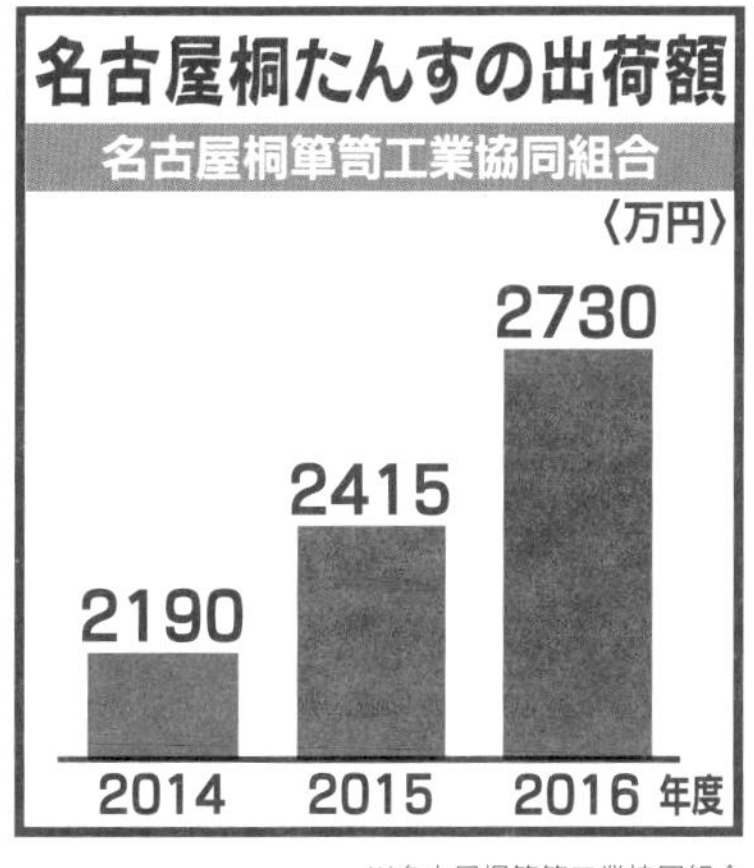

※名古屋桐箪笥工業協同組合

❷蒔絵や装飾金具など豪華絢爛なあつらえが特徴の名古屋桐たんす。人気が再び上向きに

製折りたたみ式チェア、通称〝パイプいす〟。愛知株式会社（名古屋市）が1963年に開発・商品化した大ロングセラーなのだ。それ以前の折りたたみいすは、つなぎ目が多く壊れやすかった。同社はこのパイプを1本化。強度が増して頑丈になり、合理的生産もできるようになった。まさに〝折りたたみいすの革命〟によって生まれた業務用家具の傑作が、愛知から全国へ届けられているのである。

伸びるオフィス家具需要 コロナ禍でニーズはますます拡大（？）

愛知ではこのパイプいすに代表されるように、高級家具だけでなく業務用家具の製造も盛ん。自動車産業をはじめとする工場で使われる什器（じゅうき）も家具の一種で、愛知の家具メーカーはこれらの工場の効率的な生産環境づくりにも対応することで、商品開発力を磨いてきた。

※経済産業省の統計を基に番組が作成

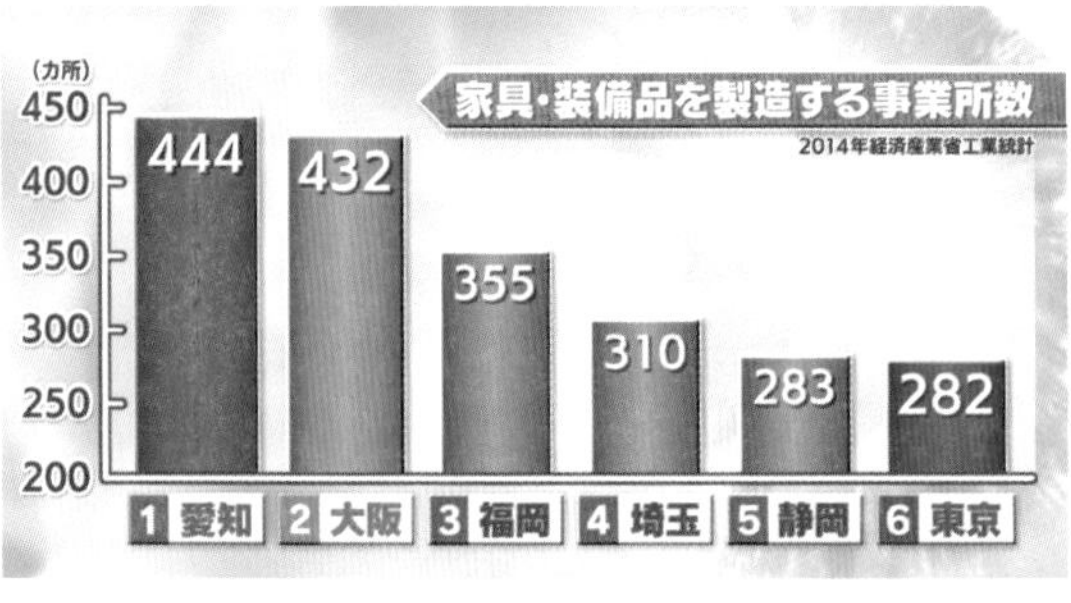

❸全国の総数はおよそ5000事業所。愛知の他に静岡、岐阜にも200以上の事業所があり、東海圏全体で家具生産は盛んだ

※経済産業省の統計を基に番組が作成

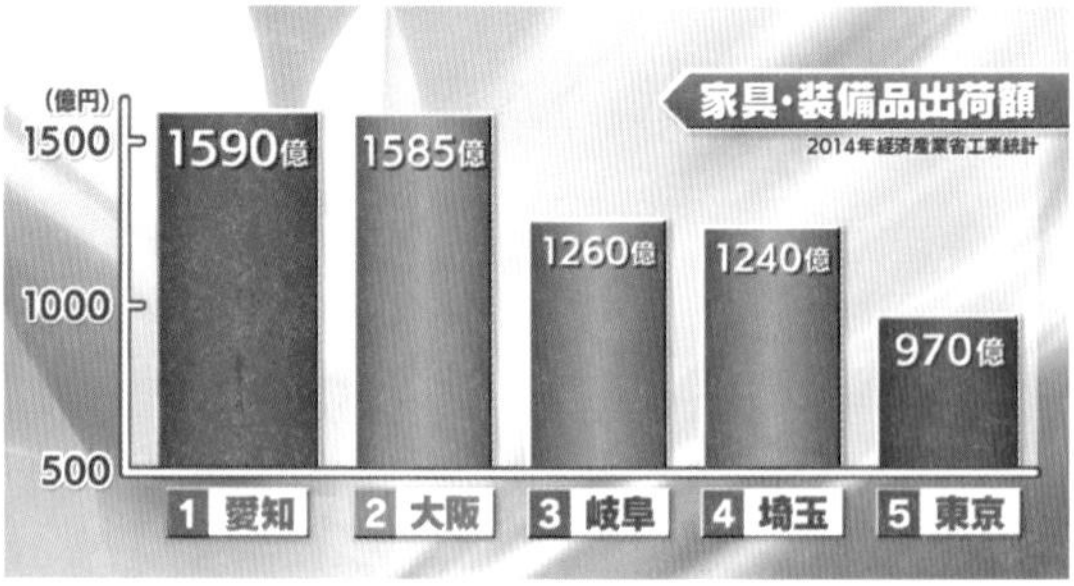

❹愛知はもともと単価が高い婚礼家具が主力商品で、全国的に減少傾向にあった中でも長く高い水準で推移してきた。近年は業務用も増えている

２００９年以降じわじわと伸びているのがオフィス家具の需要❺。働き方改革が叫ばれる中、快適なオフィス環境を整備しようという動きが広がっていて、オフィス家具にも社員の健康増進、仕事の効率化、リラックスできる機能が求められるようになっている。コロナ禍でリモートワークが推奨される中、家庭内にもオフィス家具需要が増えたり、一方でオフィスの快適さにより力を入れる企業が増えるとも考えられる。愛知の家具メーカーがスキルを活かす機会は、今後ますます広がっていくといえる。

デザイン性のウエイトが高まっているとはいえ、実用品ゆえにやはり最後にものをいうのは使い心地。長い歴史、さらには市場のシビアな目の中で鍛えられてきた愛知の家具は、これからいっそう多くの人の生活を豊かにしていくに違いない。

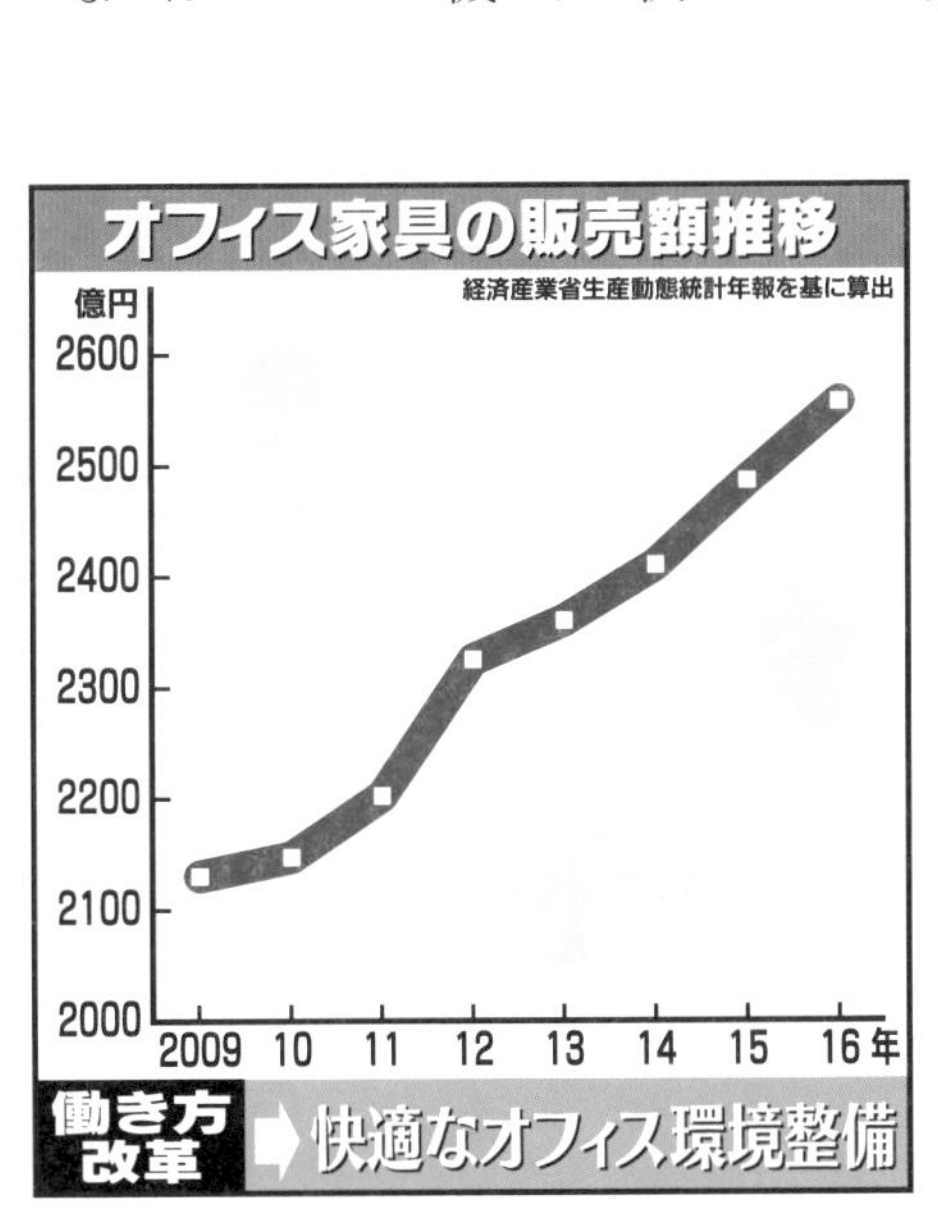

2017年12月3日放送

❺「日本オフィス家具協会の調査では経営者の60％が『オフィス環境にかける支出は費用ではなく投資と考えている』と回答。需要はより高まる」と日本経済新聞編集委員・田中陽さん

57年連続日本一！〝花の王国〟愛知を徹底分析

愛知は花の一大産地。産出額は50年以上トップを独走！　製造業も40年以上日本一だが、王座に君臨する歴史は花の方が長い。花き生産が盛んになった歴史から海外進出する最新の話題まで、〝花王国〟の強さの秘密を徹底分析。

花の産地・圧倒的トップの愛知 種類別でも1位、2位が多数あり

愛知県の花き産出額は57年連続日本一！　1962年にトップに立ってから半世紀以上連続で首位の座を守り続けている。愛知は自動車産業に代表される製造品出荷額も42年連続トップだが、こちらは1977年から。日本一の歴史は車よりも花の方が長いのだ。しかも、2015年データで1位・愛知＝576億円、2位・千葉＝186億円、3位・静岡＝184億円と、2位に3倍もの大差をつけての圧倒的トップなのだ❶。

花の種類で見ても愛知は全国1位が4種類、全国2位が2種類と、ジャンル別でも多くの花でトップに立っている❷。

花の一大産地は東三河 トップの陰に独自の技術開発あり

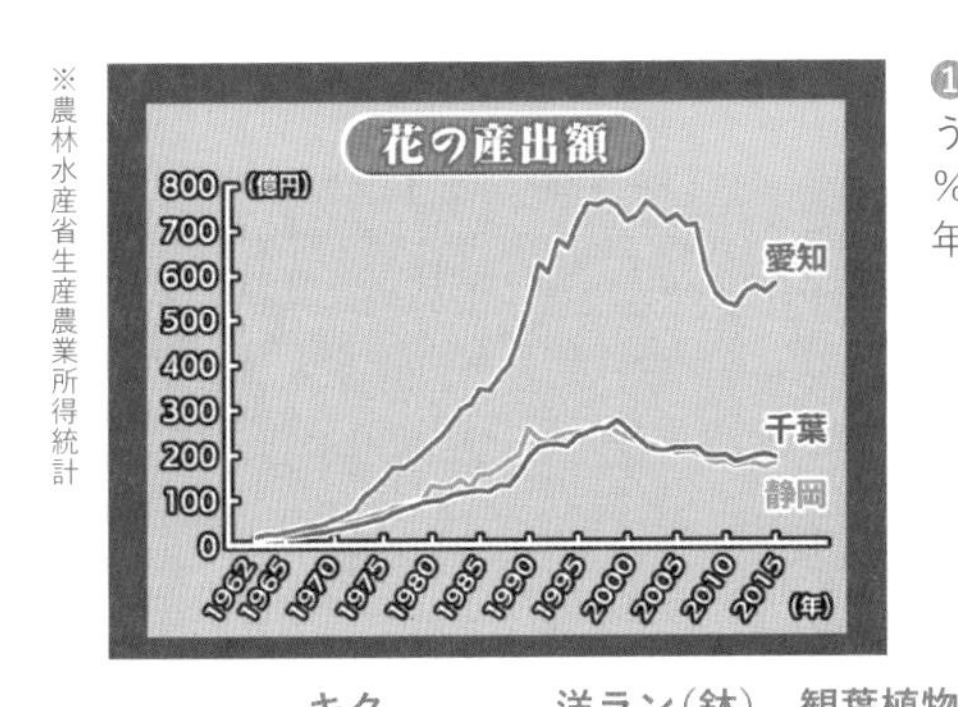

※農林水産省生産農業所得統計

❶全国の花き産出額3327億円のうち愛知は543億円でシェア16.3％（2018年）。2008年に減少し近年は500億円台で推移している

全国1位	キク	洋ラン（鉢）	観葉植物	バラ
産出額	208億円	63億円	40億円	26億円
全国シェア	32.9%	20.2%	33.6%	13.9%

※農林水産省平成27年生産農業所得統計を基に番組で算出

全国2位	カーネーション	シクラメン
産出額	18億円	9億円
全国シェア	14.6%	10.2%

※農林水産省平成27年生産農業所得統計を基に番組で算出

❷愛知は特にキク、バラ、カーネーションなど切り花類の栽培が多い

特に生産が盛んなのが東三河地域。田原市や豊橋市などを中心に、この地域で県全体の7割の花を生産している。

全国トップの裏には独自の工夫もある。愛知が全国の産出額の1／3を占めるキクは田原市が主産地。ここで有名なのが電照栽培。ハウスでの人工的な照明で開花時期を遅らせる技術で、1947年豊橋市で始まった。

洋ラン（鉢）も愛知が全国の1／5のシェアを誇る。洋ランの中でもシンビジウム栽培が盛んなのが豊田市。シンビジウムは暑さに弱いため夏の間は標高900メートルの設楽町・駒ヶ原高原に移す〃山上げ栽培〃を行っている。この技術の導入によって県内で洋ランの栽培が盛んになった。

バラもシェア全国1位。オリジナル品種も開発されていて、2015年につくられたその名も「愛知1号」はボリューム感がありトゲが少なく、しかも長持ちという特徴を持っている。

江戸時代から愛知＝花文化の国　発展の原動力は生産者の心意気

なぜ愛知は花の生産が盛んなのか？　要因は様々ある。江戸時代に三河で観葉植物の万年青（おもと）が改良されて徳川家康に献上された。鉢植え用の陶器鉢を瀬戸が日本で最初につくって量産した。1963年に全国に先駆けて花きの専門技術員が置かれた。温暖で日照時間が長い…など。

アジア最大規模の花き市場・愛知豊明花き流通協同組合理事長で園芸研究家の永田晶彦さんはこう語る。「江戸時代に既に日本は世界最高の花文化の国と評価され、尾張も江戸や京に負けない花の文化、生産能力を持っていた。明治以降は他地域では農業が稲作へ移行する中、愛知では花の専業農家が生まれた。環境のよさ以上に、生産者の心意気が大きいと思います」。

花市場の縮小の波が愛知にも　ファン確保に知恵しぼる生産者

国内では揺るぎない花王国・愛知の座。しかし安穏としてはいられない。花の市場自体が縮小傾向にあるのだ。世帯あたりの年間花き購入額は20年で約3割減❸。愛知の花き出荷量も2000年→2015年の間に切り花＝約7万5000本→約6万5000本、鉢物6万5000鉢→4万5000鉢と花離れが進んでいる❹。

生産者は様々なアイデアでこの変化に対応している。田原市のキク農家は電照菊栽培にLEDを採用して省エネ化し利益を確保。フラワーアレンジやキャラクターブーケを手がけてファン拡大に取り組む。豊川市のバラ園では品種を増やして市場のニーズに対応。西尾市のバラ園では一般客にバラ園を開放して需要アップを狙う。近年、多肉植物ブームで売り上げが急増している春日井市のサボテン農家ではツアー客の

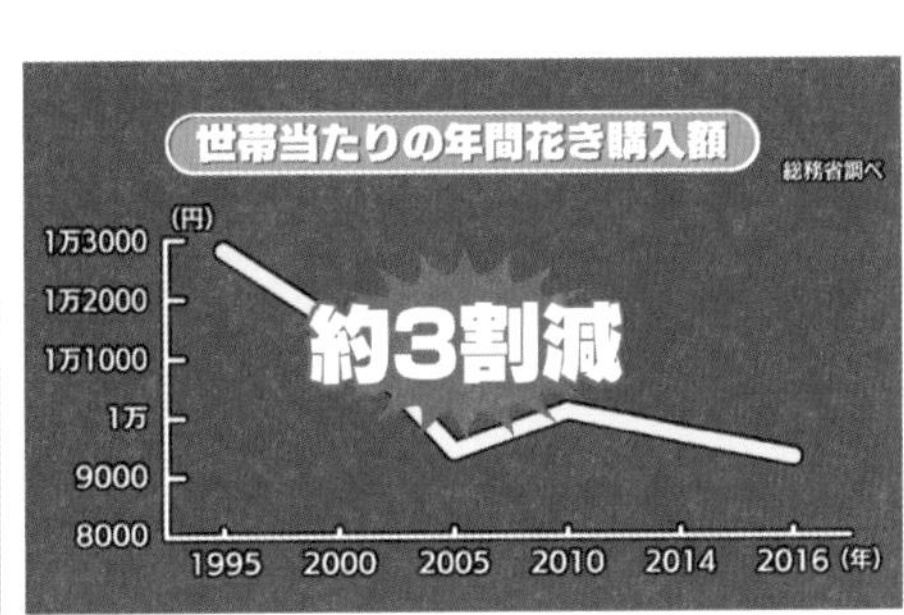

※総務省家計調査を基に番組が作成

❸花の需要期は卒業式などがある3月、母の日の5月、年末年始。コロナ禍でイベントの中止が相次ぎ、いっそうの落ち込みが懸念される

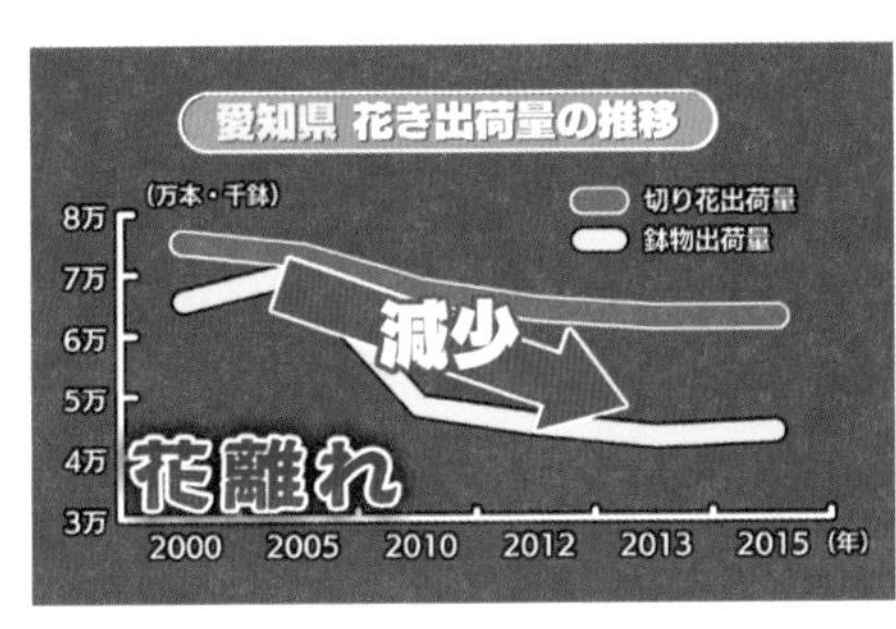

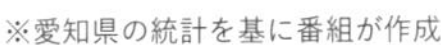

※愛知県の統計を基に番組が作成

❹名古屋ではかつて多かった豪華なキクの祭壇や新規開店の祝い花があまり見られなくなり、祝い花、お供え花ともに減少傾向にある

受け入れやオリジナルのサボテン茶などの開発で、さらなるファン獲得に力を入れている。

海外マーケットに活路 国策として輸出奨励も

海外の市場拡大の取り組みにも力が入る。愛知県の花はアジア、ヨーロッパ、中東など20の国と地域に輸出され、県の輸出実績も２０１３年度＝３６７６万円→２０１５年度＝６８４８万円と急増している❺。この背景にあるのが２０１４年の「花き振興法」制定。輸出促進が法律で奨励されることになり、国や県から輸出事業の補助を受けやすくなった。中部国際空港 セントレアも低温で流通させる仕組み＝「コールドチェーン」を充実させて協力体制を取っている。

前出・永田さんの愛知豊明花き流通協同組合が注目している市場が中国。現地の専門家は

「中国では半月しかもたない品種の花が日本産だと2カ月ももつ。日本は品種も多いし技術も高い。交流することで中国も技術を高められる」と期待を寄せる。永田さんが現地で中国人920人から取ったアンケートでも、価格が中国産の3倍するにもかかわらず、7割以上が「購入したい」という結果となった❻。愛知産の花の魅力は海外でも十分受け入れられる可能性があるようだ。

つくっているのに花を買わない愛知県民「花育」で地産地消を推進

海外に目を向けながらも地元もおろそかにはできない。愛知は江戸時代からの伝統で生け花・茶道教室が盛んでその数は全国1位❼。にもかかわらず切り花の消費額は名古屋市が47都道府県庁所在都市中39位で、金額は1位の和歌山市の半分程度❽。さらに園芸用品の消費額も

❺順調に伸びているがまだ愛知県の花きの売り上げ全体の0.1%程度。今後いっそうの伸びが期待される

生け花・茶道教室

2014年 総務省統計

順位	都道府県	数
1位	愛知県	332
2位	東京都	306
3位	大阪府	228

❼愛知県は花が欠かせない伝統文化の教室が多い

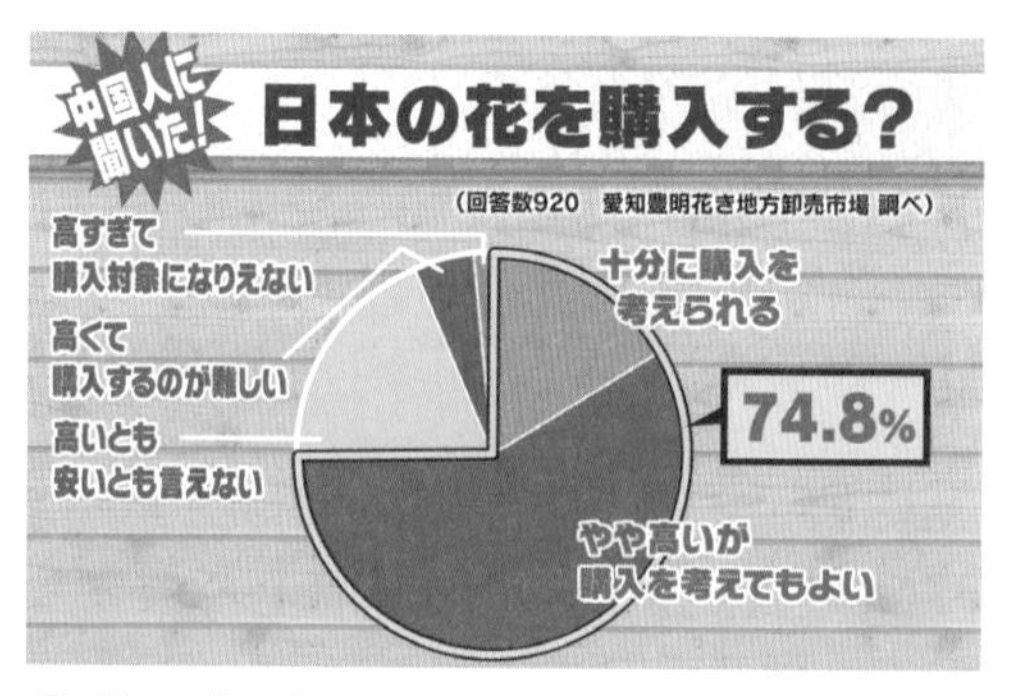

❻愛知の花は中国でも高評価。あまりにきれいなので造花と勘違いする人もいたそう

名古屋市は40位で、金額は1位の山口市の半分以下だ❾。愛知は花をたくさんつくっている割に、県民はあまり花に慣れ親しんでいないのだ。

そこで今、取り組まれているのが「花育」。愛知では２０１３年から小学校などで「花育教室」を開催。敬老の日に贈るフラワーアレンジ体験など、２０１７年度は37校で実施している。愛知豊明花き地方卸売市場では親子向けの花育として競り体験や寄せ植え体験を開催している。花王国が今後も盤石であるためには、花の地産地消で需要を下支えしていくことが不可欠のようだ。

“切り花”の消費額

（都道府県庁所在都市別／出典：総務省2016年）

1位	和歌山市	1万2878円
2位	仙台市	1万2458円
21位	大阪市	9262円
23位	東京都区部	8867円
39位	名古屋市	6782円

❽つくっても買わない愛知の地産“非”消。生産量は全国屈指なのに摂取量は全国ワーストの野菜との県民の関係性にも相通じる

園芸用品の消費額

（都道府県庁所在都市別／出典：総務省2016年）

1位	山口市	1万566円
2位	大津市	1万382円
3位	前橋市	9136円
⋮		
40位	名古屋市	4850円

2017年9月17日放送

❾園芸用品は若い世代ほど購入が少ないが、高齢世代になっても金額はあまり減少しない。長く続けられるだけに若いうちからの取り込みで底上げしたい

ニッポンの「大問題」を解決!? 愛知発〝ベンチャー企業〟最前線

愛知はものづくりの大企業が多く、「ベンチャー不毛の地」とさえ言われてきた。しかし近年は画期的アイデアを武器にするベンチャー企業が急増している。愛知は〝日本のシリコンバレー〟となれるのか？　その最前線を調査する！

伸び盛りの愛知のベンチャー資金調達は4年間で9倍！

愛知県のベンチャー企業21社が集めた資金は79億円（２０１８年）。都道府県別では東京が圧倒的に多く３００３億円で、愛知は神奈川＝１６９億円、大阪１２１億円に続く4位。とはいえ２０１４年と比べると東京、大阪が2倍程度の伸びに対して愛知は9倍近くまで急速に増えている❶。

愛知をスタートアップ（新しい製品やサービスで市場を開発しイノベーションを起こすこと、また起業をする人材や企業のこと）の拠点都市に。その気運は確実に高まっている。内閣府による「スタートアップ・エコシステム拠点都市」のグローバル拠点都市に中部圏が選定され、２０２３年には愛知県による日本最大級のスタートアップ拠点「ステーションＡｉ」が名古屋・鶴舞に完成予定。２０１９年には名古屋市内に「ナゴヤイノベーターズガレージ」「なごのキャ

都道府県別の資金調達動向　出典：ジャパンベンチャーリサーチ　2019年2月21日基準

	2018年		2014年
1	東京	3003億円	1161億円（2.58倍）
2	神奈川	169億円	41億円（4.12倍）
3	大阪	121億円	56億円（2.16倍）
4	愛知	79億円	9億円（8.77倍）
5	福岡	75億円	23億円（3.26倍）

❶東京とはまだ大きな差があるが伸び盛り傾向の愛知のベンチャー。資金力のある企業が多いだけに、成果が目に見えてくれば投資市場が一気に活気づく可能性もある

ンパス」、２つのスタートアップ支援施設もオープンした。

空き家、振り込め詐欺
社会問題の解決に挑む

ベンチャー企業の起業の動機の1位は「社会的な課題を解決したい。社会の役に立ちたい」。お金儲けよりも世のため人のため、という志が起業の原動力となっている❷。と同時に社会の抱える問題にこそニーズがあり、すなわちビジネスチャンスもあるのだといえる。

「クラッソーネ」（名古屋市）は２０１１年創業。着目したのは空き家問題だ。全国の空き家の数・割合は８４９万戸＝13・6％、愛知は39万４０００戸＝11・3％（２０１８年、総務省調べ）。２０３３年には全国で１９５５万戸＝27・3％に達するとの予測もある。この空き家の増加をストップさせたいと始めたのが解体費

用見積もりサービス「くらそうね」だ。スマホに処分予定の物件の情報を入力するだけでＡＩが該当地域の業者をピックアップして予想金額を算出。従来は相見積もりの金額が出るまで20日ほどかかったが、わずか1分で金額が出て、しかも精度は8割以上だという。ここから業者を選択し、口コミなどの評価を確認した上で業者と直接やりとりができる。見積もりまでの時間を短縮することで早く意思決定ができ、しかも中間マージンを省けるのでコストダウンにもつながる。これまでに累計3万8000件以上の見積もり依頼実績を誇る。

「トビラシステムズ」（名古屋市）は振り込め詐欺撲滅を目指し、2006年設立。オレオレ詐欺など特殊詐欺の被害金額は年間364億円（2018年、警察庁発表）。ピークだった2014年の566億円より減少しているが依然大きな社会問題となっている。同社の開発した「トビラフォン」は迷惑電話を着信拒否するサー

起業の動機 複数回答 設立5年以内のベンチャー企業244社

VEC「ベンチャー白書2019」

順位	動機	割合
1位	社会的な課題を解決したい 社会の役に立ちたい	64.8%
2位	自分のアイデアや知識、技術を生かしたい	62.7%
3位	同じ思いの仲間がいた 仲間から勧められた	31.1%
4位	所属していた組織では自分のアイデアや研究が生かせない	29.1%
5位	経済的な成果を得たい	20.9%

❷ビジネスの芽は社会の課題の中にこそ見つかる。「世のため人のため」の公共精神はベンチャーにとって強力な原動力になる

ビス。一番の強みは迷惑電話番号のリストが入ったデータベースで、警察や自治体、ユーザーからの情報提供を基に3万件以上を登録している。固定電話用、ビジネス用、モバイルアプリがあり、サービス利用者は500万人に達する。2019年4月には東証マザーズに新規株式公開し〝平成最後の上場企業〟として話題に。1年後には東証一部に市場変更を果たしている。

介護、医療の分野で注目の名古屋発ベンチャー

「エブリ・プラス」（名古屋市）は介護施設向けにレクリエーションを提供するベンチャー企業。65歳以上の高齢者人口は3588万人（2019年9月、総務省発表）。要介護・要支援の認定者は644万人（2018年4月、厚生労働省）で2000年＝218万人から18年間で3倍にも増えている。同社はこの長寿社会をサポートする会社。料理、音楽、大道芸など専門分野を持つパフォーマーらと提携し、料理教室や音楽教室など300種もの多彩なレクリエーションを出張開催する。2014年設立で、愛知県内を中心に約70施設と取引し、5000回以上を開催している（2019年4月現在）。

「ヘルスケアシステムズ」（名古屋市）は2009年に名古屋大学発ベンチャーとして起業。同社が開発した画期的な検査キットは全国の調剤薬局で人気を集めている。人気の秘密は手軽さ。専用容器に尿を入れて郵送するだけで、1～2週間後には測定結果が郵送またはメールで届けられる。例えば「減塩検定シオチェック」では一日あたりの推定食塩摂取量が分かり、食習慣の改善に役立つ。病院だと数万円かかる検査が自宅で数千円でできるのだ。キットは他に腸内環境郵送検査、タンパク質充足検査など14種類があり、郵送検査の利用数はこれまでに約30万件に上る。国内には高血圧993万人、糖

尿病328万人、高脂血症220万人の生活習慣病患者がいる（2017年、厚生労働省推計）。これを少しでも減らすことが同社の目標だ。

大学発ベンチャーが伸び盛り ユニークな発想が続々

大学発ベンチャーは全国で増えている。2014年度＝1749社→2018年度2278社と4年間で30％増❸。大学別では東京大学が

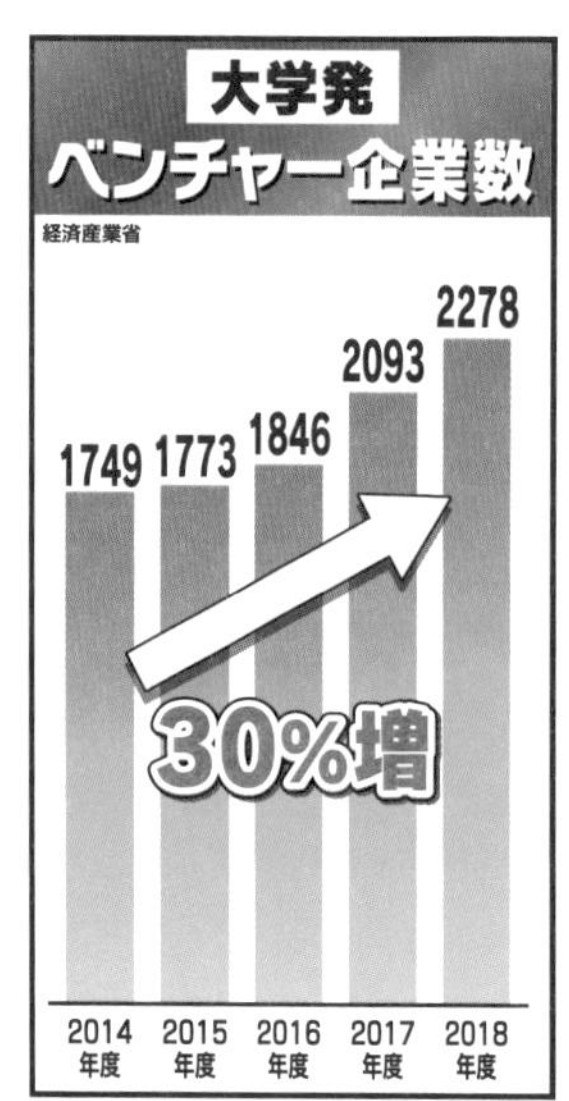

※経済産業省 平成30年度大学発ベンチャー実態等調査を基に番組が作成

❸終身雇用の日本型経営が崩れたことで学生の起業熱も高まっている

2018年度 大学別 大学発ベンチャー企業の数

1位	東京大学	271
2位	京都大学	164
3位	筑波大学	111
4位	大阪大学	106
5位	東北大学	104
6位	九州大学	90
7位	早稲田大学	82
8位	慶應義塾大学	81
9位	名古屋大学	76
10位	東京工業大学	66

2016年度 ➡ 2018年度 増加数

順位	大学	増加数
1位	京都大学	61
2位	東京大学	44
3位	筑波大学	31
4位	東北大学	28
5位	名古屋大学	27
6位	大阪大学	26
7位	慶應義塾大学	24
8位	早稲田大学	19
9位	九州大学	16
10位	熊本大学	10

※経済産業省 平成30年度大学発ベンチャー実態等調査を基に番組が作成

❹中部では名古屋大学が大学発ベンチャーの気運をリードする。ノーベル賞受賞者を次々輩出する理系ブランディングが起業マインドの高まりにもつながっている

ダントツの1位。名古屋大学は9位だが、2016〜18年度の増加数では5位に入っている❹。

この気運をいっそう高めるために2016年に設立されたのが大学発ベンチャー育成のための「Tongali（トンガリ）プロジェクト」だ。東海地方の9大学（名古屋大、中京大、岐阜大、三重大、豊橋技術科学大、名古屋工業大、名城大、藤田医科大、名古屋市立大）が参加し、学生、院生、OB、職員を対象に新ビジネスを生み出すための人材育成や支援をする。

Tongaliから起業を目指す事業は学生の自由な発想によるユニークなものが多い。ジャズミュージシャンのための耳コピ支援アプリ（中京大）、発展途上国で深刻化しているマラリア、デング熱など蚊による感染症防止を目的とする虫除け衣服（岐阜大）など…。

農業革命を目指す名大発ベンチャー 黒字化までのバックアップも不可欠

名大発ベンチャーで将来性が期待されるのが「グランドグリーン」（名古屋市）だ。同社が研究開発を進めているのは新接ぎ木技術。農業では広く使われている接ぎ木だが、これまでは同じ種類の植物同士に限られていた。同社はその常識をくつがえす異種間の接ぎ木に成功。この技術を用いれば砂漠や塩害土壌でも作物を育てられるようになり、農業生産性を高められる。2017年に創業し、先の技術で特許を取得。日本の食料自給率のアップ、さらには世界の食糧難の救世主になる可能性も秘めている。

大学発のベンチャーが黒字を出せるまでにかかる期間は平均5・1年といわれる（2018年、帝国データバンク）。巣立つまでに時間がかかるだけに、起業支援のプロジェクトの役割は重要だ。また、資金力のあるものづくりの大企業の投資にも期待がかかる。愛知から新たな産業の芽が次々と生まれ、羽ばたいていけば、日本の未来が明るくなるはずだ！

2020年2月9日放送

流行の髪型に、県民の利用調査 愛知の「理容室&美容室」事情

理容室&美容室はどれだけネットが発達しても人の手を介さなければサービスを受けられない、すなわち永遠の地域密着型産業。この分野でも愛知独特の業界事情や消費行動がある。ヘアの愛知スタイルとは果たして…？

愛知の理容室・美容室の数は全国3位 男性はこまめに、女性は1回が高額

愛知の理容室・美容室の数は1万7731カ所（理容室5581：美容室1万2150）。これは東京＝3万1011カ所、大阪＝2万2927カ所に次ぐ全国3位❶。全国では35万カ所以上あるとされ、コンビニの約5万5000店を6倍以上上回る。

東京・大阪・愛知の成人男女1500人の理容室・美容室に通う頻度は、「2〜3カ月に1回程度」が男女ともに半数以上。「月に1回程度」は男性＝30・1％、女性＝16・2％、「半年に1回程度」は男性＝5・8％、女性＝17・9％❷。一方で1回あたりの理容・美容代は男性はおよそ9割が「5000円以内」、女性は「5000円〜1万円」「1〜2万円」が合わせて半数以上❸。男性の方がこまめに利用しているが、女性はカットの他にカラーやトリートメントなど多様なサービスを受けて単価が高いという明確な違いが出た。

※厚生労働省の統計を基に番組が作成

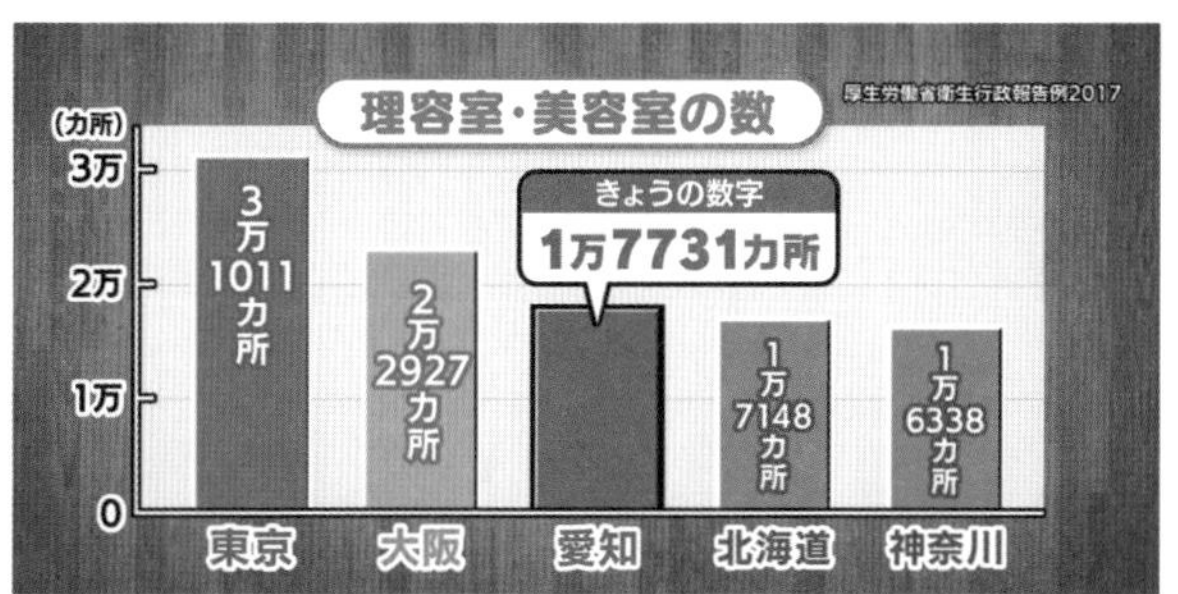

❶愛知の人口は約750万人。人口1万人につき23.6カ所の理容室・美容室がある計算になる

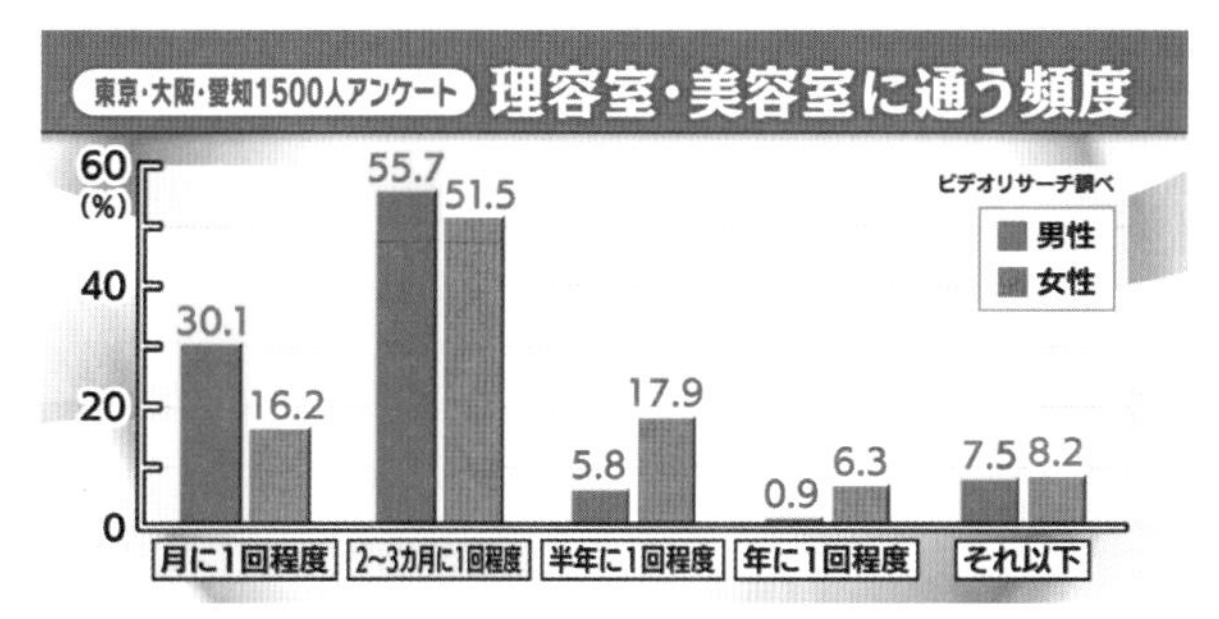

❷1960年代までは美容室で頭を洗ってもらう習慣もあり利用頻度は今よりも高かった。また近年はクーポンを使って1回だけお試し利用する人が増えている

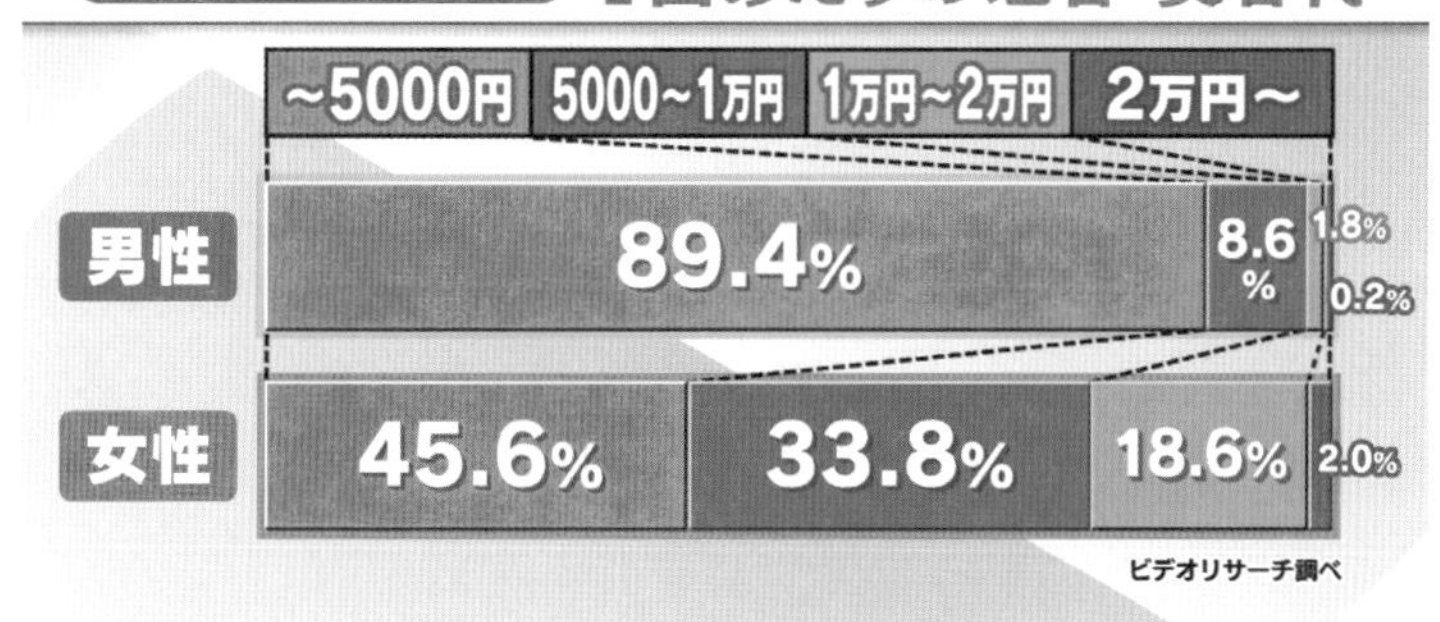

❸男性は不可欠の身だしなみ、女性は付加価値の高いおしゃれとして、そんな利用目的の違いが価格にも反映されているのでは

スターの髪型が流行をつくる人気ヘアスタイルの変遷

ヘアスタイルも時代ごとに流行がある。ブームを巻き起こした髪型の変遷は次の通りだ。

【1950年代】
男性＝舟木一夫、石原慎太郎カット
女性＝オードリー・ヘプバーン
【1960年代】
男性＝マッシュルームカット（ビートルズ）
女性＝ツイッギーカット
【1970年代】
男性＝ロングヘア
（吉田拓郎、フォークグループ）
女性＝サーファーカット
（ファラ・フォーセット）、
センターパートロングヘア（南沙織）
【1980年代】
男性＝チェッカーズカット、
ツーブロック（吉田栄作）
女性＝聖子ちゃんカット、ソバージュ、
ワンレン（W浅野）
【1990年代】
男性＝ロングヘア（木村拓哉、江口洋介）
女性＝シャギー（山口智子）
【2000年代】
男性＝ソフトモヒカン（デービッド・ベッカム）、
バリアート（EXILE）
女性＝金髪ショート（浜崎あゆみ）、盛り髪
【2010年代】
男性＝アシンメトリーツーブロック
（堂本剛、NON STYLE井上裕介）
女性＝ボブ（広瀬すず）

この変遷をみると、各時代のブームには人気タレント、スターの影響が大きいことが分かる。

愛知の理容業界が提案する最新髪型「ニューヘア」

理容・美容業界全体で新しいヘアスタイルの提案も行われている。しかも愛知では全国でも非常に珍しく、県の理容組合が「ニューヘア」を考案して発表する独自の動きがある。

愛知県理容生活衛生同業組合が提案する最新ヘアスタイル、その第1弾が1990年。「ZAP」と名づけられたナチュラルなパーマスタイルで、モデルに中日ドラゴンズのホープ、立浪和義を起用。人気・実力とも絶頂だった立浪効果も絶大で大反響を巻き起こし、全国の理容室からも問い合わせが殺到した。その後も1993年＝今中慎二「TROMBE（トロム）」（リーゼントをソフトにしたパーマ）、2001年＝福留孝介「ZERO」（無造作感あるツンツンヘア）、2011年＝浅尾拓也「SWITCH」（襟足が短い清潔感あるパーマ）がモデルを務めてきた。愛知の男性のヘアスタイルは中日ドラゴンズの選手がファッションリーダーになってきたのだ。

業界でヘアスタイルを発表する意義について、「講習会などで平均的な技術提供ができ、地域の理容師の発表の場ができることでモチベーション、技術の向上につながる」と山野美容芸術短期大学教授・富田知子さん。ものづくり大国と呼ばれる愛知だが、ヘアファッションの世界でも業界をあげた技術力向上に力が注がれている。

大ブームとなった名古屋巻き流行した意外な理由とは？

美容業界でも、女性のヘアスタイルのトレンドが愛知から生まれている。2000年にファッション誌『JJ』でも取り上げられ一世を風靡した〝名古屋巻き〟だ。

東京・大阪・名古屋では女性の定番ヘアスタイルが異なり、東京＝ストレート系、大阪＝強めの巻き髪、愛知＝ゆるい巻き髪が好まれる。名古屋巻きの生みの親、土屋雅之さん（現・銀座「ゾーエ」代表）によると、名古屋巻きとは「ナチュラル」「ゴージャス」「やわらかい」、品のある巻き髪スタイルのこと。加えてワンカールでスタイリッシュな服装にもエレガントな服装にも合わせやすいのが特徴だという。

この髪型が流行した理由はもう1つあり、それは〝自分でできること〟。「〝ホットカーラーを6本巻いて1分で外す〟というやり方も伝えて、簡単におしゃれできる巻き髪として提案したことで、〝これなら私にもできる〟と広まったんです」と前出・土屋さん。

それを証明するのが❹。名古屋は東京、大阪と比べてドライヤーやカーラーなどの理美容電気器具にはお金を使っている。つまり、名古屋の女性は自分で名古屋巻きをつくっていたのである。

おしゃれも見栄えがよく、かつ合理的に。名古屋巻きはまさしく名古屋の女性にぴったりの

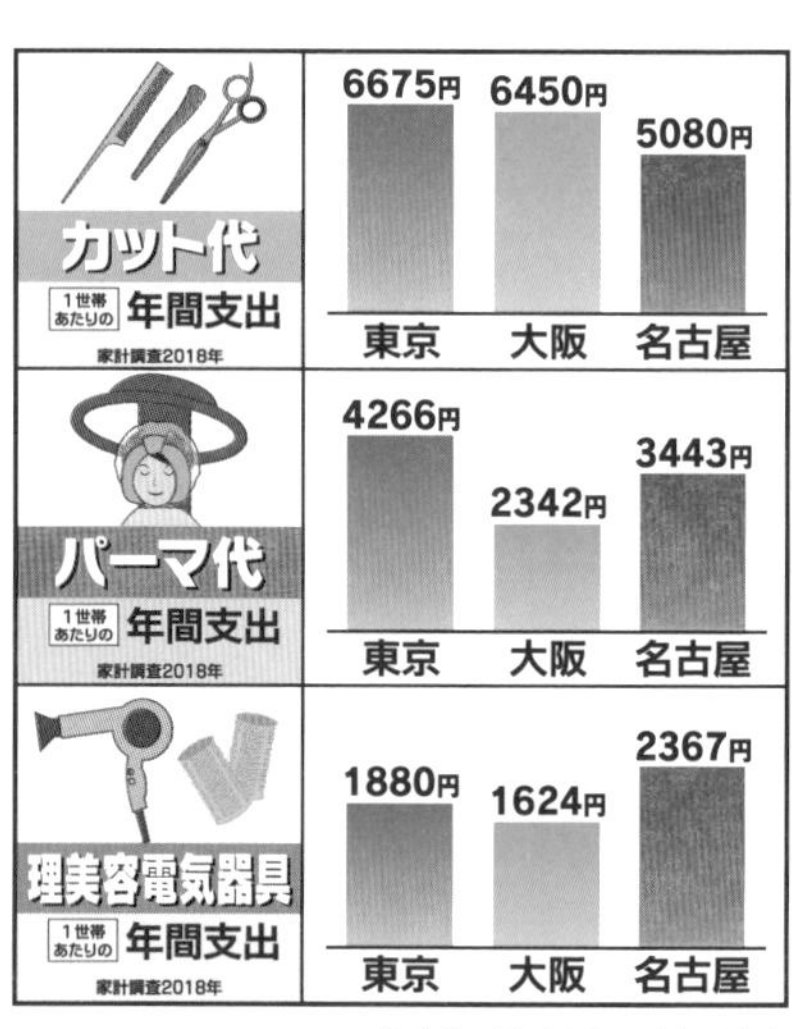

※総務省の統計を基に番組が作成

❹パーマ代が比較的高くドライヤーなどの器具代も高い名古屋。自分で名古屋巻きができるようにゆるくパーマをかけるためか

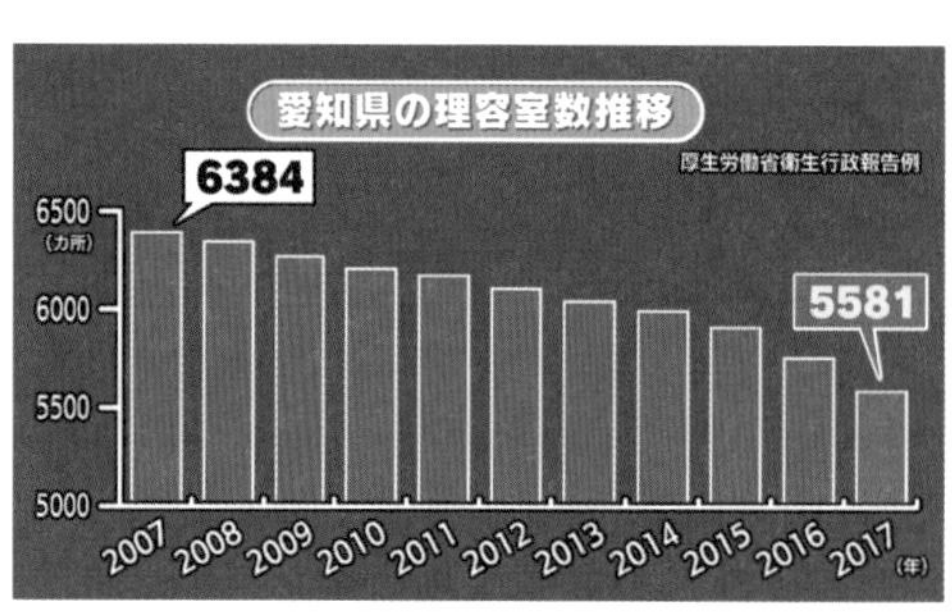

※厚生労働省の統計を基に番組が作成

❺美容室は逆に全国で年間1万2000店が開業し9000店が閉店、差し引き3000店が増えているといわれる。ただし3年で9割が閉店するとも

ヘアスタイルだったのだ。

減少傾向にある理容室
付加価値&専門化に二極化

理容・美容業界は全国的に過当競争にあり、理容室では後継者不足も深刻。愛知県の理容室は2007年＝6384カ所→2017年＝5581カ所と10年で1割以上減少している❺。

そんな中で新たな需要を開拓しようと新しいスタイルのサロンも生まれている。理容室では完全予約制&高級感ある空間で30～40代のこだわり派の男性の獲得に成功する店舗が。一方でスポーツバー併設の店、1000円カットながら確かな技術で子どもだけでなく父親・母親も顧客に取り込む店も。

付加価値を高める店もあればクイック&リーズナブルに特化する店もあり、業界の生き残り戦略は二極化の様相を呈している。

最新トレンドのグレイヘアも
元中日ドラゴンズのあの人がモデル！

近年のもう1つのトレンドが2018年の流行語大賞にもノミネートされた「グレイヘア」だ。ミドル～シニアの特に女性の間で、白髪をあえて染めないスタイルが注目を集めている。年齢に合った自分らしさの表現方法として、ライフスタイルの1つとして支持を広げている。

男性にもこの流行の波は影響をおよぼしていて、ヘアカラーメーカーの老舗ホーユー（名古屋市）は男性向けグレイヘアカラーを売り出し、売り上げ前年比20%アップを果たしている。そして、愛知の理容組合が提案する2020年のニューヘア「Dandyism」も元中日ドラゴンズ監督、山田久志氏を起用したグレイヘアだ。

横並びの流行が生まれにくくなっている令和の時代。愛知発の新しいヘアスタイルのトレンドは生まれ、広まるだろうか？

2019年6月9日放送

陸・海・空で徹底調査！愛知の「物流」最前線

宅配便にスーパーの野菜、ブランド衣料などのモノ・物・もの。これらをしかるべき場所へ運んでいるのが物流だ。特にものづくりが盛んな愛知は経済も生活も物流に支えられている。進化するその最前線に「陸・海・空」から迫る！

愛知から運ばれる荷物の量は日本一 9割がトラック輸送

「経済の動脈」といわれる物流。もしもストップすると品不足や物価高騰など私たちの生活に大きな影響が及ぶ。とりわけ愛知は自動車を中心とする製造業、さらに野菜や花など農業も盛んなため、日夜モノが大量に動いている。事実、愛知県の年間出荷量は1億9017万トンで全国1位❶。愛知でつくられたモノたちは物流によって全国、さらには世界中へ届けられているのだ。

モノはどんな輸送手段で運ばれているのか？東海3県ではトラックによる輸送が86％と9割近くを占めている❷。

物流革命でドライバー不足に対抗 積載量、積載率をアップ！

物流の主役であるトラック輸送だが、深刻な人手不足に悩まされている。トラックドライバ

都道府県別 年間出荷量

1	愛知	1億9017万トン
2	千葉	1億5781万トン
3	神奈川	1億4358万トン
4	大阪	1億3385万トン
5	北海道	1億2447万トン

（国土交通省「物流センサス」2015年）

❶年間出荷量とは、商品が工場や倉庫から市場に出された量が1年間にどれだけあったかを示す。産業が盛んな地域ほど出荷量も多くなる

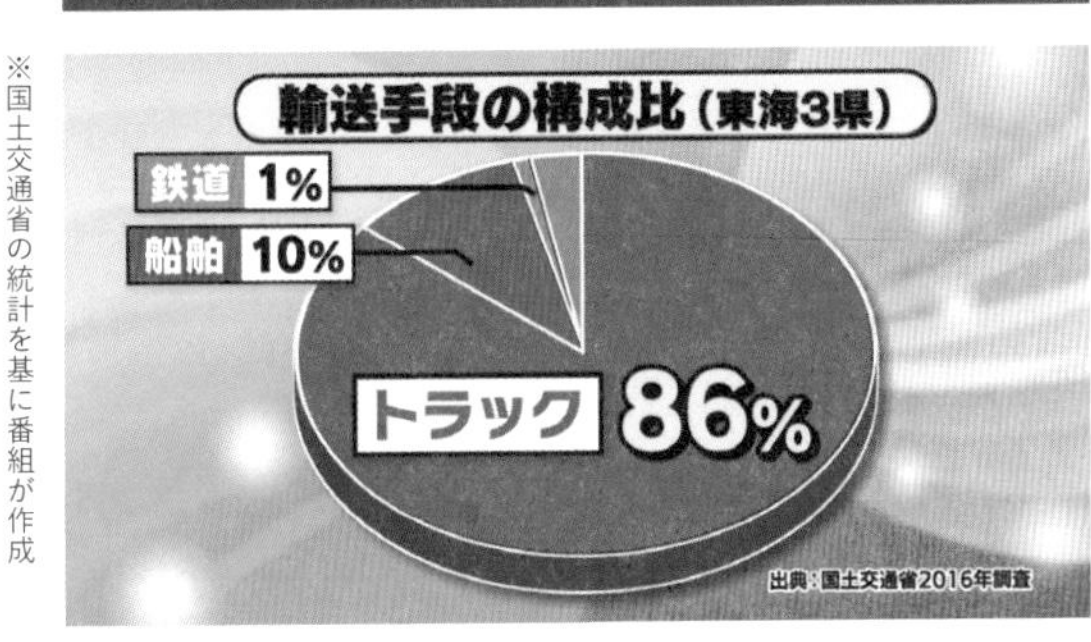

※国土交通省の統計を基に番組が作成

❷トラックが9割近くを占める。トンベースでは全国的にも概ね同様の構成比となっている

ーの数は２０１７年の時点で83万人。２０２７年には96万人が必要だと予想されている。ところが、なり手は減少傾向にあり２０２７年の予測は72万人。24万人も足りなくなりそうなのだ。現状でもトラックドライバーの有効求人倍率は年々上昇していて、２００９年＝０・２倍→２０１８年＝２・７倍に。特に愛知は５・65倍（２０１９年４月）と求人数が求職者の数を大きく上回っている。

この問題を解決するには物流革命が不可欠。福山通運は日本初の長さ25メートルものダブル連結トラックを導入。１台で通常の大型トラック２台分の荷物の輸送を可能にした。２０１７年に名古屋〜静岡・裾野間の新東名高速道路で運行を開始し、その後全国各地に広まりつつある。

総合物流会社トランコム（名古屋市）が業界シェア１位を誇るのが、荷物と空きトラックをマッチングさせる「求貨求車サービス」だ。日本のトラック積載率は約50％といわれ、荷物を届けた後の帰路は空で走っていることも多い。そこで空いている車の情報を集めて届けたい荷物とマッチングさせるのだ。1日のマッチング件数はおよそ6000件。コスト削減にも人手不足解消にも効果的だ。

メーカーによる効率的物流

物流を依頼するメーカーなどの業界も対策に取り組み始めている。例えば食品業界。食品は賞味期限があるため配送頻度が高く、ドライバー不足が特に深刻。そこでカゴメなどの国内メーカー5社は全国規模の物流会社を2019年に発足させ、複数の企業の商品を同じトラックに積み込む共同配送を行っている。

トヨタ自動車では、従来は部品メーカーがトラックを手配して部品をトヨタ自動車に納める「お届け物流」を行っていたが、トヨタ自動車が複数の部品メーカーを回って集配する「引き取り物流」を2016年から全国各地で順次始めている。

宅配業界最大の悩み「再配達」解消のカギ握る「置き配」

今や生活になくてはならない宅配も大きな課題を抱えている。宅配便の99％を占めるトラック輸送による年間配達個数は右肩上がり。1985年度＝約4億9300万個→2018年度＝約42億6100万個と、30年余りで8・6倍に急増している❸。これは国民1人あたり年間約34個という数だ。

そんな宅配業界の悩みの種が再配達。ドライバーの大きな負担となっている。国土交通省の調査では大手宅配会社3社の再配達率は15％。再配達は1カ月35万個にも上る（2019年10月）。

これを解消するために各通販サイトでは、コ

❸宅配はトラック輸送が99%を占める。ネット通販の広がりとコロナ禍の巣ごもり消費拡大でさらに増加すると考えられる

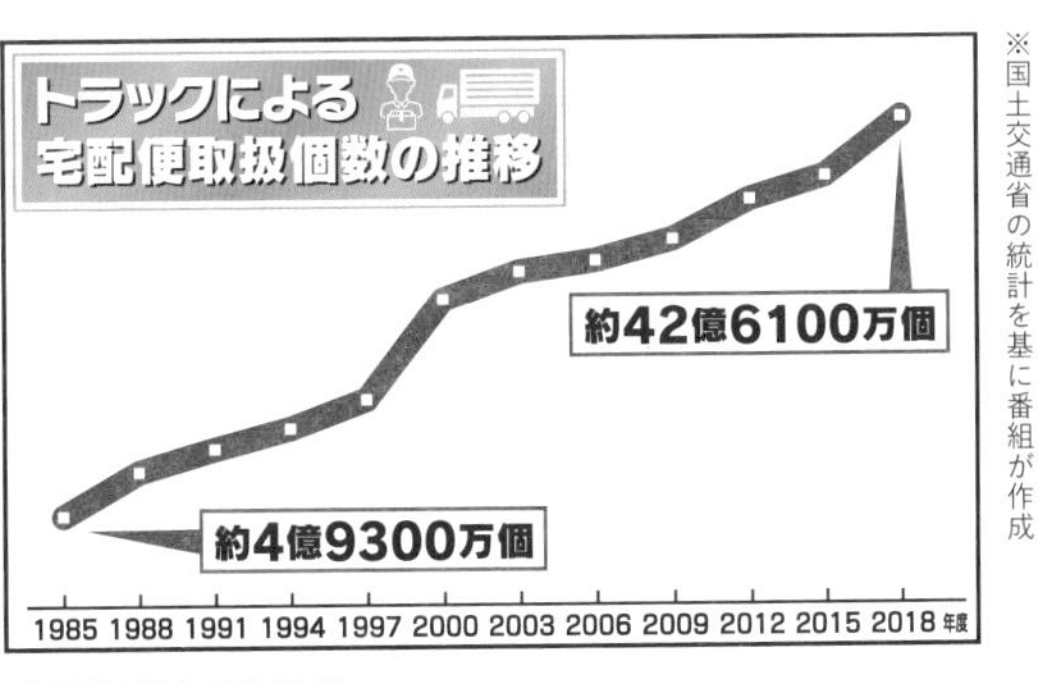

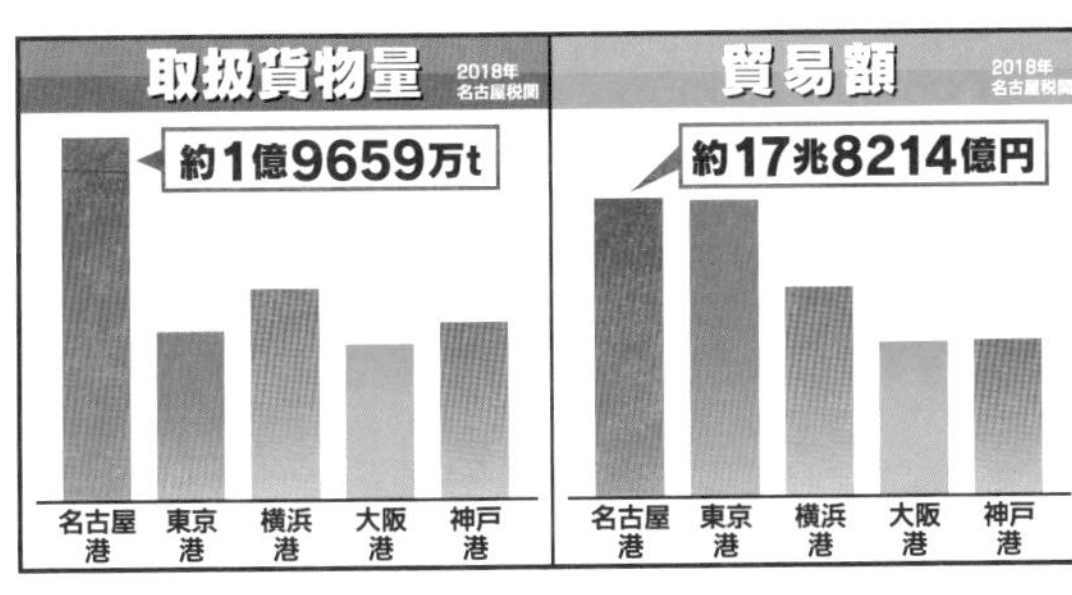

❹名古屋港は名古屋市、東海市、知多市、弥富市、飛島村の4市1村にまたがる巨大な港。扱う量も金額も敷地も全て大きい

ンビニ、宅配ボックス、宅配ロッカーなど荷物の受け取り方の選択肢を増やすサービスを展開している。

不在時に玄関前に荷物を置いておく「置き配」が受け入れられれば再配達の多くは解消されるが、現状では利用に消極的な意見が多い。国土交通省の調査では「知っているが利用したことがない」「知らなかったし、今後も利用したいと思わない」が合わせて60%以上、その理由では「盗難が心配」が40%以上で最も多い。現在、公道を走行する配送ロボットや、オートロックマンション内で稼働する置き配ロボットの実証実験が進行中。宅配業界の抱える悩みを解消できるか、ロボットにかかる期待は大きい。

日本一の物流港・名古屋港
輸出が伸びているのは「味噌」!

日本と外国を結び、大量にモノを運べるのが海上輸送だ。愛知の海の物流の中核を担っているのが名古屋港。取扱貨物量は2019年まで18年連続日本一。貿易額も日本一❹。さらには港の陸地面積も日本一だ。輸出は自動車が半分近くを占め、2018年には138万台が名古屋港から世界各国へ運ばれた。部品を含めると7割近くが自動車関連だ。輸入は液化天然ガス、鉄鉱石、原油、石炭の天然資源が54%を占めている。

そんな名古屋港が誇るのが日本でここだけの自動化コンテナターミナル。コンテナの積み下ろしをAGV（無人搬送車）で行い、従来はトレーラーの出入りに2時間かかるところわずか平均10分に短縮している。2019年9月に稼働を開始したIT倉庫では自動仕分けシステムなどのテクノロジーを駆使して従来の7割に省力化を果たしている。

名古屋港で今伸びているのが味噌の輸出だ。海外での日本食ブームもあって、全国でも2010年＝1万240トン→2019年＝1万8445トンと約1・8倍に増えていて、中でも名古屋港からの輸出は2010年＝1598トン→2019年＝5179トンと約3・2倍に急増（名古屋税関調べ）。東京港を抜いて全国1位に躍り出ている。海外で〝和食＝味噌〟〝味噌＝愛知〟のイメージが高まれば、地域の食文化のブランド力向上にもつながると期待がかかる。

セントレアはスピード重視で世界と愛知を結ぶ

空の物流はとにかくスピードが命。中部国際空港 セントレアは国際的な貨物拠点としてスピード革命を起こしてきた。貨物地区を駐機場に隣接させ、荷物の積み下ろしスペースは幅20メートルの大型の屋根を設置して天候に左右されない迅速な作業を実現。大手物流企業では空港に輸出用の荷物が届く前から通関の書類を作成して時間短縮を図り、その日空港に届いた荷物は当日の飛行機に乗せ、アジアの主要な国であれば翌日には現地へ届けることが可能になっている。また医薬品の取り扱いも多いため、日本で2番目の医薬品専用温調庫を設け、スピーディーな処理に対応している。ちなみに同港の輸出入品ベスト3は❺の通りだ。

右肩上がりのネット通販

ネットショッピングの一世帯あたりの支出額は今や月間およそ3万6000円。2万円程度だった15年前と比べて1・6倍にもなっている。2020年はコロナ禍の巣ごもり消費で、近年になく伸び率が大きい。私たちの生活の便利・安全はトラックドライバーをはじめ物流の現場の人たちによって支えられているといっても過言ではない。置き配の利用をはじめ、私たちも物流に対して優しい利用者でありたいものだ。

セントレア輸出入品ベスト3
2019年 名古屋税関 中部空港税関支署

	輸出		輸入
1	半導体等電子部品	1	医薬品
2	電気計測機器	2	原動機
3	原動機	3	航空機用内燃機関

2020年3月1日放送

❺世界のマーケットに向けたモノが行き交う中部国際空港 セントレア。アジアのハブとして、日本のゲートウエイとしての重要性は今後ますます高まりそう

「名古屋・愛知のカルチャー」をデータで解析！

海、山、川、そして温暖な気候と、自然環境に恵まれた愛知では、古くからたくさんの人が生活を営んできた。人集まるところに文化あり。豊かな暮らしは、健やかで時に人間味あふれるカルチャーを育ててきた。いにしえからの伝承や手仕事、近代の町づくりの結晶まで、愛知の文化はこんなにも面白さと奥深さに富んでいる！

〝山車祭り〟から〝奇祭〟まで全国に誇る！〝愛知の祭り〟

愛知は全国でも指折りの祭りが盛んな地域。ユネスコ無形文化遺産に登録された山車祭りに有名無名の奇祭の数々、全国屈指の動員力を誇る最新の都市型祭り。愛知の祭りの魅力、愛知で祭りが盛んな理由について調査・分析する。

全国のからくり山車の7割が愛知に集中
この地に多い理由とは…？

１７９。これは愛知県観光協会が発表している県内で開催されるイベント中、番組が独自に調べた〝お祭り〟の数。春は豊作祈願、夏は厄災除け、秋は収穫祭を中心に各地で祭りが開かれている。

愛知県民１０００人に「愛知を代表する〝祭り〟」を尋ねたところ、ベスト10は❶のような結果となった。

愛知の祭りの一番の特徴といえば山車(だし)祭りの多さだ。県内にある山車は４２２両。全国トップクラスの数を誇り、54市町村のうち40市町が山車を持つ。20両以上あるところも多く、中でも半田市には41両、名古屋市に36両、蒲郡市に34両、豊川市に30両がある❷（番組調べ）。

さらなる特徴はからくり山車の多さ。全国に２００両以上あるとされ、その7割にあたる約１５０両が愛知に集中している。１両に複数の

愛知を代表する"祭り"といえば?

順位	祭り	順位	祭り
1位	国府宮はだか祭	6位	犬山祭
2位	名古屋まつり	7位	田縣神社の豊年祭
3位	にっぽんど真ん中祭り	8位	豊橋祇園祭
4位	熱田まつり	9位	亀崎潮干祭
5位	尾張津島天王祭	10位	豊浜鯛まつり

※愛知県民1000人調査 ビデオリサーチ調べ

❶全国的に知られる奇祭から伝統的な祭り、近代になって始まった祭りが入り、エリアも名古屋市内、尾張、三河、知多を網羅したラインナップとなった

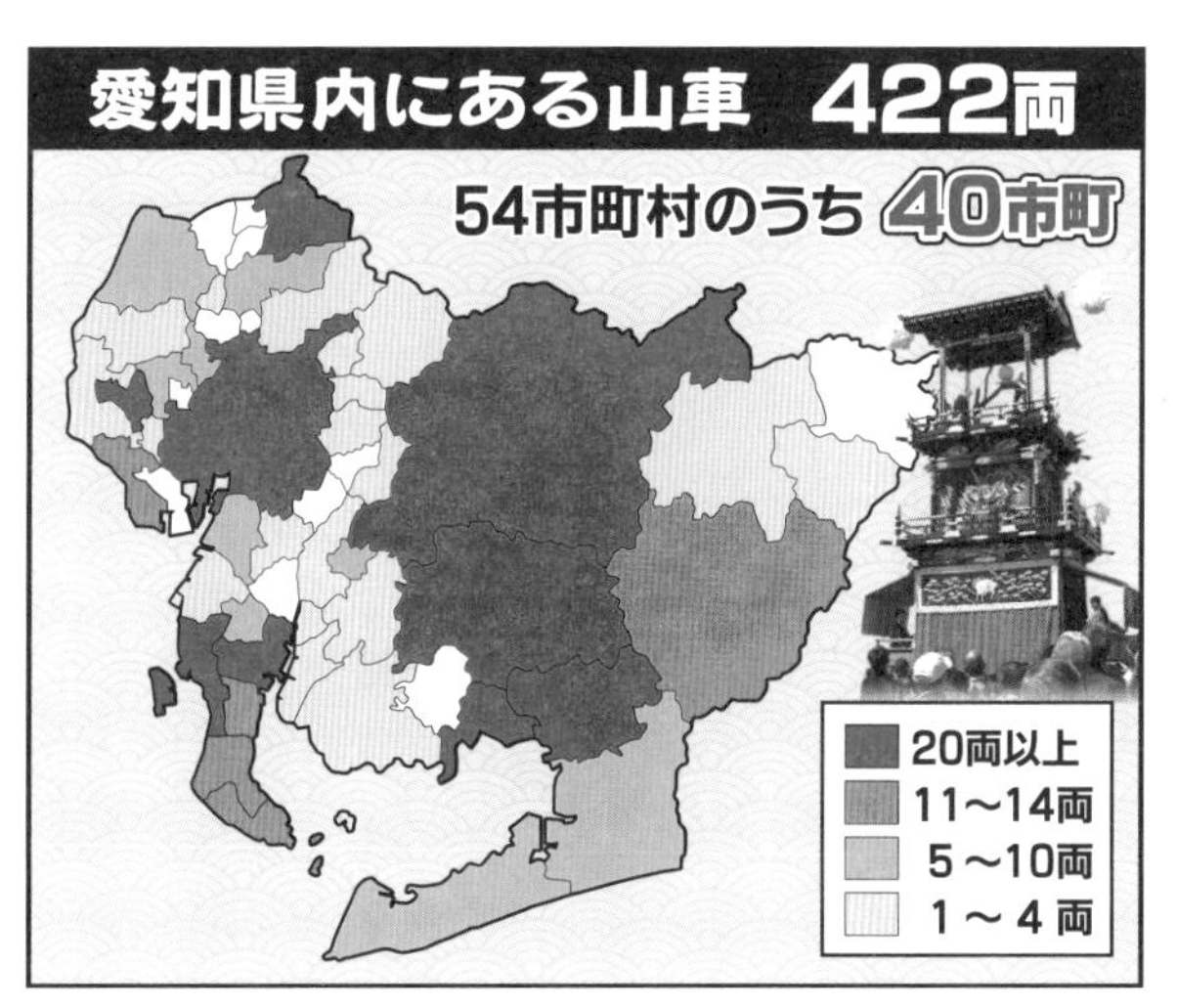

※番組調べ

❷山車には伝統工芸、技術の粋を凝らした彫刻やロボットの原点ともいえるからくり、絢爛豪華な織物などが施され、愛知らしさが注ぎ込まれている

からくりが載るものもあり、県内にはからくりだけで400体以上が現存する。

この地域にからくり山車が多い理由を伝統文化に詳しい南山大学名誉教授・安田文吉さんはこう解説する。「尾張藩が木曽の檜を押さえていたので上質な材木がこの地に集まった。仏壇や箪笥など木工の職人の技術も高まり、それがからくり山車にも応用された。経済力のある商人も多く、スポンサーとして山車文化を支えたのです」。

こうした愛知の山車祭りのうち5つがユネスコ無形文化遺産に登録されている。「犬山祭の車山行事」（4月第1土日）、「知立の山車文楽とからくり」（5月2、3日）、「亀崎潮干祭の山車行事」（半田市／5月3、4日）、「尾張津島天王祭の車楽舟行事」（7月第4土日）、「須成祭の車楽船行事と神葭流し」（蟹江町／8月第1土日）。

近年は山車祭りの注目度も高まっている。5年に一度、31両が揃う「はんだ山車まつり」は

❸「国府宮はだか祭」／正式には儺追神事（なおいしんじ）。全国で行われた悪疫退散の祈祷に裸の寒参りが結びついた

❹「田縣神社豊年祭」／長さ2m余りの大男茎形はご神体ではなく供物で、五穀豊穣、万物育成、子孫繁栄を祈願して奉納される

２０１７年の第８回の経済波及効果が37億８６１０万円。前回より４億円アップしている。

愛知は奇祭の宝庫
その理由は藩がゆるかったから…!?

愛知には奇祭も多い。愛知県観光協会が紹介しているだけでも10の奇祭があり、尾張から三河にかけて各地に広がっている。主なものを紹介しよう。

●国府宮はだか祭（稲沢市 旧暦正月13日）❸

約１２５０年の歴史を誇る伝統神事。毎年１人選ばれる神男にふれれば厄落としできるとされ、裸の男たちの肉弾戦がくり広げられる。

●田縣神社豊年祭（小牧市 ３月15日）❹

男性のシンボルをかたどった巨大な大男茎形の神輿をかついで奉納する。戦後間もなくＧＨ

❻「にっぽんど真ん中祭り」通称“どまつり”。2020年はいち早くオンライン開催に切り替えた。©にっぽんど真ん中まつり

❺「豊浜鯛まつり」／漁師町らしく豊漁と海の安全を祈る祭り。大小5体の張り子の鯛がねり歩きクライマックスでは海へ入っていく

Qが神社調査で来訪し、そのおおらかさを評価。全国の米軍基地からバスツアーで駐日米兵がやって来る。

●刈谷万燈祭（刈谷市 7月最終土日）
武者絵などが描かれた高さ3〜5メートルもの巨大な張り子人形を若衆が1人でかついで踊る。10数基の大万燈と多数の子ども万燈が市内をねり歩き舞を奉納する。

●てんてこ祭（西尾市 1月3日）
熱池八幡社の新年の祭礼。赤装束の厄男が腰に男性のシンボルをかたどった大根を下げ、お囃子に合わせて腰を振りながらねり歩く。境内に到着すると藁灰がまかれ、この灰をかぶると厄除けになるとされる。

●豊浜鯛まつり（南知多町 7月下旬）❺
長さ18メートル・1トンの鯛の張り子の神輿をかつぎ町内や海の中をねり歩く。奉納の際には張り子の鯛を鳥居にぶつけるのが迫力満点。

●うなごうじ祭（豊川市 4月上旬）
牛久保八幡社の若葉祭。笹踊りの歌に合わせてうじ虫のように所かまわず寝転がる。

●花祭（東栄町・設楽町・豊根村 11〜3月）
奥三河に700年以上前から伝わる伝統神事。鬼の面をかぶった踊り手らが様々な舞を披露し、「テーホヘテホヘ」のかけ声とともに夜通し踊りあかす。釜の湯を観客らにふりかける湯ばやしがクライマックス。国の重要無形民俗文化財にも指定されている。

愛知に特徴のある奇祭が多い理由を前出・安田さんはこう語る。「山も川もあり祭りの形のバリエーションが豊富。また尾張藩は規制がゆるく、三河は旗本領が多く殿様が常駐していなか

ったため藩主の目が行き届かず、自由奔放に祭りが発展したと考えられる」。

全国に広まる〝よさこい系〟祭り継続させるシステムとは?

都市型の新しい祭りとして全国に広まっているのがよさこい系の祭りだ。元祖の「よさこい祭り」は1954年、高知で始まった。神事ではなく戦後の経済復興を目的に始まり、高知民謡よさこい節に合わせて鳴子を持って踊るというもの。これが全国に広まり、よさこいを取り入れた祭りは、今では42都道府県で200以上開催されている。

愛知でも10のよさこい系祭りがあり、中でも規模が大きいのが名古屋の「にっぽんど真ん中祭り」通称「どまつり」だ❻。1999年に始まり、近年は参加チーム200以上、来場者数230万人以上を誇る。この「どまつり」と元祖の「よさこい祭り」、札幌の「YOSAKOIソーラン祭り」が群を抜いてスケールが大きく、チームも全国から集まる。「どまつり」は「観客動員ゼロ」をうたい、つまり集まった人すべてが参加者というテーマを掲げる。参加費は1チーム12万円~で、参加する人たちが祭りを支えるシステムが全国に広がっている理由ともいえる。

各地の伝統的な祭りは、若者の地元離れや氏子(うじこ)の高齢化で担い手不足がどこも悩みの種。後継者の育成やクラウドファンディングによる資金調達など、祭りを支える仕組みづくりが祭り文化を継承していくためにますます重要になっていく。若い参加者を夢中にさせて全国に広まるよさこい系祭りは、新しい祭りのスタイルとして参考になりそうだ。

2018年4月1日放送

〝三英傑〟に〝精進料理〟「お寺王国」愛知の謎に迫る！

〝お寺が多い町〟と聞いて多くの人は京都や奈良を思い浮かべるだろう。だが実は全国1位は愛知。なぜこんなにも寺が多いのか？ そして個性あふれるその魅力は？ 愛知がお寺王国になった理由からひもといていく。

愛知は寺の数日本一！ 浄土真宗と曹洞宗で半分以上

全国に7万7000以上あるお寺。コンビニが約5万5000店だからそれよりも多いといえばいかに身近な存在かイメージしやすいのではないだろうか。そのうち愛知の寺院の総数は4589。これは2位以下を大きく引き離すダントツの全国一❶。お寺のイメージが強い京都の1・5倍、奈良の2・5倍にもあたる。

宗教学者の島田裕巳さんはこう解説する。

「京都、奈良は歴史の長い寺が多いが、愛知は近世以降の寺が多い。浄土真宗と曹洞宗が多いことも要因。浄土真宗は僧侶と一般の門徒との距離が近く寺も豪華ではない。曹洞宗も地域の儀式が中心で身近な存在といえる。町の中のコミュニティの核になっている寺が多いのでしょう」。

実際に寺ごとの宗派の内訳を見ると、浄土真宗と曹洞宗の2宗派で全体の半分以上を占めている❷。

都道府県別の寺院数

順位	都道府県	寺院数	順位	都道府県	寺院数
1	愛知	4589	5	京都	3077
2	大阪	3396	7	東京	2886
3	兵庫	3289	16	奈良	1817
4	滋賀	3213		全国	7万7256

文化庁 宗教統計調査より(2016年12月31日現在)

❶番組の街頭アンケートで「寺が多い都道府県は？」に「愛知」と答えた人は30人中わずか3人。正解した人も理由は「よく分からない」という人がほとんどだった

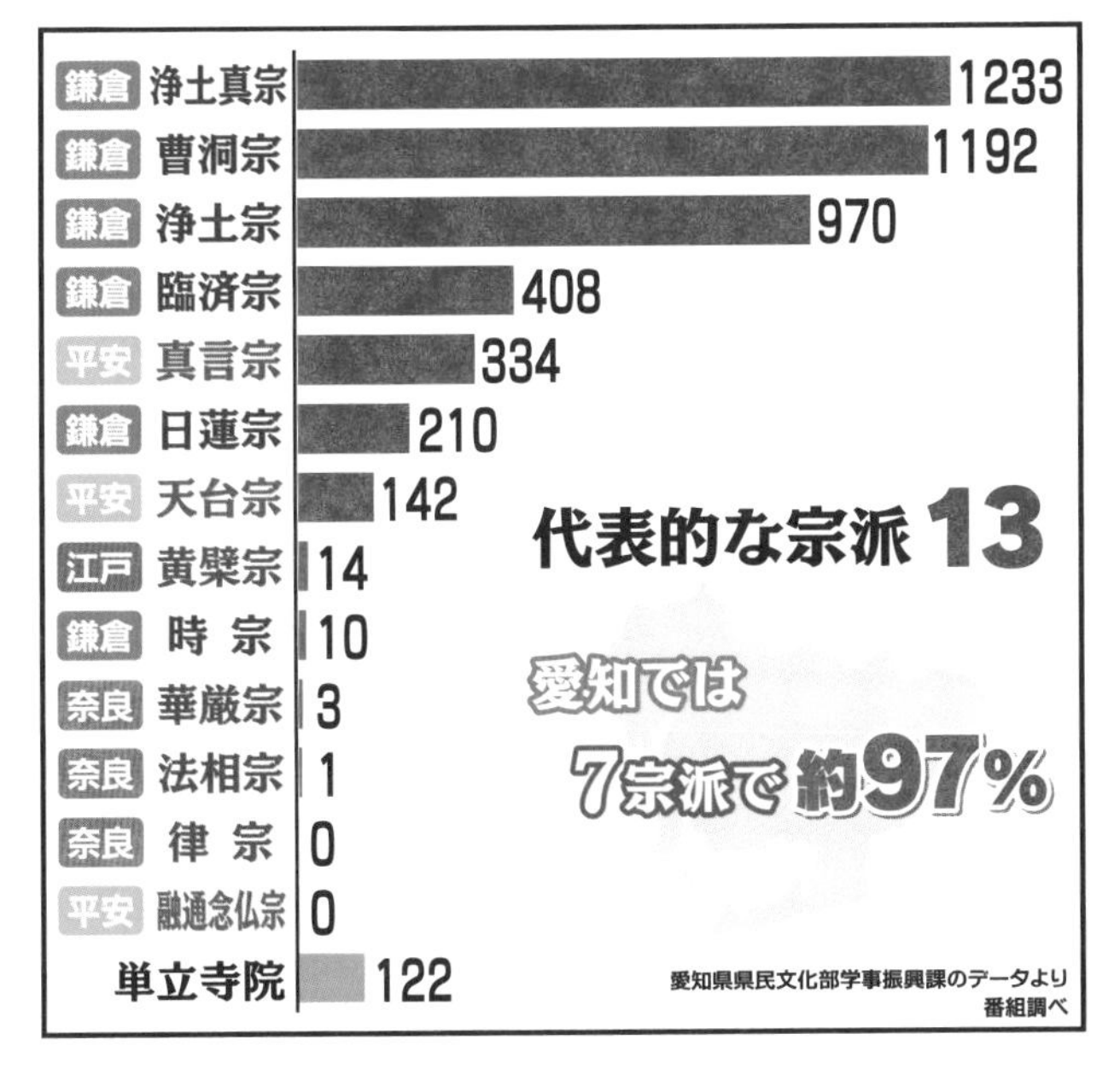

※愛知県県民文化部学事振興課のデータを基に番組が作成。2018年3月31日現在

❷日本の代表的宗派は13。愛知の寺はそのうちの7宗派で大半が占められている。これら7宗派の成立した時代区分をみると鎌倉仏教の寺が多い

愛知にはなぜ寺が多いのか？
7つの仮説を検証！

なぜ愛知には寺が多いのか？　番組では7つの仮説を立ててみた。これを1つ1つ検証してみる。

【仮説①】織田家にゆかりの寺を監視するためそばに新たに寺を建てたから

戦国時代が終わり徳川の世になった時、織田家にゆかりのある寺に不穏な動きがないか監視するためにそばに新たな寺を建てた、とする説。これに対し万松寺（名古屋市中区）は「だとすれば徳川家の三つ葉葵や家臣の家の家紋の寺ばかりになるはずだが、そういうことはない」と否定。

↓信ぴょう性＝×

【仮説②】防衛拠点として城の周辺に寺を建てたから

江戸時代、防御のために名古屋城と犬山城の周辺に寺を建てた。名古屋城は東西南に寺町があり、いざという時に兵士が駐留できる場として利用しようと考えられていた。大樹寺（岡崎市）は「当山も家康公を守って戦ったという逸話が残る。寺が一種の要塞の機能も果たした」と理解を示す。戦国の舞台になることが多かった愛知だけにあり得る話である。

↓信ぴょう性＝△

【仮説③】江戸時代から人口が多かったから

明治初めの統計で愛知は新潟、兵庫に次いで全国で3番目に人口が多かった。江戸時代に始まった寺請（てらうけ）制度でどの家も必ず寺の檀家になる必要があったため、多くの檀家を抱えるために寺も多くなったとする説。これは多くの人が納得できる無理のない考え方といえる。

↓信ぴょう性＝◯

【仮説④】廃仏毀釈（はいぶつきしゃく）への抵抗が強かったから

明治維新後、神道と仏教を分ける神仏分離令が出される。それがエスカレートして廃仏毀釈という仏教排斥運動が起き、全国で仏像が壊されたり多くの寺がつぶされたりした。しかし愛知では碧南市で浄土真宗の寺による大浜騒動という反対運動が起きるなど廃仏毀釈への抵抗が大きく、多くの寺が残ったという説。浄土真宗は結束力が強いのであり得るが、神仏分離は日本全体の動きなので、愛知だけがそれを免れたわけではないのではないか。

↓信ぴょう性＝△

【仮説⑤】東京、大阪に比べれば空襲で焼け残った寺が多かったから

東京と大阪は完全に焼け野原となったが、愛知は土地が広いため名古屋は焦土と化したものの全体で見れば被害は少なかったとする説。だが、愛知は軍需工場も多く空襲を受けた地域は決して少なくなかった。これによって寺が増えたという理由にはならない。

↓信ぴょう性＝×

【仮説⑥】日本の真ん中に位置しているから

愛知は日本の真ん中にあり各方面から布教のために入ってきやすかったからとする説。江戸時代には宿場町も栄え、東西の文化が持ち込まれていたことは確か。だが、決定打とするにはやや根拠に乏しいか…？

↓信ぴょう性＝△

【仮説⑦】安定した収入源があったから

愛知は経済的に豊かで檀家も多かったことが寺に恩恵をもたらしたとする説。実際に土壌や水に恵まれた愛知は昔も今も農業の生産性が高く、人々の暮らしにゆとりがある。冠婚葬祭にも力を入れ、寺とのかかわりも強くなる。これは寺が増えた理由として説得力のあるものだ。

→信ぴょう性＝〇

ランキングには意外な寺も個性で勝負する寺たち

寺の数は多い愛知だが、京都の清水寺や金閣寺のように誰もが知るほどの知名度を誇る寺はほとんどない。ランキングでは、地元では崇敬を集める寺、個性の強い大仏などが選ばれていて興味深い。

【観光地としても人気の愛知の寺】

第1位　豊川閣妙厳寺　※豊川稲荷（豊川市）
第2位　大須観音（名古屋市中区）
第3位　覚王山日泰寺（名古屋市千種区）
第4位　高蔵寺（春日井市）
第5位　鳳来寺山（新城市）
第6位　祖父江善光寺東海別院（稲沢市）
第7位　観音寺（江南市）
第8位　無量寺（蒲郡市）
第9位　常楽寺（半田市）
第10位　岩屋寺（南知多町）

※「愛知の神社・神宮・寺院ランキング　2018年4月のオススメランキング」（『じゃらんnet』より）を基に番組が作成

【日本の大仏　旅行者口コミ　ランキング】

第1位　東大寺盧舎那仏像（奈良県奈良市）
第2位　熊野磨崖仏（大分県豊後高田市）
第3位　臼杵磨崖仏（大分県臼杵市）
第4位　正法寺釈迦如来像（岐阜県岐阜市）
第5位　聚楽園大仏（東海市）
第6位　東長寺釈迦如来像（福岡県福岡市）
第7位　高徳院阿弥陀如来像（神奈川県鎌倉市）
第8位　桃巌寺名古屋大仏（名古屋市千種区）
第9位　牛久阿弥陀大仏（茨城県牛久市）
第10位　乗蓮寺東京大仏（東京都板橋区）

※旅行口コミサイト『トリップアドバイザー』

より

ランクインしている寺以外でも個性豊かな寺は多い。妙乗院（東海市）はアンティークステンドグラスに囲まれた本堂や庭園のライトアップ、人工の滝を使った滝行体験などアミューズメント要素がいっぱい。龍泉寺（名古屋市守山区）は境内に城があり内部は宝物館になっていて見学可能。真如寺（蒲郡市）はカラフルな御朱印、林高寺（名古屋市中村区）は寺ヨガで人気だ。

最近は精進料理で人気を集める寺も多い。称名寺（碧南市）は洗練された精進料理のランチが評判。願隆寺（名古屋市中村区）は毎月第1土日に精進モーニングを開催している。

減少する寺&お坊さんの数 生き残りかけて知恵をしぼる

寺の数日本一の愛知だが、寺も僧侶も年々減少している。県内の寺の数は2003年＝4694→2017年＝4589と10年あまりで60減。僧侶の数は2012年＝1万3917人→2017年＝1万3739人とわずか5年で178人も減っている。これは全国的な傾向だが、核家族化や親せき・近所づきあいの希薄化が進む中で、寺離れも進んでいるのだ。

だからこそ寺も時代のニーズに合った人が集まる仕組みづくりが不可欠。愛知は小規模の寺が多いため、あの手この手で人を呼び寄せようと知恵をしぼる寺もまた多いのだ。意外と敷居が低く親しめる要素も多い愛知の寺。まずご近所の寺の門をくぐってみてはいかがだろうか？

2018年4月15日放送

悠久の神話からパワースポットまで 愛知の「神社」事情を徹底分析

寺の数、日本一の愛知は神社の数もまた多い。全国第4位で三大都市の中でダントツ。どうして愛知にはこんなに神社が多いのか？　寺と同様に仮説を立てて検証。そこから愛知の神社の特徴や県民意識も見えてきた…！

愛知の神社数は全国4位 三大都市の中で飛び抜けて多い

神社の数は全国で8万社を超えるとされ、その数は寺よりも多い。

うち愛知にある神社の総数は3359社。全国トップの寺の数ほどではないが、都道府県別で4位。東京＝1458社・22位、大阪＝732社・44位と比較すると三大都市の中では極めて多いと言える❶。

しかし、寺の多さと同様に地元の人はこの事実に関心が薄い。「神社が多い都道府県は？」と愛知県民に尋ねたところ、「愛知」と答えた人はわずか50人中5人しかいなかった。

なぜ愛知には神社が多いのか？ 7つの仮説で検証！

なぜ愛知には神社が多いのか？　ここでも7つの仮説を立てて検証する。

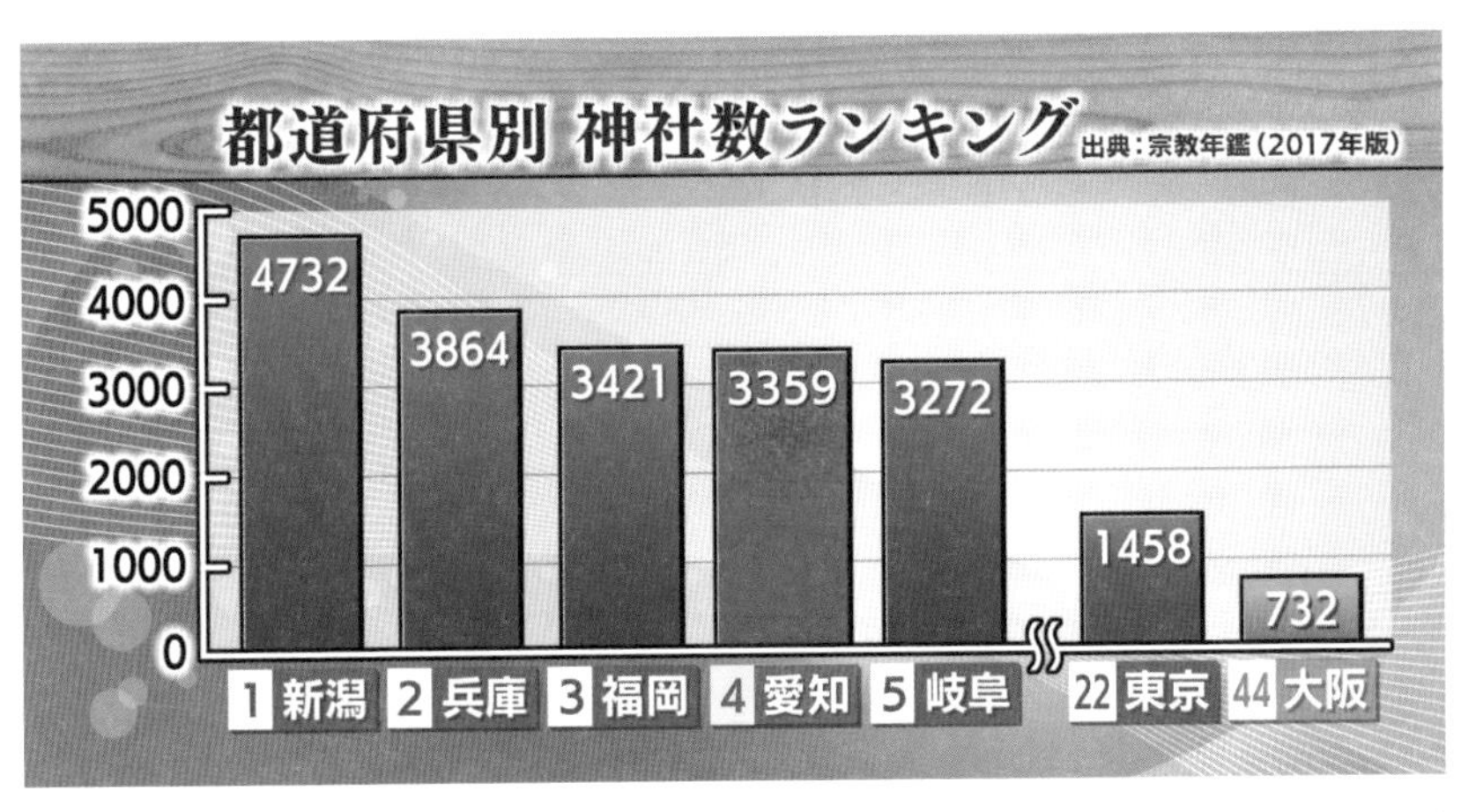

※文化庁の統計を基に番組が作成

❶寺の数と合わせると愛知の寺社は7948。この合計数も全国で堂々トップだ

【仮説①】人口が多く（明治時代は全国3位）集落ごとに神社ができたから

寺の多い理由でもあった人口の多さ。これは神社でも同様。宗教学者の島田裕巳さんも「愛知は人口が多く村の形が早くから整っていた」とこの説を支持する。

→信ぴょう性＝○

【仮説②】祭り好きが多く例祭が地域に活力をもたらしていたから

愛知には古くから続く祭りが多い。「若宮まつり」（名古屋市）、「国府宮はだか祭」（稲沢市）、「尾張津島天王祭」（津島市）など。7代尾張藩主・徳川宗春が祭りを奨励し、それにともない神社が増えたとの見方も。ただし、愛知の県民性はどちらかといえば感情の出し方が控え目。他の地域と比べて特に祭り好きとは言い切れない。

→信ぴょう性＝△

【仮説③】日本の真ん中にあり交易が盛んで様々な信仰が入り込んだから

お伊勢参りの通り道で信仰を目的とした人々が数多く行き来した。「参拝には農業や祭礼のノウハウなどの情報収集の目的もあった」（前出・島田さん）といい、交易が地域の信仰に何らかの影響を及ぼしたのでは、との推察も。

↓信ぴょう性＝△

【仮説④】三英傑が神として祀られたから

「三河に家康公を祀った新城市の鳳来山東照宮、岡崎の滝山東照宮があるが、信長、秀吉を祀った神社はあまりない」と豊川市の砥鹿神社はこの説に首をひねる。

↓信ぴょう性＝×

【仮説⑤】明治時代の神社合祀への抵抗が大きかったから

神社合祀の目的は明治政府による経費削減・合理化。当時19万6000社→8万1000社と約4割に減少している。しかし、「愛知は地域のつながりが強く神社を大切にする気持ちが強い。合祀もあまり進まなかった」（前出・島田さん）とされ、県民の信仰心が合併縮小から神社を守った。

↓信ぴょう性＝○

【仮説⑥】自然にあふれ自然をつかさどる神々を祀ったから

海、山、平野がある尾張、三河は様々な自然信仰があり神社へとつながったとする説。だが、近代化以前は日本中が自然豊かだったので、特に神社が多くなった理由とするには説得力に欠ける。

↓信ぴょう性＝△

【仮説⑦】江戸時代は神仏習合だったので寺が多い愛知は神社も多くなった

もともと神社に寺があり両者はセットだった。寺が多い愛知は当然神社も多くなると考えられる。ただし明治時代には神仏分離が進められた。もともと神職の数は少なく僧侶が兼ねるケースも多かったため、神社が神仏分離を完全に乗り越えられて数を維持できたかは断言しにくい。

↓信ぴょう性＝△

神職が常駐しない神社が8割 一方で神職の数は全国1位

これらの仮説を受けて、皇学館大学大学院名誉教授の櫻井治男さんは次のような有力情報を紹介する。

「愛知は平野が多く人口が多いためコミュニティー（集落）が多いという神社をつくる土壌がもともとあった。さらにそれを守る住民意識が強く、そのために必要な経済力もある。だから

神職の常駐していない神社の割合	
東京	63%（928社）
大阪	12%（92社）
愛知	80%（2662社）

出典：神社本庁

多いほど神社を守る住民意識が高い

❷神職が常駐しない神社では周辺の住民が氏子として神社を守り、祭礼を取りしきる。地域のコミュニティーが機能し、人口も多い愛知だからこそ可能な仕組みといえる

神社が多いのです」。

神社を地域で守る意識が高い、その裏づけとなるのが神職が常駐していない神社の多さ。愛知は実に8割が神職不在❷。神社で最も重要な祭礼は地域住民によって支えられるもの。神職に頼らず自分たちで守ろうという意識が強いのだ。

その他、信仰別に神社の数を全国で見ると武士の神様を祀る八幡信仰の神社が一番多く、二番目が伊勢神宮を中心とする伊勢信仰の神社となっている❸。愛知では伊勢信仰の神社は3359社中599社と2割近くを占めている❹。さらに伊勢神宮を通して出回る大麻＝お札の数も愛知県が全国で2番目に多い❺。神社界の中心である伊勢神宮との距離的な近さは、愛知県民の信仰心の篤さ、ひいては神社の数の多さに少なからず作用しているといえるだろう。

愛知の神道教師＝神職（男性）の数は3100人。これは2位・島根＝2703人、3位・岡山＝2589人、4位・東京＝2443人、5位・大阪＝2277人を抑えて全国トップ（文化庁宗教年鑑2017年版）。神職が常駐せず地域で守っている神社が多いのに、神職もまた多いのだ。両者が協力し合って地域のコミュニティーの核としての神社を守っている。これこそが愛知に神社が多い理由といえるのではないだろうか。

〝熱田の杜〟として崇敬を集める熱田神宮。創建は西暦113年で1900年以上の歴史を誇る。三種の神器の１つ、草薙神剣（くさなぎのみつるぎ）を祀る

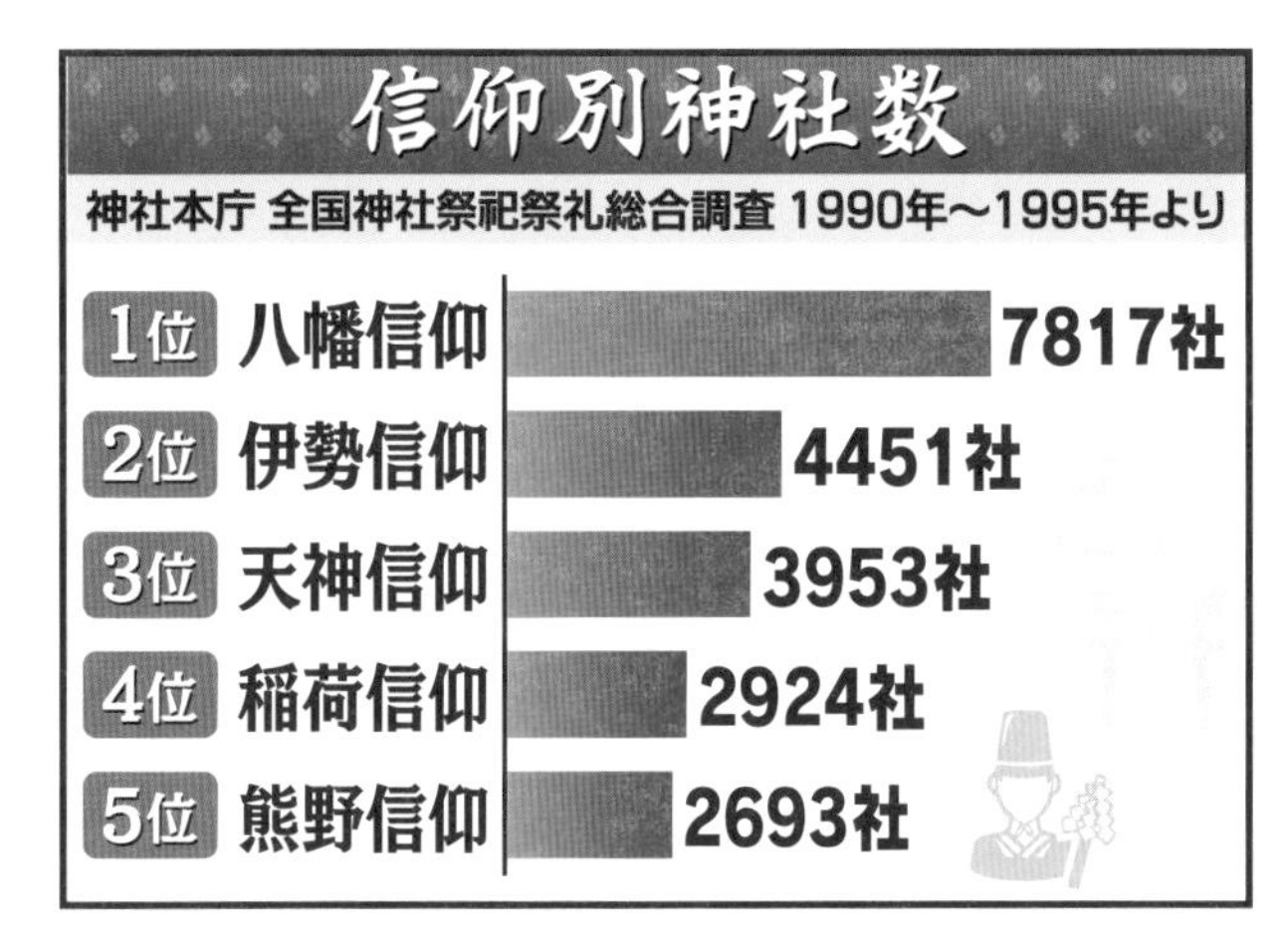

❸最も多い八幡信仰は九州の土着の神と天皇の御神霊が結びつき、平安時代に武士の信仰を集めて一般に広まった

❹伊勢信仰は鎌倉時代の伊勢神宮の所領とほぼ同じで中部圏に多い。主に神明社、神明宮と呼ばれるところがこれに当たる

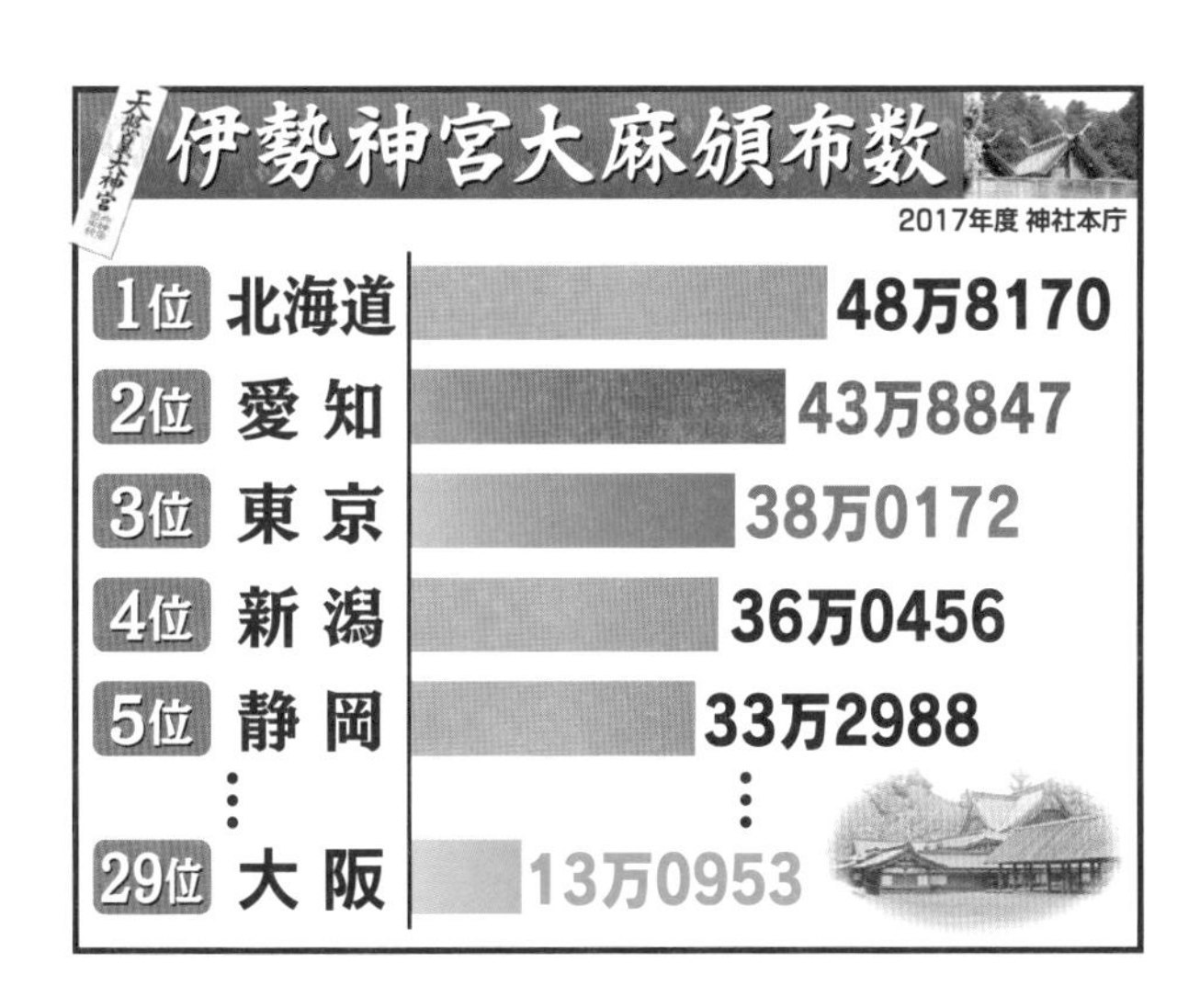

❺神宮大麻(「たいま」または「おおぬさ」)は伊勢神宮により配られる日本全体の氏神である天照大御神のお札。江戸の末期には全国の9割の家にあったとされる

2019年1月13日放送

意外と知らない？愛知が誇る驚きの〝建物文化〟

かつて「白い街」と歌われた名古屋だが、実はあるきっかけからデザインを積極的に取り入れた町に変貌している。県民自慢の建築10傑に、三河、尾張の個性的な建物を合わせて魅力的な物件が目白押しの愛知の建物文化に注目。

世界デザイン博を機に「白い街」から「デザイン都市」へ

1989年は名古屋の町づくりのターニングポイントとなった年。この年、名古屋は市制100周年を迎え、デザインを重視した世界に誇れる町づくりを目指す「デザイン都市宣言」を表明。その一環で開かれたのが「世界デザイン博覧会」、通称「デ博」だった。デ博に向けて街灯、信号機、案内標識、ベンチやゴミ箱にいたるまであらゆるモノがデザインを施されたものに一新された。

デ博以前の名古屋は、石原裕次郎が『白い街』と歌ったように、華やかさに欠け、町並も自動車にとって効率的であることが重視された。対してデ博以後は、潤いのある楽しめるものに対してお金を使おうと町づくりに対する意識が変化した。こうした取り組みが評価され、2008年には名古屋市はユネスコの「デザイン都市」に認定されている。

ところが愛知県民の92・6％は名古屋がデザイン都市であることを「知らない」と回答❶。それだけ町にデザインが当たり前のものとしてとけ込んでいるともいえるが、自慢の種が地元でも知られていないのはもったいない。

未来的なビルからレトロ建築まで 愛知県民自慢の建築ベスト10

愛知県民1000人に聞いた「自慢したい近代建築物」のベスト10は次の通り。それぞれの特徴と共に紹介する。（※❷はベスト5の投票数）

【第1位　モード学園スパイラルタワーズ】

2008年竣工。高さ170メートル。ファッションデザイン、IT、医療の3つの分野の専門学校が入居し、低層部と地階は商業施設となっている。3枚の巨大なガラス壁が名前の通りスパイラル（らせん）状に組み合わされた独

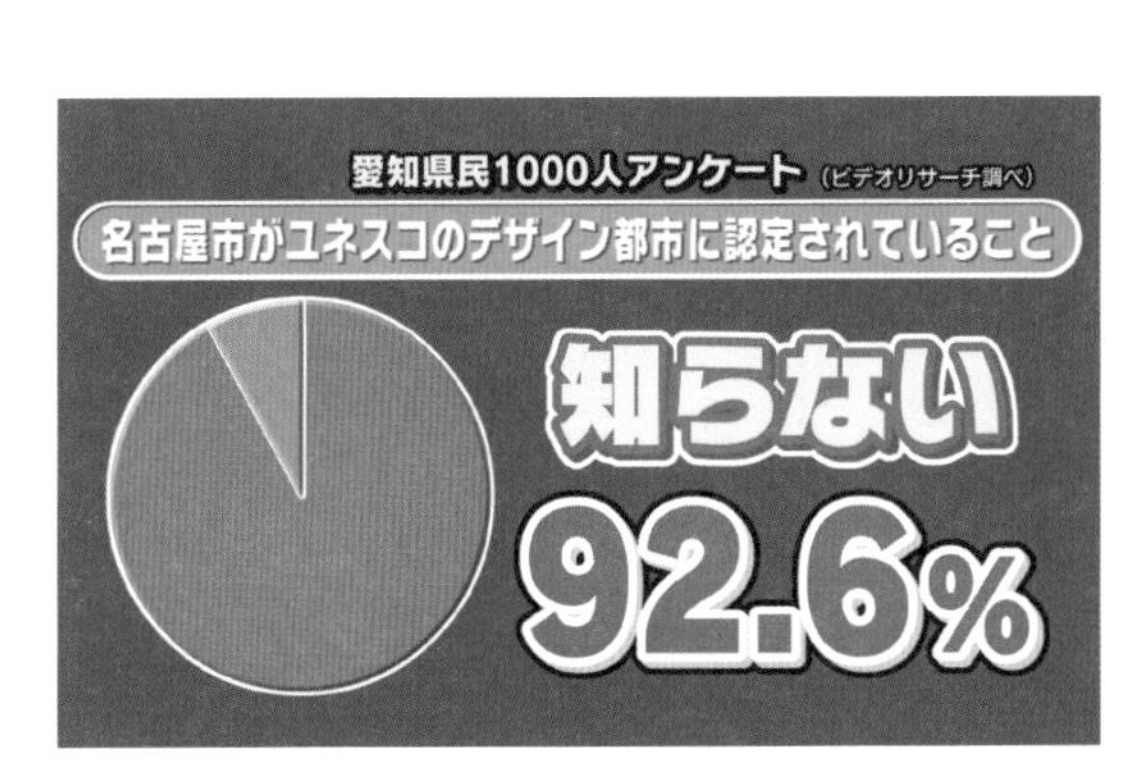

❶デザイン都市は世界で40都市、日本では他に神戸市と旭川市だけ。「名古屋はダサい」なんていう人を黙らせるためにも、もっとこの事実を広めたい

順位	建築	票数
1位	モード学園スパイラルタワーズ	345票
2位	オアシス21	277票
3位	ミッドランドスクエア	203票
4位	JRセントラルタワーズ	190票
5位	愛知県庁本庁舎	180票

※ビデオリサーチ調べ

❷平成に建てられた超高層ビルと未来的建築が上位を独占する中、近代建築の古株、愛知県庁本庁舎が5位に食い込んだ

創的な意匠で、同年の数々のデザイン賞、建築賞を受賞した。

【第2位　オアシス21】

商業施設やイベントスペース、バスターミナルなどで構成され、吹き抜けの屋根にあたるのがシンボルの「水の宇宙船」。150トンもの水で満たされ、地階まで陽光を届けるとともに水のゆらめきと合わせてキラキラと光る。「外国人旅行者が選ぶ夏のフォトジェニック観光スポット」として国内2位に選ばれたことも。

【第3位　ミッドランドスクエア】

2006年完成。高さ247メートルの中部地方で一番高いビル。地下1階〜4階まで巨大な吹き抜けになっている。220メートルの高さにある屋外型展望台スカイプロムナードも人気。

【第4位　JRセントラルタワーズ】

1999年に完成し、名古屋駅一帯の摩天楼化のきっかけとなった超高層ビル。高さ245メートルはミッドランドスクエアに抜かれるまで中部一だった。延べ床面積およそ42万平方メートルはナゴヤドーム（バンテリンドーム ナゴヤ）8・6個分に相当する。

【第5位　愛知県庁本庁舎】

1938（昭和13）年築。建物の上部に乗った屋根は名古屋城天守閣を模したもの。近代的なビルの上に和風の屋根を乗せる和洋折衷の衣装は帝冠様式と呼ばれる。国の重要文化財にも指定されている。

【第6位　名古屋市役所本庁舎】

1933（昭和8）年築。愛知県庁本庁舎同様の帝冠様式を採用し、屋根にはてっぺんの四方にらみの鯱をはじめ全12体の鯱が載ってい

る。玄関やホールの柱や手すりには国会議事堂と同じ大理石が使われるなど重厚な雰囲気で、映画やドラマの撮影にも数多く使われている。2014年に国の重要文化財にも指定された。

【第7位　中部国際空港ターミナルビル】

国際線・国内線が同じフロアにあり乗り継ぎがスムーズにできるなどユニバーサルデザインが高く評価されている。飛行機の発着が見られるスカイデッキや展望風呂も人気。古い町並を模した商業施設も充実している。

【第8位　半田赤レンガ建物】

1898（明治31）年、ビールの製造工場として誕生。日本のビール製造の黎明期の数少ない遺構であり、レンガ造りの建物としては全国有数の規模を誇る。国の登録有形文化財に登録、近代化産業遺産に指定されている。建物内は一般公開され、復刻されたカブトビールを味わえるカフェ＆ビアホールもある。

【第9位　名古屋テレビ塔】

東京タワーよりも4年早い1954（昭和29）年、日本初の集約電波塔として建てられた。設計者の内藤多仲は東京タワー、さっぽろテレビ塔、大阪の通天閣も設計し、塔博士と呼ばれる。2020年9月、耐震補強工事が施されてリニューアルオープンした。

【第10位　ナゴヤドーム（バンテリンドーム ナゴヤ）】

1997年完成。建築面積4万8169平方メートル。東京ドーム4万6755平方メートルよりも広く、これがナゴヤドーム何個分と表現する時の基準になる。三角形の骨組みを組み合わせることで高さを抑え、周辺の景観になじむように設計されている。2021年からはネーミングライツによりバンテリンドーム ナゴヤに。

名古屋の町の楽しみ方を変えた「ナディアパーク」

名古屋の町づくりに影響を与えた建物の1つが1996年に開業した「ナディアパーク」。中央のアトリウムをはじめデザイン性を強調した設計が特徴的だ。

建物のインパクト以上に人の流れを変えた功績も大きい。定時制高校があった敷地の再開発で、繁華街・栄の一角でありながらかつては周辺にはあまり人通りもなかった。しかし、ナディアパークの誕生で、それまでは主に地下街を移動していた買い物客を地上へ誘い出し、栄と大須をつないで町の回遊性を高めた。「栄ミナミ」というエリアのブランドが生まれたのもナディアパークがきっかけだ。

闇市発の商店の救済策として建てられた豊橋の水上ビル

三河、尾張、それぞれのエリアでは歴史あるユニークな建物に注目したい。

三河地方の中核都市、豊橋市の駅前に1964～67年にかけて建てられたのが通称「水上(すいじょう)ビル」。3～5階建てのビルが3棟連なり東西800メートルにわたって続く。

開発のきっかけは闇市(やみいち)にあった小売店の救済。都市化で行き場を失くした商店に入居してもらうため、駅前を流れる用水路の上にビルを建てた。ビルがゆるやかなカーブを描いているのは、用水路に沿って建てられているからだ。

ビルは1階が店舗で、かつては闇市がルーツの食堂、鮮魚店、青果店などが軒を連ねていたが、近年は古くからの商店に混じって若い店主によるカフェや雑貨店、美容院など新しいショップも増えている。

繊維業者の高い品質を守ってきたノコギリ屋根の工場

尾張地方で数多く見られたのがノコギリ屋根の工場だ。一宮の主力産業である繊維工場として主に建てられ、最盛期には一宮市内に約8000棟があった。現在でも2000棟が残っている。

特徴的なノコギリ屋根は、繊維メーカーにとって生地づくりの品質を守るのに欠かせない構造。窓は基本的に北向きで、屋根に反射した間接的な光が差し込むため、一日を通して明るさが安定している。そのため生地の色合いを正しく確認できるのだ。

最近は若い世代から再評価の気運が高まる。リノベーションしてカフェとしてオープンしたり、アーティスト向けのレンタルスペースやギャラリーとして活用されるケースもある。

ものづくり王国・愛知ならではの近代化産業遺産の数々

経済産業省では、幕末から昭和初期にかけての産業の近代化を物語る建物や機械を「近代化産業遺産」に認定。ものづくりが盛んな愛知でも多くの建物が認定を受けている。

旧豊田自働織布工場（現トヨタ産業技術記念館・1918＝大正7年／名古屋市西区）、ノリタケ旧製土工場（1904＝明治37年／名古屋市西区）、ミツカン工場群（半田市）、八丁味噌・カクキュー本社事務所（1927＝昭和2年）&味噌蔵（現・史料館）（1907＝明治40年／岡崎市）などがその代表例だ。

2020年4月に愛知で着工された新設住宅は5403戸。新型コロナウイルスの感染拡大下にあっても前年同月比24・2%も増加。新しい家の増加は地域の活力向上のバロメーター。愛知はコロナ禍にあってもなお底力がある。

2020年6月28日放送

暑～い夏に徹底調査 知られざる！愛知の〝妖怪伝説〟

日本中で古来より語り継がれている妖怪の伝説。実は愛知にも数々の妖怪の逸話が残っている。不思議な物語の裏には、文化や土地柄が隠されている。妖怪を知れば、愛知で引き継がれる暮らしや思いが見えてくる！

県内に704、名古屋に75の妖怪の伝説が！

愛知県内に残る妖怪伝説は704。「あいち妖怪保存会」の調べでは、県内にはこれほど数多くの妖怪の逸話が確認されている。

市町村別では名古屋が75と最も多く、尾張地方に多いものの、県内各所に伝説は残っている❶。〝人の住むところに妖怪あり〟ともいえる。

同会の共同代表である島田尚幸さんは「妖怪とは〝得体の知れない事柄、人、場所、時〟を指す。愛知に妖怪がどれだけいるかは誰にも分からないが、妖怪にまつわる話は数えることができる。調査すると愛知にも意外にも多く妖怪伝説が残っていたのです」と語る。

一方で愛知県民に「あなたが住む町に妖怪伝説は残っているか？」と尋ねると、「残っている」と答えた人はわずか3・1％。「知らない」という人が7割近くにも上った。これで〝今の世の中に妖怪などいない〟と考えるのは早計。

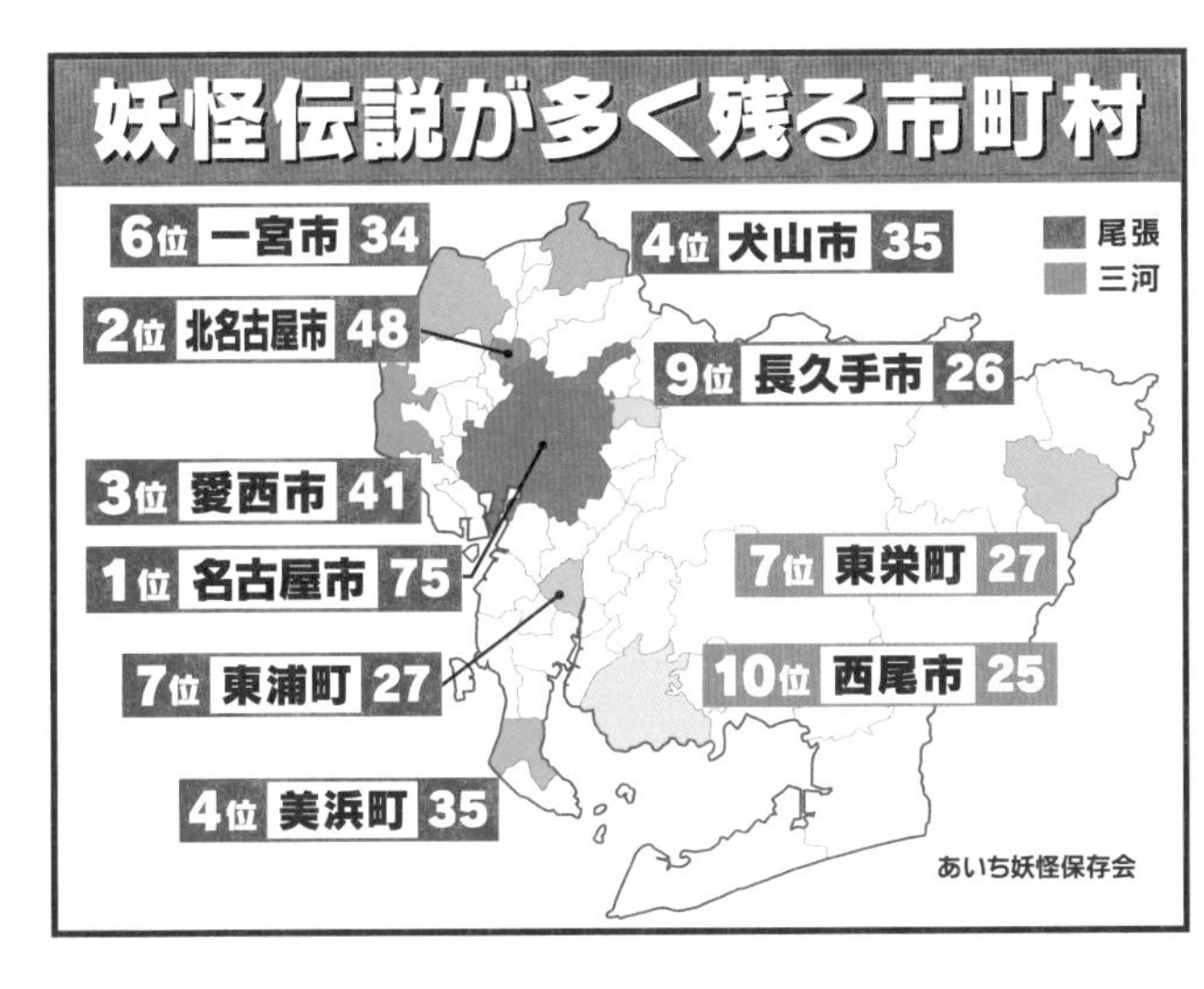

❶県内全域に妖怪の伝説はあるが、尾張に多い傾向がある。妖怪が人の心を映し出すものだとすれば、古くから人口が多い地域に妖怪伝説が残るのにも納得がいく

人をあざむくのが得意な妖怪のこと、多くの人の目から姿を隠しているに違いない（？）。

「鬼」「天狗」「河童」三大妖怪ゆかりのスポット

県民が「身近に感じる妖怪」のベスト10は❷の通り。3位の鬼が登場する祭りは県内にいくつもある。1位の河童は最近は水辺の自然環境保全のシンボル的存在にもなっている。

日本中に伝説が残る三大妖怪が「鬼・天狗・河童」。愛知にもやはりそれぞれ伝説がある。

鬼なら桃太郎神社（犬山市）。ここは桃太郎伝説の地で「大桃」「犬山」「猿洞」「雉ヶ棚」と物語に関連する地名が各所に残る。宝物館には「鬼のミイラ」「鬼の珍宝」「鬼の頭蓋骨」（の写真）が展示されている。

天狗にゆかりがあるのが熱田神宮のお隣、秋葉山圓通寺（名古屋市熱田区）。ここでは屋根の瓦や絵馬、おみくじ、ご朱印などいたるところに天狗が。手水舎（てみずや）や瓦の紋には天狗の羽うちわが刻まれている。公開はしていないが、本堂には60体以上もの木彫りの天狗が納められている。ここでは天狗の姿をした「秋葉さま」が親しまれ、火の神様として信仰の対象となっている。

「河童」の神様にお参りできるのが鹽竈（しおがま）神社（名古屋市中川区）。宮司の馬場さんによると、その昔、痔に悩んでいた町人が河童を助けたところ、男の尻子玉（痔の元）を抜いて川へ帰って行ったとされ、心優しい河童を神様として祀っている。

前出・島田さんによると「河童はカエル、カワウソ、猿、人など、言い伝えによって姿形も異なり、愛知はカメの姿に似たものが多く、名前もトチ、シンノコガメなどスッポンに由来するものが多い。水のあるところに現れるため美しい水の象徴とされたり、酒づくりの地で祀られたりしている」という。

くり返される妖怪ブーム
最新のブームは「アマビエ現象」

妖怪を身近に感じる理由としては、先の県民アンケートでも童話や漫画、アニメ、テレビで親しみがあるという声がほとんどだった。事実、妖怪はこれまでいくどとなくブームになっている❸。というよりもむしろ妖怪はずっと人気で、その中で特定のアニメや事象がしばしばブレイクする、ととらえた方がいいかもしれない。

そんな中でコロナ禍で突如、日本中の注目を集めることになったのが「アマビエ」だ。江戸時代後期、肥後国（現在の熊本県）で海中から現れ、「病が流行したら私の写し絵を人々に見せるがよい」と言い残して姿を消したと瓦版に記されている。この話がSNSを発端にあっという間に広まり、様々な商品に起用されるなど、日本中に「アマビエ現象」が巻き起こった。

❷座敷わらしが三大妖怪の間に割って入った

妖怪ブーム年表

※番組調べ

	年	出来事
第1次	1968年	アニメ「ゲゲゲの鬼太郎」放送開始 アニメ「妖怪人間ベム」放送開始 映画「妖怪大戦争」公開 「妖怪百物語」「東海道お化け道中」「大映 妖怪3部作」
	1969年	手塚治虫原作アニメ「どろろ」放送
	1971年	「ゲゲゲの鬼太郎」2度目のアニメ化でカラーに
第2次	1985年	「ゲゲゲの鬼太郎」3度目のアニメ化 最高視聴率29.6%を記録
第3次	1993年	水木しげるロード完成（鳥取県境港市）
	1994年	ジブリアニメ 「平成狸合戦ぽんぽこ」 狸たちが妖怪大作戦
第4次	2013年	ゲーム「妖怪ウォッチ」発売
	2014年	アニメ放送開始
第5次	2019年	三次もののけミュージアム（広島県）開館 アニメ「鬼滅の刃」放送開始 コミックス累計発行部数 8000万部突破
	2020年	新型コロナウイルスが 感染拡大する中、話題に

❸妖怪はブームというより“ずっと人気”

時代時代で巻き起こる疫病除け妖怪ブーム

アマビエのような疫病除けの伝説が伝わるのが神明大一社（岩倉市）。同社には2本の角が生えた人魚の絵が2枚残されている。アマビエと同じ1840年代、奥州に現れて疫病除けの言葉を残した妖怪だという。コロナウイルス感染拡大の終息を願ってお宮に複写を置いたところ、参拝者から好評を得ている。

古書のミュージアム、西尾市岩瀬文庫（西尾市）には1820年代の姫魚の文献が残る。当時コロリ（伝染病）が流行し、この姫魚の絵がコロリ除けのお守りとして商店などで売られていたとされる。さらにさかのぼって1759年にも人魚が出現し、こちらは疫病に特化したものではなく、悪事や災難などの全般の厄除けとされた。

その他、明治時代にコレラ除けのお守りとして人気を集めたのは3本足のサルに似た妖怪、

「アマビコ」。このアマビコの「コ」を「エ」と書き間違えてアマビエになったとの説や、わざと書き換えたという説がある。昔も今も、日本人は〝困った時の妖怪頼み〟であるようだ。

増水した川や葬儀場。いたるところに出現する愛知の個性派妖怪

愛知に伝わる特徴ある5つの妖怪を紹介しよう。

●やろか水（犬山市）

雨が降り続いて木曽川の堤防が決壊しそうになった時、上流から「やろか、やろか」という声が聞こえてくる姿を見せない妖怪。「よこせ」と答えると洪水になったと伝えられる。

●布団かぶせ（西尾市佐久島）

後ろからふわっと布団をかぶせて窒息させようとする妖怪。

●海の亡者（美浜町）

海上の船を狙う妖怪。ひしゃくを借せと言って現れ、貸してしまうとひしゃくで海の水をすくって船に注ぎ込み、船を沈めようとする。

●髪洗い婆（新城市）

雨の日の夕方、橋の下でじゃぼんじゃぼんと髪を洗う白髪の老婆が…。

●火車（かしゃ）（設楽町）

葬儀場に現れ亡き骸を奪っていく。年老いた猫が化けたものといわれる。

化け猫に九尾の狐など動物妖怪たち 愛知に多い狐の妖怪

動物の妖怪の伝説も各地に残る。

●岡崎の化け猫騒動（岡崎市）

呪い殺された遊女が化け猫になって人を襲い、恨みをはらすと大きな石に変身。石は再び化け

猫になり、自分の亡き骸を持ち去るという物語は、大変な人気を博した。「日本三大化け猫騒動」の1つとされ、歌舞伎の演目にもなっている。県内には7つの化け猫伝説があり、隣の豊田市の古刹・大鷲院(だいじゅういん)にも同様の伝説が。裏山の岩には化け猫の足跡が残る。寺には化け猫を追い払った払子(ほっす)(仏具)も残る。

●おとら狐(新城市)

長篠城鎮守の稲荷に住む妖怪。左目と左足を負傷した狐で、取りつかれると左足を引きずるようになり、左目からは大量の目やにが出る。

●九尾(きゅうび)の狐の殺生石(岡崎市)

その昔、国を滅ぼそうとした九尾の狐が退治されてなお毒を放つ石となり、高僧が打ち砕いたが破片が飛び散り、その1つが村積山(むらづみやま)に落ちた。ふれると病になるといわれ、「村積山の毒石」とも呼ばれる。

●恩田の初蓮(はつれん)(刈谷市)

松雲院に住んでいた白狐が、子狐をいじめた侍への仕返しに、藩主の花嫁に化けて城内にもぐりこもうとした。正体がばれて寺へ逃げ戻るも、村人に好かれていたため社を建てて祀られた。神通力を頼って参拝者が訪れるなど信仰の対象に。

「狐は愛知で最も伝説が数多く残る動物で、126もの伝承がある。豊川稲荷をはじめ信仰の対象となっている狐も多く、愛知では現実の狐とあやかしの狐が同一線上に存在する。このような人と狐の関係の近さが、もしかすると新美南吉の名作『ごんぎつね』が生まれた背景にあるのかもしれませんね」と、前出・島田さん。

妖怪を探して歩けば、身近な町の秘められた魅力が見つかるかもしれない。

2020年8月2日放送

意外と知らないことだらけ!? 愛知の〝仏像ミステリー〟

仏像ブームもすっかり定着した感があるが人気の的は国宝などの美仏・名仏。だが愛知にも貴重な仏像、個性あふれる仏像は多い。自分なりの視点で愛で拝めば、仏像めぐりがもっと楽しく、もっと心癒やされるものになる！

愛知の国指定重文仏像は56体 京都、奈良の1／10以下

愛知にある国指定重要文化財の仏像は56体。京都＝668体、奈良＝581体とは数では比べるべくもない。滋賀＝504体と合わせて重文の仏像は西日本に集中していて、これは中世まで政治・文化の中心が京都、奈良にあったことに由来する❶。加えて日本における仏像の技法や特徴は鎌倉時代までにほぼ確立され、政治の舞台が江戸に移った近世以降は目立った特色が見られないことも、東日本の仏像が美術、文化的観点からはあまり評価されていない実情につながっている。ちなみに愛知にある国指定重要文化財の仏像も9割は平安・鎌倉時代につくられたものだ❷。

番組のアンケートで地元の人に「愛知で思い浮かべる仏像は？」と尋ねると7割近くが「思いつかない」と答えたが、これはもったいない。愛知にも貴重な仏像、個性的で魅力的な仏像が

❶愛知の国指定重要文化財の仏像56体のうち尾張地方には38体、三河地方には18体がある

※文化庁の統計を基に番組で算出

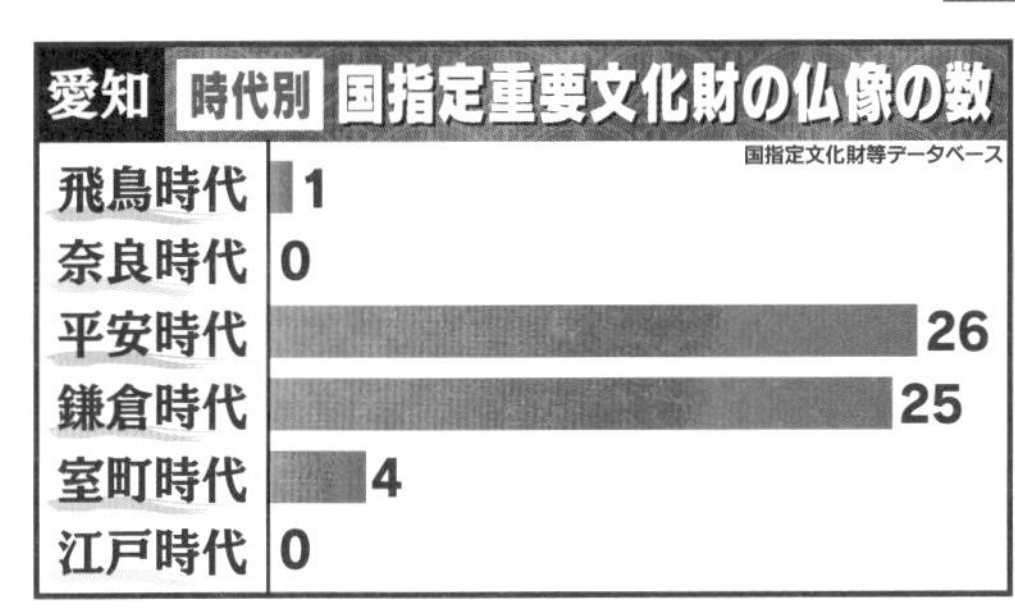

※文化庁の統計を基に番組が作成

❷平安時代にそれまでの唐風文化から日本独自の国風文化が生まれ、鎌倉時代にさらに花開いたことから、全国的にこの時代のものが文化財として高く評価される傾向にある

数々存在するのだ。

仏像に詳しい達人2人もこう評価する。「愛知は寺の数が全国一多い県。寺は基本的に本尊として仏像を置くので、仏像の数も当然多い。京都や奈良のように観光地化していない分、面白い仏像が眠っている可能性もある」(宗教学者の島田裕巳さん)。「京都や奈良に近いことから京都っぽい洗練された仏像もあれば、地方独特の個性あふれるいわゆる〝地方仏〟も数多く見られます!」(仏像関連の本を数多く出版するイラストレーターの田中ひろみさん)

愛知の仏像をめぐる〝4つの謎〟の真相とは?

愛知の仏像の調査を進めると〝4つの謎〟が浮かび上がってきた。

①愛知の仏像と縁が深い〝意外な人物〟

②なぜ!? 愛知に大量の〝円空仏〟

③昭和に起きた〝大仏ブーム〟の秘密
④ユニークすぎる〝珍仏像〟誕生の謎

この4つの謎を1つずつ解明していこう。

①愛知の仏像と縁が深い〝意外な人物〟

岡崎の瀧山寺には鎌倉時代につくられた聖観音・梵天・帝釈天の三尊像が安置されている。これは仏像界のスーパースター、運慶（または慶派正統の仏師）の手によるもの。当然、国指定重要文化財で、国内で30体（諸説あり）ほどしか確認されていない運慶作品が3体同時に拝めるのだ。

聖観音は約155センチで、これは鎌倉幕府の始祖・源頼朝の等身大。寺の住職が頼朝のいとこだったことから、慶派に依頼をして、頼朝の追悼のためにつくらせたと伝えられている。

この他にも、愛知には頼朝ゆかりの仏像が数々ある。普門寺（豊橋市）の不動明王像は平家追討を祈願してつくられたもので、こちらも頼朝の等身大。野間大坊（美浜町）には頼朝が寄進した念持仏が残っている。

なぜ愛知には頼朝ゆかりの仏像がいくつもあるのか？　理由は頼朝が名古屋生まれだから。母は熱田神宮大宮司の娘で、頼朝は熱田神宮の隣にあった屋敷で生まれた。頼朝は非常に信心深かったため、故郷・愛知で多くの寺を創建したり復興したりし、同時に仏像も残しているのだ。

②なぜ!?　愛知に大量の〝円空仏〟

円空は江戸初期に美濃で生まれ、全国各地で仏像を彫って残した流浪の仏師。生涯彫った仏像は12万体ともいわれる。大胆でどこかユーモラスな作風が特徴で、どことなくほほえんでいるような表情から、円空仏は微笑仏とも呼ばれてファンが多い。

現在確認されている円空仏はおよそ5400体。そのうち6割にあたる約3200体が愛知に集中している。

なぜ円空仏は愛知に大量にあるのか？　それは多数を保有する寺が県内に3カ所あるから。荒子観音寺（名古屋市中川区）＝1256体、龍泉寺（名古屋市守山区）＝528体、地蔵堂（津島市）＝1012体、合わせて2796体にも上る。円空は愛知を修業の場として選び、それぞれの寺に逗留して修業の一環として仏像を彫ったのだ。

③昭和に起きた〝大仏ブーム〟の秘密

大仏の定義は立像の場合約4・8メートル以上の仏像。これはお釈迦様がそのサイズだったことに由来する。大仏の情報をまとめたWebサイト『大仏JAPAN』によると愛知には15体の大仏があり、これは全国4位の数。うち13体は昭和の建立で、こちらは全国トップ。愛知は〝昭和の大仏〟の宝庫なのだ。事実、「愛知の仏像といえば？」のアンケート結果では1〜3位を昭和に建立された大仏が占めている❸。

大仏ブームのきっかけとなったのが聚楽園（しゅうらくえん）大仏（東海市）。昭和2年にコンクリートでつくられ、東大寺の大仏よりも大きい高さ約18・8メートルを誇る。発案者は守口漬を考案した実業家・山田才吉で、最晩年に私財を投げ打って完成させた。

開眼から7年後には大仏をモデルにした日本初の特撮映画『大仏廻國（かいこく）』が公開されて名古屋の劇場には長蛇の列が。このヒットがその後の大仏建立ラッシュを呼んだ、とも考えられる。『大仏廻國』は戦時中の混乱でフィルムが紛失してしまったが、2018年にまさかのリメイク版が公開され、マニアの間で話題に。大仏ブームが再び巻き起こるきっかけになるのかも(!?)。

❸ベスト３はすべて昭和に建立の大仏！　聚楽園大仏は2021年、市の文化財に指定

❺B級ではない！五色園のコンクリート仏像群

❹めがね弘法は何とも愛嬌がある

④ユニークすぎる〝珍仏像〟誕生の謎

愛知には個性的すぎる珍仏像の数々も。どうしてこんなお姿になったのか？　理由を調べると意外な事実が秘められていて…。

●**子抱観音／良参寺（美浜町）**

樹齢４００年以上の大イブキの根元に２つのこぶが。昭和58年に現れた「奇蹟！」の観音様で、子どもを抱く姿から子宝、安産、子どもの健康、学業成就にご利益がある。

●**めがね弘法／大智院（知多市）**❹

サングラスをかけた弘法像。江戸後期、黒い眼鏡をかけた盲目の老人がこの像を拝むと目が見えるようになり、代わりに弘法様の目に傷がついたことから老人の眼鏡をかけさせた。

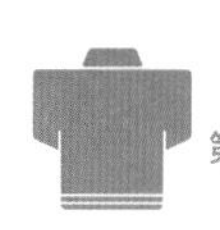

●泥ぶち観音/泥打観音（豊田市小原町）
　お堂に祀（まつ）られた観音様は姿が見えないほど泥まみれ。田んぼに泥だらけで埋まっていたのを村人が見つけてきれいに洗ったが、次の日なぜかまた泥の中に。大変泥を好むとされ、泥をぶつけてお参りすると願いをかなえてくれる。

●宗教公園 五色園/大安寺（日進市）❺
　親鸞聖人の逸話をジオラマ的に再現した像が広大な園内に100体以上。昭和初期、浄土真宗の教えを分かりやすく伝える視聴覚伝導をコンセプトに企画され、屋外を周遊しながら鑑賞できるようコンクリートでつくられた。

●黒ぼとけ/應仁寺（おうにんじ）（碧南市）
　ミイラのようにがりがりにやせ細った姿は苦行の様子を表したもの。竹と和紙でつくられ、薄暗い堂の中でさい銭を集めるための見世物にされていた。貧しい村を救うのが目的だったのだとか。

我が道を行く愛知の仏像は我が道を行く視点で楽しんで!

　愛知はそもそも寺の数が日本一多く、また江戸時代には藩のしめつけもゆるかったためユニークな寺社の行事や仏像が各所で生まれた。加えて観光地ではなかったため奇抜な仏像で関心を引く必要性も高かったと考えられる。

　前出・島田さんは、「仏像はもともと見世物的なエンタメの要素も持っている。黒ぼとけのように外で出開帳をして寄進を集めるのも決して珍しいことではない。仏像めぐりは〝国宝を制覇する〟など目標を立てて回るとやりがいも高まる」。前出・田中さんも「三英傑の特に秀吉や家康は寺や仏像を大事にし、ゆかりの仏像も残っている。いろんな時代の仏像が拝めるのが愛知の魅力」という。

　個性豊かな仏像が多い愛知は、自分なりの視点で仏像めぐりするにはうってつけの場所だ。

2020年2月23日放送

サンデージャーナル
座談会

どこを切り取っても名古屋・愛知が出てくる。日本で一番日本的な地域です！

石原良純×黒田有（メッセンジャー）×いとうまい子

テレビ愛知『データで解析！サンデージャーナル』をレギュラーメンバーとして支えているのが石原良純さん、黒田有さん（メッセンジャー）、いとうまい子さん。それぞれコメンテーター＆MC（進行役）として、さらに東京・大阪・愛知の代表として、多様なデータがつめ込まれた番組を分かりやすく、親しみやすいものにしてくれている。深井紀行プロデューサーが「番組が5年も続いているのはお三方のチームワークのおかげ」と賞する3人に、番組や名古屋・愛知に対する思いを語ってもらった。

関西人並に気さくな人が多いアットホームな町やなと思います（黒田）

石原　『サンデージャーナル』は番組が始まってもう5年になるんだね。僕は『激論！コロシアム』（テレ

ビ愛知の時事バラエティ討論番組。2013年8月～2015年9月。後継番組の『土曜コロシアム』は同年10月～2016年3月）の時からMCをやらせてもらっているので、テレビ愛知通いもずい分長くなりました（笑）。

黒田　大先輩の石原良純さん、僕ら世代にとっては憧れのアイドルだったいとうまい子さんとの共演ということで、僕は最初はかなり緊張してました。

いとう　えぇ～？　全然そんなふうには見えなかったけど。そんなことをいう割には、私や良純さんに対する番組内での扱い方が雑じゃないですか？

石原　そうだよね！　僕なんてすごく冷ややかに受け流されることが多い気がする。

黒田　何言うてるんですか！　今は仲間として一致団結しております。たまに良純さんのテンションについていけない時もありますけど。

石原　ほら、やっぱり！

いとう　黒ちゃんはコテコテの関西人で、良純さんは関東育ち。番組を通して名古屋や愛知に対する印象は変わりました？

黒田　よく名古屋・愛知は閉鎖的っていわれるじゃないですか。僕も最初はそう思ってたんですけど、こうやって毎月名古屋へ来るようになると、町の人が気さくに声をかけてくれるんですよ。いったん中に入って受け入れてもらえると、関西人並に気さくな人が多い。実はすごくアットホームな町やなと思います。

石原　関東でも関西でもなく、名古屋は名古屋！愛知は愛知！　どこを切り取っても名古屋・愛知が出てくる。世界の中で日本は独自の文化といわれるけど、その中でも名古屋・愛知は日本で一番日本的な地域なんだと気づきました。

豊かで仲良しで健康で。愛知は幸せに暮らしている人が多い町

（いとう）

いとう　私は3人の中では愛知代表という立場になるんでしょうけど、名古屋に暮らしていたのは高校生までだったので、それ以降は知らないことがいっぱいある。自分が住んでいた頃は学生だったということもあって、〝地味だし、自慢できる観光名所もな

いし、小ぢんまりとした町だ〟と思ってたんです。でも、実際には経済的に豊かで、家族が仲よしで、高齢者の方々は健康寿命も長く、幸せに暮らしている人が多い。暮らしている人が幸せなことが町にとって何より自慢できることだから、胸を張って自慢できるんだというイメージに変わりました。

石原　でも、地元の人はそれに気がついているんだろうか？　と思うことは多いよね。

黒田　アピールするのが苦手、というかあまりアピールする必要がない、と思ってる感じがしますよね。多分、余裕の裏返しなんだと思いますけど。そのへんが大阪との一番の違い。大阪人は大したことないのに〝どや！〟て自慢したがりですから（笑）。

いとう　私自身もそうだったんですけど、気づいていないというのはあるでしょうね。番組では政治、経済、文化、暮らしなど、さまざまな分野を幅広く取り上げて、注目の数字や数値などを使って東京や大阪とランキング比較するので、毎回新しい発見や気づきを与えてもらって、知っていたはずなのに知らなかった地元のことを楽しく学ばせてもらっています。

石原　僕が一番驚いたのは、月並みかもしれないけど喫茶店文化。お手頃、お値打ち、プチ贅沢、家族愛など、この地域の文化や気質がそのまま反映されている。

黒田　モーニングはすごいですよね。僕なんかタダであんなトーストやらゆで玉子やらついてきたら、あとで何かやっかいごとでも頼まれるんちゃうかな、と警戒してしまいますもん。

いとう　黒ちゃんは愛知の人をもっと信用してください（笑）！

黒田　驚いたといえば、普段の生活の中で使っている必需品が、実は愛知発のモノが多いこと。よくものづくりの町といわれますけど本当にいろんなモノつくってますもんね。そこの部分も、売るのがメインの〝商人の町〟大阪との違いですね。

いとう　私が一番驚いたのはご当地スーパー！　ロケで現地へ行ったんですが、特にスーパーの中にあるお寿司屋さんに感動しました。鮮魚コーナーで販売するお魚をそのままさばいてもらっていただくわけですから、おいしいに決まってますよね！　最高に贅沢な気分になれました。

名古屋・愛知は奥が深い さまざまな角度から掘り下げていきたい！（石原）

石原　ジャンルを問わず名古屋・愛知に徹底的にしぼり込んだ番組構成だから、地元の人でも驚きがあるはずですよね。古墳を取り上げた回なんかも秀逸でした。黒田さんはあまり興味がなさそうだったけど。

黒田　何言うてるんですか！　毎回〝へぇ～〟と思って進行してますよ。

いとう　〝へぇ～〟が感心している〝へぇ～〟なのか、関心ない〝へぇ～〟なのかが表情ですぐ分かるの。

黒田　へぇ～。

いとう　ほら、また適当に受け流す！

黒田　コロナ禍で収録もリモートになることが増えて、リモートだと受け流す時の〝間〟がつかみにくいのが一番の悩みですね（笑）。それは冗談でおいといて、コロナ禍で日本中が沈みがちな今こそ、みんなが住んでる地域のよさを今一度見つめ直す時だと思うんです。だからまずは名古屋・愛知から誇り得る文化やものづくりの力を見せつける、そんな本になればうれしいですね。

いとう　テレビで観ていると、すっと流れて全部は覚えていられないと思うんですが、本としてまとまると、番組スタッフの皆さんが苦労して調べた内容をあらためてじっくり確認できるはず。名古屋・愛知の面白くてためになる情報が満載ですから、じっくりお楽しみくださいね！

石原　名古屋・愛知はまだまだ奥が深い。これからもさまざまな角度からこの地域を探り続けていきたいですね。２冊目目指して頑張るぞ！　そのためにも、番組も是非観てください!!

石原良純
1962年、神奈川県逗子市生まれ。1982年、松竹富士映画『凶弾』で俳優デビュー。以後、大河ドラマやNHK朝ドラなどに多数出演。俳優、タレント、気象予報士と多彩な顔を持ち、鉄道、時刻表、ダム、マラソン、ワインなど趣味も幅広い。

黒田有（メッセンジャー）
1970年、大阪府東大阪市生まれ。お笑いコンビ・メッセンジャーのボケ担当。司会の仕事も多く、毒のあるコメントをはさみながらの仕切りのうまさには定評がある。板前経験もあり料理の腕は玄人はだし。名古屋でお気に入りの店は大須「にこみのたから」。

いとうまい子
1964年、名古屋市生まれ。初主演ドラマ『不良少女と呼ばれて』が大ヒットするなど80年代を代表するアイドルとして活躍。ドラマやバラエティなどに出演する一方で、2010年早稲田大学に入学。現在は博士後期課程にて抗老化について研究中。

誰もに親しまれる番組に。目指すはコメダ珈琲店！

深井紀行
（テレビ愛知『データで解析！サンデージャーナル』プロデューサー）

『データで解析！サンデージャーナル』は2016年4月スタート。情報＋報道＋バラエティの多様なエッセンスを融合させた番組として高い人気を誇っている。同番組のプロデューサーを務めるのが深井紀行さん。サンデージャーナルはどんな思いで、どんなふうにつくられているのか？　当事者が語る番組の舞台裏！

知っている情報にプラスαで知らない情報を上乗せする

名古屋にはテレビ局が6局あり（NHK名古屋放送局含む）、旅やグルメを主とした情報番組をどの局も制作しています。でも、取り上げるスポットやお店はどうしても偏りがちで、同じ店にいろんな局のいろんな番組が行って同じ料理を録って、違うのはタレントさんだけだったりする。もちろん何度も紹介される店はそれだけいいお店で、ニーズがあるから視聴率も取れる。この地方の人はコンサバ（保守的）な志向が強いので、自分が知っている情報を見て安心感を得る傾向も強いのでしょう。

でも、施設や飲食店を取り上げるにしても何か違う視点から見れば他とは違ったとらえ方ができるはず。知っている情報に知らない情報をプラスαで届けられれば、より興味を深めてもらえるはずだと考えました。**〝愛知には喫茶店がたくさんある〟だけでなく、では〝何軒あるのか？〟まで具体的に紹介する。**そうすることでちょっとした井戸端会議で〝実は…！〟と話題にしてもらうこともできる。そのプラスαを確かなデータによって提示する、そんな番組を作りたいと思ったのです。

データは総務省やシンクタンクの統計などお堅くて一見難解なものも多いのですが、かみ砕けば分かりやすく紹介できる。さらにリサーチ会社を使って独自のデータを集め、東名阪でそれぞれアンケートを取って三都市を比較することで愛知の特徴を浮かび上がらせる。そうやってアンケートやデータを取る方法をつくり上げていきました。

庶民目線でテーマをすくい上げ経済目線で局の持ち味を活かす

毎週取り上げるテーマはスタッフ全員で企画を出し合ってしぼり込みます。私は足で稼いでネタを拾いながら考えるタイプなので、とにかくいろんなところへ行って、「この地方の人はこれが好きなんだ」と**庶民的な目線で実感しながらテーマをすくい上げていきます。**経済に強いテレビ東京系列という局の性格もあって、経済的な目線も大事にして、地元経済の動向やものづくりに関連する情報も取り入れています。

個人的に思い入れがあるのは都市開発。名駅、栄、そしてレゴランド®・ジャパンにモリコロパークにリニア…。都市の移り変わりを角度を変えながら追いかけてきました。番組が始まってからの5年間だけでも変化が大きいし、今後も追い続けていきたいテーマです。

ショッピングモールなども好きですね。クルマ社会ということもあってＳＡ・ＰＡ（サービスエリア・パーキングエリア）を取り上げる回も視聴者からの反響が大きい。**皆さん、自分が普段から行く場所に関心が高いんですね。**

町の変化という点では大須商店街の移り変わりもスゴイ。特に若い人は好きですよね。大阪の天神橋筋商店街にも若い人はいますが、メインはおじちゃんおばちゃん。でも、最近の大須は若者がとにかく多くて、大須で街頭インタビューを集めると、こちらの想定している以上に若い人の回答が毎回多いんです。**原宿に行くような感じで、〝とりあえず大須に行こう〟という感覚なのでしょう。**歴史ある門前町でありながら最先端のカルチャー発信地になっている。全国でもあまり例のない商店街だと思います。

番組の視聴者は、町の喫茶店のお客さんと似ています。中心となるのはいわゆるF3・M3層（50代以上の女性・男性）。でも、愛知には若い世代もファミリーも年配者も獲得しているコメダ珈琲店がある。レトロでありながらショッピングモールにもあればロードサイドにもある。我々の番組もそんな風に町のいろんな場所でいろんな層に親しまれる存在でありたい。**目指しているのはコメダ珈琲店です**（笑）。

収録したデータがどう変化するのか数年後に確認するのが今から楽しみ

毎回、番組を通して実感するのは〝愛知＝ザ・日本〟だということです。**東京は多国籍すぎるし大阪は個性的すぎる。その点、愛知は昔ながらの日本人の気質がそのまま残っている。**ものづくりが得意で地元に誇りを持ちつつあまりそれを表に出さない。でも一方で自ら「大名古屋」「グレーターナゴヤ」なんてフレーズも使ってしまう。ケチを「お値打ち」に変換するのも何だか人間臭くていかにも日本人的。よく〝名古屋・愛知は日本の縮図〟といわれますが、データからもそれが事実だと感じます。

番組のCMのコピーとしても使ったのですが、まさに**「愛知を見ることで今の日本が見えてくる」**。ただしこれは愛知県民だけの特異なものではなく、他の多くの県でも当てはまる部分がたくさんある。だから是非、他県の人にも見てもらいたいと思っています。

番組を始めた当初から〝いつかデータブック化できれば〟という思いはありました。本という形にす

ることで普段はテレビを観ていない人にも届く機会が広がるし、特に若い世代にも見てもらえると期待しています。
放送時の最新データを集めた情報番組なので、本に載っている情報はもう古いのでは？　と思われるかもしれませんが、逆にこの本に収録したデータや事象が数年後どう変わっているか、比較する楽しみもあると思っています。数字は変わってもキーワードに注目すれば、そこには必ず愛知らしさだったり、変化した理由だったりが見えてくる。今の名古屋・愛知の姿を切り取って残す歴史資料にもなり得る。数年後、この本を見ながら変化を確認するのが今から楽しみです。

深井紀行
2008年4月テレビ愛知に入社。報道制作局にて旅番組や情報・経済番組など制作。『データで解析！サンデージャーナル』のプロデューサーを2016年4月の第1回放送から現在まで務める。

『データで解析！サンデージャーナル』には
ゲストコメンテーターとして何度か出演したことがあります。
喫茶店、麺、洋食など
いわゆるなごやめし関連の回の際にお呼びがかかるのです。

出演までには電話でのヒアリング、メールでのアンケート、
台本の確認など何度かやりとりをくり返します。
この段階で毎回感心するのは、
スタッフが非常に深く、広くリサーチ、調査を行っていること。
その筋に詳しいと出演依頼を受けている当方ですら
知らなかった事実や情報が数多く盛り込まれているのです。
また、相澤伸郎アナのチャーミングなキャラクターも、
番組を堅苦しくさせないという点で貢献度は小さくありません。

名古屋では１９９０年代頃から数え切れないほどの
名古屋本が出版されていて、この地域の風習や気質、文化などの
特異な地域性が紹介されてきました。
しかし、その内容は初期の名古屋本の焼き直しが多かったり、
情報が古く、果たして現状と合致しているのか
眉に唾しなければならない記述も散見されます。
対して『サンデージャーナル』は、徹底してデータを集めることで

名古屋・愛知の今現在の姿を浮かび上がらせようとしています。
データ、統計は一見無味乾燥な数字の羅列のようですが、
人々の営みや思いを少しずつ積み重ねた血が通った情報の集積です。
大切なはずの記録が軽んじられてしまっている今だからこそ、
これを書籍としてまとめて形にすれば、貴重な地域の史料となり、
極めてリアリティのある新しい形の名古屋本になるのではないか。
そんな思いから書籍化を企画し、
番組スタッフとの二人三脚で編集作業を進めて行きました。

『サンデージャーナル』が今の名古屋のテレビ番組の中で
ありそうでない個性を発揮しているのと同様に、
この本も数多ある名古屋本の中でありそうでなかった
データに基づく信頼性とタイムリーな時代感覚をもった
1冊になったのではないかと僭越ながら感じています。
食、生活、産業、文化など、独自のローカル性をもちながら
愛すべき日本らしさも兼ね備えている名古屋・愛知。
この地域の今の真実を知ることで、
あなたの住む町の色もまた浮かび上がってくるに違いありません。
自分たちの町を知るきっかけとして
この本をお手に取ってご覧いただければ幸いです。

企画・構成　フリーライター　大竹敏之

［著者］サンデージャーナル取材班

［著者］大竹敏之（おおたけ としゆき）
名古屋在住のフリーライター。雑誌、新聞、Webなどに名古屋情報を発信する。著書に『名古屋の酒場』『名古屋の喫茶店 完全版』『名古屋めし』（共にリベラル社）、『なごやじまん』（ぴあ）、『コンクリート魂 浅野祥雲大全』（青月社）、編著に『名古屋の富士山すべり台』（牛田吉幸著、風媒社）などがある。Yahoo!ニュースに「大竹敏之のでら名古屋通信」を配信中。

「データで解析！サンデージャーナル」番組スタッフ

プロデューサー	深井紀行（テレビ愛知）
統括D	小倉一修（テレビ愛知）・丹羽康人（アイプロ）・樋口 昇（名古屋東通企画）・三鴨大知郎
AP	葛巻勝俊（カイホウ）
AD	大辻カノン（アイプロ）

出版

著者	サンデージャーナル取材班・大竹敏之
デザイン	宮下ヨシヲ（サイフォン グラフィカ）
校正	土井明弘・池田梓・池田洋子、山田吉之・安田卓馬・鈴木ひろみ（リベラル社）
DTP	渡辺靖子（リベラル社）
編集人	伊藤光恵（リベラル社）
営業	澤順二（リベラル社）

営業部 津村卓・津田滋春・廣田修・青木ちはる・竹本健志・春日井ゆき恵・持丸孝
制作・営業コーディネーター 仲野進

サンデージャーナルのデータで解析！名古屋・愛知

2021年3月28日 初版

著 者 サンデージャーナル取材班・大竹敏之
発行者 隅田 直樹
発行所 株式会社 リベラル社
〒460-0008 名古屋市中区栄3-7-9 新鏡栄ビル8F
TEL 052-261-9101 FAX 052-261-9134 http://liberalsya.com
発 売 株式会社 星雲社（共同出版社・流通責任出版社）
〒112-0005 東京都文京区水道1-3-30
TEL 03-3868-3275

ISBN978-4-434-28738-1 C0076

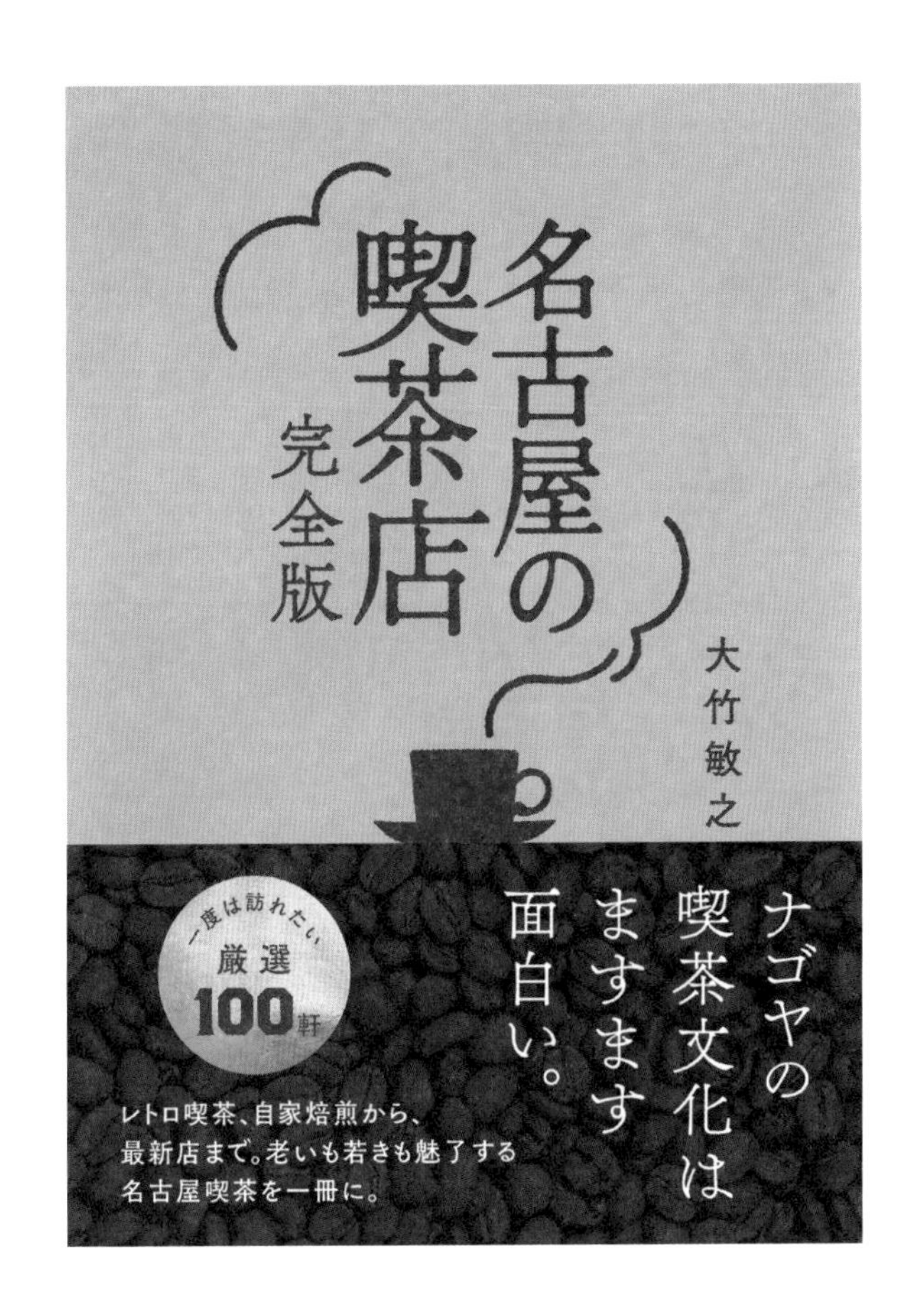

名古屋の喫茶店 完全版　大竹敏之［著］

A5判／256ページ／定価1,650円（本体1,500円+税10%）

レトロな喫茶、自家焙煎から、最新店まで。老いも若きも魅了する名古屋喫茶を一冊に。著者が10年の歳月をかけて取材して歩いた喫茶店の中から、厳選した100軒を大公開！

名古屋の酒場
大竹敏之
めぐりたい
名古屋酒場
ここにあり
一人飲み
ちょうどいい距離
心地よい
この先も
続いてほしい
老舗酒場